Jean-Claude Brief
Jocelyne Morin

Comprendre l'éducation

Réflexion critique sur l'éducation

Les Éditions
LOGIQUES

LOGIQUES est une maison d'édition reconnue par les organismes d'État responsables de la culture et des communications.

Nous remercions le Conseil des Arts du Canada, le ministère du Patrimoine canadien et la Société de développement des entreprises culturelles du Québec pour leur appui à notre programme de publication.

«Gouvernement du Québec - Programme de crédit d'impôt pour l'édition de livres - Gestion SODEC.»

Nous reconnaissons l'aide financière du gouvernement du Canada par l'entremise du Programme d'Aide au Développement de l'Industrie de l'Édition (PADIÉ) pour nos activités d'édition.

Révision linguistique: Bianca Côté
Mise en pages: Philippe Langlois
Graphisme de la couverture: Christian Campana

Distribution au Canada:

Québec-Livres, 2185, autoroute des Laurentides, Laval (Québec) H7S 1Z6
Téléphone: (450) 687-1210 • Télécopieur: (450) 687-1331

Distribution en France:

Casteilla/Chiron, 10, rue Léon-Foucault, 78184 Saint-Quentin-en-Yvelines
Téléphone: (33) 01 30 14 19 30 • Télécopieur: (33) 01 34 60 31 32

Distribution en Belgique:

Diffusion Vander, avenue des Volontaires, 321, B-1150 Bruxelles
Téléphone: (32-2) 761-1216 • Télécopieur: (32-2) 761-1213

Distribution en Suisse:

Diffusion Transat s.a., route des Jeunes, 4 ter, C.P. 1210, 1211 Genève 26
Téléphone: (022) 342-7740 • Télécopieur: (022) 343-4646

Les Éditions LOGIQUES
7, chemin Bates, Outremont (Québec) H2V 1A6
Téléphone: (514) 270-0208 • Télécopieur: (514) 270-3515

Comprendre l'éducation. Réflexion critique sur l'éducation

© Les Éditions LOGIQUES inc., 2001
Dépôt légal: Premier trimestre 2001
Bibliothèque nationale du Québec
Bibliothèque nationale du Canada

ISBN 2-89381-752-1
LX-862

TABLE DES MATIÈRES

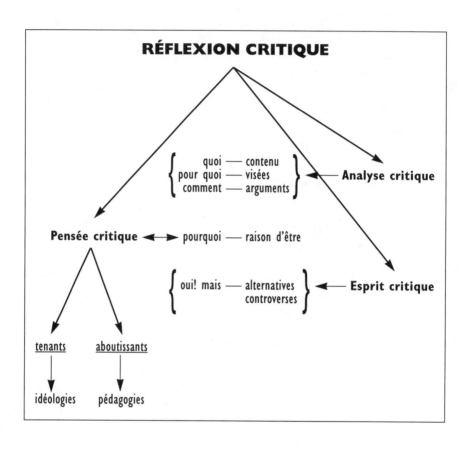

AVANT-PROPOS

Éduquer, c'est se voir aujourd'hui et se dire à demain. À travers cette phrase un peu coquette, nous visons à provoquer l'imaginaire. Bien sûr, la complexité du sujet défie tout effort de le définir et nous sommes réduits à l'expliquer en espérant comprendre de quoi il s'agit. Cette complexité reflète la richesse du monde de l'éducation et, en particulier, celle de l'être humain qui en bénéficie. Par conséquent, les mots qui décrivent la réalité éducationnelle se multiplient à l'infini, introduisent des ambiguïtés et forment un discours imprécis. Il est donc vain d'y chercher des vérités. Tout ce qu'on peut espérer, c'est de former des réseaux notionnels unifiés dans des matrices desquelles devrait surgir notre compréhension. Ce travail minutieux qui se répète tout au long des pages de cet ouvrage justifie pleinement son titre, *comprendre l'éducation*.

Nous avons inauguré la préface avec: *éduquer, c'est se voir aujourd'hui et se dire à demain*. Le hasard veut que cet énoncé illustre la complexité du discours de l'éducation et la richesse de la réalité sous-jacente. En effet, pour se voir aujourd'hui, il faut que je prépare la rencontre en la justifiant par toutes sortes de motifs. Les contacts, arrangés par une mise en situation, occasionnent une *attente* qui transforme *voir*, fruit du hasard, en *regarder*, reflet d'une *entente*. Les interlocuteurs que nous sommes devenus communiquons et bénéficions des interactions. Nous voulons donc donner suite à la rencontre par une autre entente qui traduit un engagement et une responsabilité complices. L'avenir personnalisé et socialisé dépasse la formule de politesse «à demain». Déjà, nous constatons que six propriétés fondamentales de l'esprit humain composent éduquer: *interagir, situer, communiquer, socialiser, s'engager* et *bénéficier*.

Ajoutons aussi que «à demain» est une ouverture, non pas vers le futur, mais *de vie*. Demain est un autre jour et nous nous souhaitons mutuellement d'en faire part. Encore plus prenant pour l'éducateur, aujourd'hui abrite demain. Le songe éducatif s'enrichit alors de l'image d'un flambeau transmis qui sera porté à nouveau par d'autres qui nous supplantent. Ceux qui sont relégués vers hier s'aperçoivent que leur rôle n'est pas de se rendre essentiels. Il s'ensuit une pensée déchirante: les mourants éduquent, mais ne peuvent être éduqués. À défaut d'être aveuglé par le moment présent, l'éducateur se rend compte que son devoir l'engage envers des générations qui vont le remplacer. Trop souvent, l'accent est mis sur l'enfant qui apprend, se développe ou se socialise pour vivre sa propre vie égocentrique ou plutôt, *égocentrée*.

L'éclairage d'une idée relativement anodine, nous amène à construire, un peu arbitrairement, *un ensemble de notions* qui nous permettent de mieux la *comprendre*. Mais, en même temps, nous avons découvert *qu'éduquer est complexe* et *la réalité* qu'elle sous-tend d'une grande *richesse*. Poursuivre l'analyse risque fort de pousser ces deux propriétés à l'extrême et d'exiger *une matrice* pour les visionner. Cet effort se veut une illustration des remarques inaugurales.

Bien entendu, en faisant ressortir ci-dessus les quelques propriétés d'éduquer, nous sommes loin d'avoir tout dit. Éduquer, dans le sens classique du terme, c'est se pencher sur la réalité d'un être humain qui se développe à l'aide d'un savoir méthodiquement construit. De plus, qualifié comme l'action sociale d'un groupe, éduquer donne lieu à des applications pratiques régies par un code de déontologie et soumises à des compétences qui recouvrent les savoir, savoir-être, savoir-faire et savoir-devenir qu'il doit impartir. Tous ces préalables indiquent qu'il s'agit bien d'une *activité professionnelle* à laquelle, compte tenu des enjeux, on ne peut déroger. À l'heure actuelle, on est malheureusement loin du compte.

Un travail exigeant mais nécessaire doit être accompli afin de professionnaliser l'éducation. En effet, il devient impératif de contrôler la prolifération d'opinions multiformes, voire controversées, qui noient les thèses intéressantes et fructueuses. Vouloir comprendre, interpréter et solutionner passe par un effort sérieux visant à démêler le bon du mauvais, le contestable de l'incontestable, le lucide de l'obscur, l'incisif de la platitude. Ce dernier trait opère de concert avec les vérités toutes faites, politiquement correctes, qui, bien que parfois savoureuses, nous distraient sans espoir de lendemain. À cet égard, l'excellent pédagogue Patrick Suppes nous enjoignait jadis de dire *clairement* des choses qui peuvent *paraître fausses*, plutôt que d'exprimer *confusément* des idées apparemment *justes*. Ce conseil prenait, pour lui, la forme d'un arbre fort et dru qui lorsque maladif s'élague et se renouvelle au long des siècles. Si rien de solide n'est là au départ, comment bâtit-on un édifice auquel peuvent s'ajouter des annexes?

Depuis 3000 ans on retrouve parmi les clichés et les slogans, les mêmes en-têtes tenus comme les porte-drapeaux de l'éducation. Il y a de fortes chances qu'ils figent les idées et stérilisent toute pensée innovatrice. À preuve, tout un chacun se réfugie derrière le slogan de Montaigne: *«plûtôt la tête bien faite que bien pleine»* et celui de Rabelais: *«l'enfant est un feu à allumer, pas un vase à remplir»*. Ces formules passe-partout expriment une révolte contre un système pédagogique dominateur friand d'enfants sages et dociles. Cependant, sous la forme d'apprentissages qui doivent s'enfouir dans la mémoire, cette pédagogie traditionnelle demeure aussi populaire qu'aux premiers jours et s'annonce encore la voie de l'avenir (Gauthier, 1993).

En éducation, le temps est venu de faire un grand ménage pour se débarrasser des vérités ténébreuses afin qu'un renouveau printanier soit insufflé dans le discours de cette discipline. Cette ambition a déjà inspiré le nettoyage conceptuel des sciences et de la philosophie durant le premier quart du vingtième siècle. Attelés à cette tâche, on retrouve le grand philosophe anglais Bertrand Russell ainsi que des mathématiciens, des astronomes, des physiciens, des logiciens et maints autres spécialistes. Ils se rassemblaient, au début du vingtième siècle, sous les vocables de Groupe de Vienne, Groupe de Prague et Groupe de Berlin afin de nettoyer l'architecture conceptuelle de leur domaine respectif. Un ménage qui s'avéra salutaire après des siècles d'éparpillement expérimental et de doctes bavardages dans les salons, les boudoirs, les greniers, les caves où tout un chacun s'enorgueillissait d'être philosophe ou savant (Ammerman, 1970; Feigl, 1967; Hempel, 1950; Kaplan, 1964; Nagel, (1960; Pap, 1962).

Heureusement que *le langage de l'éducation* s'assainit déjà grâce aux efforts louables, répartis à travers le monde, de Reboul en France, Peters en Angleterre, Phillips en Australie, T. Green et

Scheffler aux États-Unis, Gauthier au Québec, pour ne citer que ceux-là (Gauthier, 1993; Green, 1971; Peters, 1967; Reboul 1971; Scheffler, 1973).

Leur travail doit cependant être élargi à tout *le discours* de l'éducation et pour cela, une réflexion critique s'impose. Elle seule peut rétablir notre crédibilité en tant que *professionnels de l'éducation*. Les belles vérités ressenties par nous tous lorsqu'il s'agit de l'éducation de nos enfants exigent des assises réfléchies et cohérentes. Notre rôle ressemble à celui du philosophe qui légitime le lyrisme du poète. Pris par ses élans intuitifs qui embellissent la vie de chacun, le poète gagne à voir ses vers épouser les formes de la pensée universelle au delà du cri d'un coeur baigné dans son terroir local.

Dans un premier temps, la réflexion critique sépare le contenu de la pensée de son format; deux volets qui mettent de l'avant l'idée d'être *substantiel* d'un côté et *lucide* de l'autre.

Il y a substance lorsque des visées se dégagent et que je suis capable d'exprimer ce que je veux faire valoir par un pour quoi évident. De plus, les moyens pour y parvenir ainsi que le sujet traité y contribuent essentiellement. On parlera ici de quoi il s'agit et du comment il s'articule.

L'esprit lucide ressort grâce aux raisons d'être fournies et aux alternatives offertes. C'est là qu'entrent en jeu le pourquoi qui donne de l'importance aux thèses visées et le «oui mais!» pointant du doigt les controverses ou paradoxes. En bref, s'intéresser aux questions éducationnelles exige d'examiner de près les thèses fondamentales, leurs objectifs, leur valeur et la manière de les justifier. Sentir les dilemmes, ambiguïtés et confusions fait montre d'un jugement souhaitable et même incontournable.

Pour répondre à ces exigences, la réflexion critique empruntera un *modus operandi* analytique assez sophistiqué. Dans un premier temps, elle détermine le sens des mots, opinions et propositions. Puis, elle asseoit les arguments eu égard aux thèmes, contextes et situations propres à l'éducation. Pour ce faire, la réflexion critique se munit de six instruments essentiels: l'analyse sémantique, l'analyse conceptuelle, l'analyse critique, la pensée critique, l'esprit critique et la pratique réfléchie.

De fait, la réflexion critique sur l'éducation constitue la raison d'être de cet ouvrage. Ses trois composantes principales forment, selon le diagramme d'introduction, l'essentiel du chapitre I avec *le pourquoi* de la pensée critique, du chapitre II avec *le com-*

ment de l'analyse critique et du chapitre III avec *le oui mais!* de l'esprit critique.

Explication sommaire des composantes
de la réflexion critique

- La pensée critique vise à montrer l'importance et donc *le pourquoi* d'un thème donné. Pour atteindre cet objectif, on cerne les tenants idéologiques et les aboutissants péda-gogiques qui défendent son choix prioritaire. Ceci exploite chez les éducateurs une facette personnelle de la réflexion critique, car ces présupposés valorisants impliquent le vécu, la culture et les expériences passées de la personne con-cernée.
- L'analyse critique examine l'articulation rationnelle d'un argument. Elle se charge *du comment* établir les composantes relationnelles qui autorisent une défense soutenue des prin-cipales thèses choisies en tant que *pour quoi* éducationnel.
- L'esprit critique scrute d'un œil dubitatif le choix du thème et il envisage les différentes possibilités à l'aide d'un *oui, mais...!* En bref, il élargit tout en les cernant certaines problé-matiques essentielles du discours de l'éducation.

Pour appuyer ces efforts, l'armature conceptuelle doit être échafaudée à l'aide de trois instruments analytiques complémen-taires: l'analyse sémantique, l'analyse conceptuelle ainsi que la pratique réfléchie.

- L'analyse sémantique cerne le sens des mots en fonction des liens qu'ils maintiennent avec une réalité donnée. Dans cet ouvrage, nous évitons les généralités fournies par les diction-naires en cherchant ce sens dans les phrases courantes, les citations, les proverbes et surtout *les idiotismes*. En effet, ceux-ci révèlent un vaste éventail de qualificatifs, souvent peu conventionnels, attribués aux mots-clefs à l'étude. Ils livrent à travers les notions diverses qu'ils recouvrent le con-texte qui convient. De plus, cette approche fournit une touche innovatrice fructueuse grâce au vécu, à l'expérience professionnelle et aux réalités socioculturelles apportés par le choix des mots-clefs; pour son plus grand bien, ce choix n'est pas aussi innocent qu'on le pense. Notamment, face à un ensemble de phrases, les qualificatifs communs aux mots-clefs sont filtrés de manière à créer un réseau conceptuel qui éclaire tout le discours de l'éducation. Pour s'en convaincre, il suffit de réagir à *t'as pas froid aux yeux* ou *sauve qui peut* pour sentir toute la richesse sémantique des notions de *froid* et de *pouvoir*. Nous espérons ainsi éviter la gratuité des slogans, clichés et assertions péremptoires clamés dans une langue de bois.

N'oublions pas qu'à la différence de l'idiotisme qui forme un raccourci ouvrant les yeux tel que «*tu n'as pas froid aux yeux*», le cliché forge un passe-partout qui ferme les esprits à l'instar de «*la vie, c'est la vie*» ou «l'enfant doit se développer», et le slogan entre dans un cul-de-sac qui clôt le bec comme ce fameux dicton politique de l'extrême droite française «*mon opinion, c'est la vôtre*» ou celui de la réforme qui «*prend le virage du succès*» (Reboul, 1975).

- L'analyse conceptuelle sélectionne les mots-clefs d'une proposition. Après avoir effectué leur analyse sémantique individuelle à l'aide des idiotismes, on peut évaluer leurs liens conceptuels au sein d'une phrase. De là, ressortent la validité et la plausibilité de l'assertion considérée. Cette analyse objective, où domine le consensus social obtenu lors du choix des qualificatifs pour chaque mot-clef, supplante l'opinion subjective accordée au départ. Les réseaux conceptuels ainsi créés permettent une compréhension globale qui justifie ou dément la proposition avancée et rendent l'affirmation publiquement acceptable. Par exemple, dans la proposition: «*enseigner par objectifs développe un enfant*», l'analyse sémantique et conceptuelle de «développer», «enseigner», «objectif» et «enfant» suscite de graves doutes sur sa validité bien que dans la littérature courante cette affirmation populaire semble parfaitement raisonnable. On peut, notamment, opposer sur le plan sémantique *la fermeture* spécifique imposée par la maîtrise recherchée d'un objectif *à l'ouverture* indéfinie du développement.

- La pratique réfléchie se penche sur l'action éducative entreprise afin d'en dégager la praxis de la personne concernée et ainsi révéler le rôle du passé expérientiel dans le vécu actuel propre à engager l'avenir. Tout en réfléchissant sur son action, l'enseignant s'appuie sur les analyses sémantiques, conceptuelles et critiques cernées ci-dessus pour envisager les différentes stratégies éducatives à mettre en œuvre.

Notons qu'en expliquant les composantes essentielles de *la réflexion critique sur l'éducation*, nous dépassons l'opération habituelle d'une pensée *critique en éducation*. En effet, celle-ci se cantonne habituellement à l'art d'évaluer la vérité d'une expression problématique. Ceci requiert une argumentation qui distingue ce qui est évident de ce qui est douteux. On trouvera donc dans les innombrables textes d'*analyse critique* les rudiments de la logique des propositions et des prédicats (Brookfield, 1987; Dauer, 1980; D'Angelo, 1971; Ennis, 1962; Hitchcock, 1983; McPeck, 1981). Les logiciens ajoutent le plus souvent un historique des principaux arguments découlant de la syllogistique aristotélicienne auxquels ils accolent les raisonnements fallacieux ou paradoxaux tant débattus au Moyen Âge. L'entreprise se poursuit ensuite dans un souci d'application des principes logiques à des exemples défaillants pris à même le domaine de l'éducation. À la limite, quelques chapitres sont consacrés à des exercices pratiques qui montrent comment persuader, argumenter ou contester. Cette insistance à trouver des applications de la logique en éducation souffre des mêmes maux qu'une théorie psychologique appliquée. En effet, celle-ci est bâtie à partir des données sélectionnées dans des situations bien délimitées. En l'appliquant en éducation, les contraintes expérimentales *in vitro* risquent fort de dénaturer les événements éducatifs fort vivants *in vivo* qui débordent de tous côtés. De plus, les relations causales qui répondent au *pourquoi* de la théorie ne recouvrent aucunement les relations humaines guidées par le *pour quoi* des décisions éducatives.

Au lieu de discuter d'alternatives dans un esprit critique constructif, nombreux sont les textes d'analyse critique qui se limitent à un rationalisme inflexible. Dans le pire des cas, ces textes s'engagent dans des débats critiqueux et non critiques favorisant la dispute de sceptiques invétérés.

Dans un esprit de renouveau, il faut nous écarter des *analyses critiques en éducation* qui se concentrent sur l'argumentation en empruntant ses instruments au champ de la logique. Devant l'urgence d'une opération d'assainissement, la description de ce bistouri logique et de son maniement doivent dorénavant faire place à l'intervention thérapeutique elle-même. D'autant plus que manier ce bistouri *en* éducation équivaut à opérer un mannequin. En effet, le terrain d'opération auquel il s'adresse forme un cadre détaché de la réalité et donc dépourvu des problèmes réels introduits par les contextes sociaux dont l'éducation s'occupe.

Plus personnelle, *la réflexion critique sur l'éducation* s'appuie sur l'entreprise éducative afin de prendre en considération les expériences de celui qui réfléchit. Confronté aux décisions à prendre sur-le-champ, il ne peut se payer le luxe d'une analyse pure et dure déconnectée de la réalité. De fait, il est dans la situation pleine d'humour du philosophe qui, face à une voiture circulant à contre-sens, est condamné à l'accident s'il suppute trop les manúuvres d'évitement. L'homme d'action prévaut dans ces circonstances sur l'homme de réflexion.

INTRODUCTION
Le quoi et le pour quoi
de l'éducation

Le seul bagage qui passe toutes les frontières sans incidents est **l'éducation**. L'émigrant peut lui faire passer la fouille douanière sans problèmes pour ensuite la déballer quel que soit le lieu du nouveau séjour. Ceci constitue un avantage de taille. Mais, il y en a d'autres puisque dans le bain social qui va lui permettre de s'immerger dans la société d'accueil, son éducation trace une ligne de flottaison déterminant sa survie socio-économique. Il ne fait aucun doute que le bagage éducatif s'ouvre lors des contacts sociaux et que le cercle des nouvelles connaissances en prend la mesure. Fait notoire, les intérêts culturels liés à l'éducation renforcent certaines relations humaines qui, à plus ou moins long terme, créent les balises pour des emplois éventuels. Ici, l'adage «dis-moi qui tu fréquentes, je te dirai qui tu es» se justifie lorsque la qualité de nos contacts rapporte des dividendes professionnels.

Un émigrant averti se chargera donc du bagage d'ancien écolier. Mais pour le petit gars du coin qui tient à le rester, cet enjeu éducatif en vaut tout autant la chandelle.

À l'instar de l'émigrant, il a besoin de garnir sa besace d'un quignon d'éducation pour assurer sa survie. D'ailleurs, ne pas réaliser la valeur de ce principe fournit trop souvent des arguments à ceux qui mettent le chômage sur le dos des émigrants. Nous sommes pourtant tous à l'affût de ce quignon d'éducation. Pour preuve, le sentiment de communauté nostalgique qui nous saisit à la vue des parents prodiguant conseils, aide et informations à leur rejeton. Ceci montre la valeur universelle du quignon d'éducation et explique la popularité des documentaires qui exposent la protection prodiguée par le groupe aux bébés loups, dauphins, pygmées ou extra terrestres.

Un point noir dans ce tableau idyllique, il est tenu pour acquis que chacun a une voix dans le processus éducatif, et ce, peu importe le degré d'engagement et d'intérêt. C'est là que le bât blesse, car, au-delà des inspirations instinctives, le quignon d'éducation a une structure moléculaire complexe qu'il n'est pas donné à tout le monde de déchiffrer. Les ingrédients, les ustensiles, le malaxage, les temps d'arrêt, les séquences, les conditions atmosphériques sont autant d'influences qui affectent le processus et le produit. Malheureusement, pour satisfaire la multitude d'intervenants et s'assurer qu'ils y comprennent quelque chose, des formules simplifiées réduisent indûment cette complexité. Il en résulte des compromis qui font figure de recettes à la mode avec en sus une couleur *politiquement correcte* cherchant à n'offusquer personne. Les conséquences de cette bouillabaisse, c'est qu'on ne sait plus à quel saint se vouer de telle sorte que l'on se retrouve avec des textes parsemés de belles envolées: «*l'école vise le savoir, le savoir-être et le savoir-faire*», «*il faut respecter la motivation à apprendre*» ou «*on doit encourager le développement*». Personne n'y trouve quoi que ce soit à redire depuis 3000 ans puisqu'elles sont l'évidence même, simples, limpides, sans l'attrait d'une pensée originale ou distinctive.

Bien qu'il y ait foule au guichet des intervenants en éducation, leur entrée est filtrée par un nombre restreint de mots de passe standardisés qui les empêchent de se distinguer. Incapables de s'identifier personnellement, ils s'étiquettent sans originalité et se drapent dans une langue de bois qui percute sur des slogans ou des clichés n'offrant aucune chance de réplique par leur trop-plein de vérité. Leur sens empreint de trivialité explique notamment pourquoi il faut les chasser du discours de l'éducation auquel on tente de donner une coloration professionnelle.

Montrer en quoi ils ne conviennent pas nous impose un éclairage judicieux et, surtout, invite la discussion à partir d'un traitement accentué (Gauthier, 1989). Les coupables de cette faiblesse introduite dans le discours de l'éducation sont, ainsi qu'expliqué ci-dessous, la langue de bois, le slogan et le cliché. Nous leur opposerons pour y remédier les techniques d'analyse réflexive fournies par les idiotismes et les paradigmes.

- Langue de bois: ode lyrique qui naît au tréfonds d'une gorge bien raclée pour être délivrée ensuite par une bouche en cul-de-poule éliminant d'office tout son dissonant. Les exemples proférés abondent tels: «l'éducation doit prendre le virage du succès», «le futur est dans le devenir», «le stress s'élimine par la joie».

- **Slogan**: cul-de-sac qui arrête la pensée. Par exemple, «mon opinion, c'est la vôtre» et «il faut développer l'enfant».
- **Cliché**: passe-partout qui ferme l'esprit. Par exemple, «la vie vaut la peine d'être vécue» et «un esprit sain dans un corps sain».

Tout au long de cet ouvrage, nous nous opposerons à l'usage de ces formules passe-partout en garantissant une pensée plus personnelle et pénétrante grâce à l'idiotisme et au paradigme.

- **L'idiotisme** fait figure de raccourci qui ouvre tout grand les yeux de l'imaginaire au sein des usages langagiers courants.
- **Le paradigme** agit comme un puits de lumière qui illumine une idée et catalyse l'esprit du temps, ou *Zeitgeist*, sur un sujet donné.

Étant donné le rôle vital joué par l'éducation dans la vie d'une personne, on ne peut s'y adresser en dilettante. C'est-à-dire, il serait désastreux d'accorder une fonction essentielle à ceux qui n'y voient qu'un passe-temps accompagné d'une connaissance imparfaite. D'autant plus qu'avec le nombre impressionnant de gens qui s'y intéressent, le dilettantisme peut faire tache d'huile et engluer l'effort légitime des experts. Le danger s'accroît avec la prolifération des chaînes radiophoniques et télévisées qui fonctionnent 24 heures sur 24 avec un besoin grandissant de porte-parole, amateurs en tout genre. La parole y est démocratiquement distribuée parmi les animateurs qui commentent, réforment ou politisent tous les sujets dont, bien entendu, l'éducation. Ils s'interrompent juste assez pour laisser jaser un entourage bien fourni de journalistes, politiciens, vedettes, sportifs, mannequins de haute gamme, astrologues et autres intellectuels de tout acabit. Monsieur-tout-le-monde les rejoint, car il ne rate jamais la chance d'être au bout du fil. D'ailleurs, il existe peu de choix lorsque, pour occuper à bas prix ces heures innombrables, les parlotes s'avèrent un expédient banal et bon marché comme du prêt-à-porter. Ainsi, lors du récent débat très médiatisé sur les résultats scolaires inférieurs des garçons par rapport aux filles, un déluge d'opinions envahit les ondes. Les amateurs concluaient à partir d'anecdotes innombrables que la bougeotte innée des garçons était la grande coupable. En l'absence d'experts, tous ces bénévoles bien intentionnés jugèrent qu'une dose d'exercices récréatifs bien appliquée allait résorber le déficit scolaire. Allons donc! les douleurs musculaires doivent être traitées par les piétons et non les physiothérapeutes; les différends grammaticaux seront résolus par les bavards et non les linguistes; les MTS se trouvent mieux soignées par les péripatéticiennes que par les médecins!

Nous sommes malheureusement branchés sur cette même longueur d'onde en éducation. Le forum du monde scolaire, facilement médiatisé, échappe aux professionnels. Pour comble de malheur, ils sont marginalisés par les enjeux politiques et les facteurs économiques qui dominent les intérêts intellectuels ou culturels.

Sur le plan politique, la gauche aussi bien que la droite s'engagent activement dans le monde scolaire avec un *agenda* qui vise à mouler les futures générations en fonction de leurs idéaux respectifs.

Sur le plan économique, l'équilibre budgétaire gouvernemental sanctionne sévèrement les investissements pédagogiques. Plus néfaste par ses effets à moyen terme, l'emprise du marché de l'emploi biaise les constructions de curriculum et de programmes. Les étudiants ne s'y trompent pas lorsqu'ils se perçoivent comme une clientèle scolaire. Les titans financiers s'ingèrent directement dans les universités afin de préparer leur main-d'œuvre éventuelle par leurs dons ou l'instauration de chaires. Autre facteur non négligeable, celui des migrations urbaines qui dépeuplent les zones rurales et amènent une foule non scolarisée motivée par la promotion socio-économique beaucoup plus que par la soif de culture. Illustration probante de ce phénomène, le Québec a vécu ces trente dernières années un *miracle de scolarisation*. On l'a vu passer du niveau le plus bas d'instruction des 18 à 35 ans au niveau le plus élevé en Amérique du Nord (Bernard Shapiro, L'actualité, 15 novembre 1999, p. 35).

Le refus de voir les dilettantes, qui n'ont cure de compétence éclairée, se mêler d'éducation peut se comprendre en vertu de la complexité effarante de cette dernière. L'argument majeur touche au fait qu'un éducateur s'engage envers une personne qui se développe vers une destinée qu'elle doit éventuellement gérer seule. D'une grande richesse, cette pensée forme le cœur du projet éducatif, et pour en saisir toutes les nuances un travail très sérieux s'impose. C'est pourquoi le dilettantisme est mal venu et frise même l'impertinence. Qui dit travail sérieux, dit recherche de contributions du côté de l'éthique ou de la déontologie ainsi que du côté des domaines plus vastes comme la psychologie, la biologie, la sociologie, la philosophie, la pédagogie, etc.

Cette fouille aux accents historiques prononcés doit être encadrée au préalable dans un discours «serré coton». Nous entendons par là le besoin d'un réseau conceptuel précis soutenu par une réflexion critique dont les arguments sont non seulement lucides et incisifs, mais aussi originaux. Ils doivent envisager la controverse qu'évitent les slogans et les clichés. Donnons consistance au discours de l'éducation en dépassant des phrases triviales comme «l'enfant doit se développer» ou «il faut être motivé pour apprendre». Elles sont pires que des trompe-l'œil par leur accent sincère qui leur accorde une vérité incarnée. Le danger guette lorsqu'on ne peut les contrecarrer. Toute affirmation qui impose une acceptation inconditionnelle et qui ne peut être contestée se révèle un truisme vide d'informations. Malheureusement, cela se retrouve trop souvent dans les discours pédagogiques. Il est alors approprié d'utiliser un test élémentaire de contenu significatif qui cherche à vérifier si l'assertion peut être déniée. Nos énoncés ont du sens lorsqu'ils ne sont pas *trop vrais* et qu'on peut leur opposer un *non* retentissant.

La meilleure façon d'introduire la controverse passe par des accents idéologiques biaisés. On sait alors que le discours doit être étendu afin d'être entendu et que l'argumentation solide ainsi que les justifications cohérentes exigent du temps et de l'effort. Sans ces préalables, rien d'important n'est dit, et les conséquences pédagogiques risquent d'être des fadaises menant à un éparpillement contradictoire d'où émane un discours sans consistance.

L'éducation se distingue d'autres activités humaines par son souci profond de se projeter vers l'avenir. Elle œuvre aujourd'hui auprès de chaque enfant et adolescent afin de le préparer pour demain et aussi pour après-demain. Dans une abnégation extraordinaire, l'enseignant se dévoue envers des élèves dont il ne verra presque jamais les lendemains. Pour cette raison, son œuvre se distingue du rôle des parents par sa gratuité. C'est pourquoi les valeurs que l'enseignant met en jeu dessinent ce qui devrait être et, par là, prennent tout leur sens. Elles se rassemblent autour d'idéologies auxquelles il doit adhérer. En vertu des prémisses que nous venons de rassembler, le présent ouvrage trace un panorama éducationnel qui révèle au lecteur les tenants et les aboutissants du travail pédagogique quotidien.

CHAPITRE I
La pensée critique

La pensée critique recherche, expose puis évalue les tenants et les aboutissants d'une thèse envisagée. La personne concernée établit ainsi l'importance et la raison d'être de cette thèse grâce à son vécu, son expérience professionnelle et sa culture.

Le panorama idéologique

Tout enseignant favorise impulsivement telle ou telle forme d'existence chez les êtres humains.* Il est poussé par son tempérament à placer en eux sa confiance selon qu'ils s'appuient sur leur instinct, leurs acquis ou leur sens social (Gutek, 1988; Kohlberg, 1972). Il les laissera donc s'activer spontanément pour les premiers, se renseigner afin d'étoffer leurs pensées chez les deuxièmes et interagir avant de s'engager pour les troisièmes. Ayant manifesté ses préférences pour un type d'élève, l'enseignant le valorise d'autant et trace ensuite sa ligne de conduite. En effet, si l'élève instinctif lui plaît, il se doit de lui présenter le programme en accord avec ses intérêts spontanés aussi bien sur le plan de ses apprentissages, de sa pensée, de sa façon de sentir que de son agir. Ensuite, il adapte son mode d'action éducative aux quatre dimensions prises progressivement: **il instruit les apprentissages, il enseigne la pensée, il forme le sentir et il éduque l'agir.** Pour légitimer ces choix pédagogiques qui se résu-

---

* Nous utilisons le genre masculin pour «enseignant» afin d'obéir aux usages stylistiques. Toutefois, nous nous devons par décence professionnelle de marquer notre respect pour la majorité féminine qui se dévoue dans cette fonction sans souvent bénéficier de la reconnaissance publique (voir l'introduction de Gauthier (1993)).

ment en des savoir-agir compétents, les analyses conceptuelles et critiques présentées au deuxième chapitre s'avèrent nécessaires.

Le souci primordial devient donc pour l'enseignant de favoriser sa réussite selon ses choix idéologiques. À chacun d'eux correspond un discours éducationnel particulier. Les matrices C et E du deuxième chapitre dressent un bilan de ces discours. La procédure ressemble à celle de *formater* les disquettes de programmation en informatique. Elle consiste à tracer des créneaux préalables dans lesquels nous pouvons ensuite installer, structurer, ordonner, contrôler, récupérer des données ramassées dans le désordre le plus total. Cette technique du *formatage* reprend sous une forme contemporaine la stratégie qui consiste à diviser pour mieux régner. On en a bien besoin puisque l'être auquel s'adresse l'éducateur est d'une complexité effarante. Il s'agit alors de trouver une manière de le tronçonner pour le rendre corvéable et malléable; c'est le rôle des matrices conceptuelles que nous bâtissons dans le deuxième chapitre. Les matrices se construisent au fil des ans, des rencontres, des expériences et des lectures. Elles orientent notre discours à l'aide de données auxquelles elles imposent une structure. En d'autres mots, les notions répertoriées dans la matrice sont le fruit d'analyses minutieuses qui dirigent les prises de décisions et qui permettent d'acquérir les compétences nécessaires à des actions sciemment planifiées lors de pratiques éducatives.

Nichées dans ces créneaux, les données recueillies frappent alors par leur air de famille. Par exemple, la première colonne de la grille D révèle qu'un être qui sait quelque chose s'instruit par des techniques d'acquisition de matières scientifiquement organisées. Chaque notion ressort de la grille selon un ordre cohérent qui oriente un certain discours éducationnel faisant office de stratégie mûrement échafaudée. Il y a là des liens parentaux évidents dans la filière des champs qui divisent le savoir ou subdivisent les connaissances. Selon la quatrième colonne de la grille D, un autre discours peut être construit de manière cohérente et plausible. Ainsi, on peut avancer que l'être qui agit s'éduque avant tout en accord avec son vécu. Ceci l'autorise enfin à décider en connaissance de cause lorsqu'il assume ses responsabilités. Le courant éducationnel de cette quatrième colonne est plus tumultueux, car il utilise les dimensions individuelles proprement humaines. Les sciences de l'instruction de la première colonne se limitent, par comparaison, aux traits normaux d'un individu indifférencié. Dans un mouvement de va-et-vient auto-correctif au fil des ans, les deux filières se justifient par l'amas d'expériences corrélées et, réciproquement, elles justifient les deux chemins pédagogiques.

Dans une veine pratico-pratique, chaque face-à-face détermine les atomes crochus qui permettent de saisir cet être humain en tant qu'enfant, élève, étudiant, client ou patient. Après avoir posé ces balises à l'aide de l'analyse critique, le temps est maintenant venu d'en peindre le canevas d'où émane l'être fait de chair et d'os. Nous pénétrons alors dans l'univers de la pensée critique où se dessinent les raccords avec les diverses réalités vécues de l'expérience professionnelle et des influences socioculturelles. Les préférences instinctives à saveur idéologique font pencher vers une certaine forme d'être. Elles se colorent des choix d'un homme qui agit avec son cœur, sa tête ou ses empathies. Après la forme, c'est au tour du fond. Dans un contexte historique, il faut décider quelle est la trempe de cet être humain et, par conséquent, quels sont les modes d'intervention mis à notre disposition.

Un bel exemple, résumé par une matrice, nous est fourni par Platon tel que rapporté dans *Le monde de Sophie* (Gaarder, *idem*, p. 10). Dans un esprit similaire, nous bâtissons dans le chapitre II des matrices qui résument l'analyse critique structurant et l'analyse réflexive éclaircissant l'univers éducationnel (Kohlberg, 1972).

L'HOMME POLITIQUE*

Corps ◄─► **Âme** ◄─► **Vertu** ◄─► **Cité**

tête	raison	sagesse	gardien
cœur	volonté	courage	guerrier
ventre	besoin	mesure	travailleur

* *Horizontalement*, les liens conceptuels reflètent des aspects culturels qui caractérisent le *Zeitgeist* de cette époque.

* *Verticalement*, les délimitations structurales montrent qu'entre les domaines se retrouve la même organisation. Il est plausible ensuite d'établir des correspondances explicatives cohérentes entre les univers distincts.

Les paradigmes éducationnels

La section précédente montre que certains choix idéologiques s'imposent à l'enseignant qui favorise un type d'être humain à former en adoptant un système de valeurs. Mais, il y a un prix à payer lors de ce choix. Ce prix, nous le fixons dans cette section, sous la forme d'un *paradigme* auquel il doit dorénavant porter allégeance avec toutes les contraintes conceptuelles que cela entraîne.

En guise de préambule, notons que le paradigme colore les choses d'une teinte biaisée qui bloque temporairement d'autres visions interprétatives. De fait, il installe des úillères, car il concentre la vision sur le puits de lumière qui illumine la situation envisagée, tel l'autel d'une cathédrale.

La grille de Platon, reproduite ci-dessus, exemplifie les œillères paradigmatiques qui imposent une vision particulière de l'être humain. Grâce à une interprétation d'époque (herméneutique), nous voyons tout de suite que c'est l'homme lui-même qui nous est présenté sous ses trois dimensions et non un cadre préétabli au sein duquel il se définit. D'abord, il est vu au naturel en tant qu'esprit et en tant que corps. Puis, il agit selon ses volontés. Enfin, sa condition sociale lui impose des obligations. À s'y méprendre, on retrouve là les divisions contemporaines d'un être déterminé par sa nature, son environnement ou son adaptation. La longévité de ce modèle lui a donné une allure de paradigme éducationnel avec lequel tous les pédagogues ont dû composer à travers les âges.

PARADIGMES ÉDUCATIONNELS

Idéologie (option)	Philosophie (position)	Psychologie* (champ)	Éducation (courant)
romantisme	nativisme	maturationnisme	naturalisme
culturalisme	empirisme	béhaviorisme	environnementalisme
progressivisme	pragmatisme	cognitivisme	fonctionnalisme

* Les allégeances des pédagogues envers certaines théories psychologiques soulèvent des controverses qui trouvent leur place naturelle au chapitre III (esprit critique).

De fait, le versant historique étale trois paradigmes et non un seul formant synthèse. En effet, les visions naturelles, sociales et adaptatives de l'être humain ont déterminé des réseaux conceptuels étanches nous rappelant que les paradigmes installent des oeillères. En adoptant l'une des trois visions, tout pédagogue s'enferme dans une option idéologique, une position philosophique, un champ scientifique et un courant éducationnel. Notre rôle dans cet ouvrage est de délimiter ces frontières relativement imperméables afin de comprendre le genre d'actions éducatives et de compétences recherchées par les intervenants de l'éducation.

Le paradigme romantique ou le jaillissement de l'être

| **Mots-clefs**: être, savoir-être, naturel, épanouissement, l'univers, inspirer (pas pratiquer ou appliquer), former (pas informer ou réformer).

Les tenants: l'idéologie romantique

L'être au naturel règne suprêmement pour les adhérents romantiques de ce mouvement plus que millénaire. Ceux-ci accentuent le bain symbiotique au sein d'un univers nourricier qui assure l'harmonie et l'action régénératrice dans l'être vivant. Inspiré par sa propre nature qui fait un avec la nature, cet être animé par son élan vital émerge dans un mode d'agir avide d'expériences authentiques se faisant l'écho du monde. Celles-ci l'entraînent vers une image d'un moi de plus en plus confiant en ses capacités. De plus, elles l'engagent dans une évaluation continue qui l'amène à attendre peu d'autrui et encore moins d'être récompensé pour ce qu'il accomplit. De cette image sans ombrage découlent des conséquences d'une grande beauté lyrique personnelle, mais aussi parfois, d'une effroyable laideur sociale.

Le lyrisme enivrant se sent lorsque l'être humain, plongé dans la nature ambiante dont il est issu, a le privilège d'en scruter les mystères en ayant toute liberté de faire corps avec elle. Le romantique saisit cet instant sur le vif pour célébrer avec fierté sa destinée aux élans quasi divins. Il est pris d'une admiration sans bornes lorsque l'univers tout entier sourdit en lui, influencé qu'il est par cette nature qui l'habite. Celle-ci se reflète en traits jaillissants qui garantissent son être «au naturel». Dès lors, cette valeur préférentielle dont se nourrit l'idéologie romantique prend tout son sens.

On comprend mieux cette foi moderne dans la puissance génétique de l'être. Une foi, portée par l'enthousiasme à décoder les énormes chaînes moléculaires d'ADN avec son potentiel de découverte des gènes défectueux corrélés avec une myriade de maladies. Fait encore plus symptomatique, de nombreuses recherches scrutent les gènes pour y découvrir l'origine de l'intelligence, du sentiment religieux, du goût musical, de l'agressivité ou du pouvoir de leader. Ce même engouement se retrouve dans le décodage des personnalités soumises à des traits de caractère hérités où se reconnaissent les individus introvertis ou extravertis, intuitifs ou perceptuels, affectifs ou cognitifs, sensibles ou raisonneurs (Tieger, 1998). N'oublions surtout pas les sept types d'intelligence qui nous contrôlent tout au long de notre existence et auxquels il faut se soumettre par peur de frustration ou d'échec: nommément, les intelligences linguistique, logico-mathématique, spatiale, musicale, kinesthésique, interpersonnelle et intrapersonnelle (Gardner, 1983). Certaines versions de l'intelligence émotionnelle se nourrissent également aux sources de l'inné (Goleman, 1997).

Rien à faire, les grands hommes sont prédestinés à devenir supérieurs, ainsi le veut l'école de l'héritabilité. C'est ce qu'avançait jadis Sir Francis Galton (*Hereditary Genius*, 1869) et c'est ce que défend aujourd'hui Andrew Johnson (*Journal of Twin Research*, 1998). L'environnement fait dévier parfois le courant génétique pour le faire surgir plus ou moins fort en des lieux fortuits, mais il est toujours là pour ramener dans le chemin naturel la brebis égarée (Eric Sorensen, *Seattle Times*, février 2000). Cet appel à l'environnement n'est qu'un tour de passe-passe qui n'absout pas le romantisme sous-jacent. Il revient d'ailleurs à la rescousse sous la forme d'impulsions irrésistibles d'origine génétique. En effet, une étude récente déculpabilise l'homme atteint de maladies «génétiques» qui le forcent sans aucune volonté ou réticence morale à pourchasser la satisfaction sexuelle et donc à violer pour se reproduire (Thornhill, 2000). Le président de l'association américaine des avocats criminalistes s'est empressé de la faire circuler afin de suggérer une nouvelle ligne de défense pour les violeurs et les pédophiles. Une autre étude lie le racisme à une personnalité héritée (Emily Eakin, *New York Times*, Janvier 2000). Nous sommes prévenus contre ces exagérations par Tooby et Cosmides:

«*There are millions of animal species on earth, each with a different set of cognitive programs. The same basic neural tissue embodies all of these programs, and it could support many others as well. Facts about the properties of neurons, neurotransmitters, and cellular development cannot tell you which of these millions of programs the human mind contains.*» (Pinker, 1997, p. 26). Malheureusement, tout en chassant la dominance génétique par le portique frontal, Pinker la réintroduit par la porte arrière:

«*But if evolution equipped us not with irresistible urges and rigid reflexes but with a neural computer, everything changes. ...Human thought and behavior, no matter how subtle and flexible, could be the product of a very complicated program, and that program may have been our endowment from natural selection*» (Pinker, idem, p. 27).

Cette foi dans les forces naturelles confond l'individu dominé. Il est peu surprenant alors que durant les moments privilégiés de son apogée, soit au temps de Périclès, à la Renaissance et au XIXᵉ siècle, l'homme romantique prend les dimensions titanesques de vertus surhumaines. Il vit des épopées immortalisantes en s'unissant à l'univers. N'étant point simple mortel, il ne s'encombre pas d'un moi diminutif. Que ce soit dans les romans de Victor Hugo et de Goethe, les poésies de Lamartine et de Byron ou la musique de Wagner et de Debussy, aucune polarité ne sépare l'homme de la nature. Il s'harmonise avec elle en maintenant une symbiose être-nature totale. Tous ses rêves, pensées et volontés forment une trame au sein du réel selon un panthéisme mythologique dominant. Vie, mort et destinée s'incarnent dans l'univers peuplé d'objets qui deviennent les intermédiaires privilégiés pour l'alchimiste, le cartomancien, l'astrologue, le sorcier et autres illuminés. Tous ces devins s'inspirent des forces naturelles, des influences célestes, des signes zodiacaux qu'ils lisent dans chaque être avec un zèle qui emporte l'assentiment. Ici jaillissent ces horoscopes foncièrement optimistes qui propulsent l'être convaincu en l'unissant aux forces vives de la vie.

L'enfant

Face à une vision grandiose d'un être mu par les forces naturelles, l'enfant apparaît simple reliquaire de qualités qui le dépassent. Il s'inscrit sans plus, minuscule chaînon animé d'un souffle millénaire qui le prédestine à une existence dont il ne peut être tenu responsable. Toutes les propriétés qui le qualifieront d'être humain dorment présentement en lui. Le jour de leur jaillissement, elles lui accorderont une identité viable en symbiose avec le milieu ambiant. Cependant, dans l'immédiat, la situation de l'enfant est bien précaire puisque sa fragilité l'empêche de servir des desseins grandioses. Il reste un entrepôt fluet dont la présence est tolérée plutôt qu'appréciée. De là, le peu d'égards qu'on lui accordait jadis en l'absence d'un mot spécifique pour sa condition de bébé. Il fut transposé du nom anglais «baby». Pire encore, son prénom provenait souvent de son parent consanguin qui venait de trépasser, et il était en passe de le perdre envers son successeur dans la famille. N'oublions pas qu'à cette époque les poupons mourraient comme des mouches ainsi d'ailleurs que leur mère parturiente. Souvent, il n'était que «l'enfant de», sans plus. Sur sa tombe, nulle inscription; aucun registre ne rappelait sa présence furtive. Encore plus damnant, l'enfance resta durant de nombreux siècles une maladie. Tous ces éléments expliquent la réticence vivace jusqu'au début du vingtième siècle à reconnaître la pédiatrie ou la psychologie de l'enfant. C'est ainsi d'ailleurs que Jean Piaget, le psychologue suisse bien connu, ne put, dans un premier temps, obtenir un poste à l'université de Genève dans le domaine de la psychologie de l'enfant. De même, Jessie Scriver, décédée le 13 mai 2000 à l'âge de 105 ans, fut une pionnière de la profession médicale pour les femmes en un temps où elle subit maints affronts lorsqu'elle osa en 1917 se porter candidate à l'école de médecine. Puis, vers les années vingt, elle fut l'objet de la risée publique lorsqu'elle montra de l'intérêt dans le champ mal défini de la pédiatrie.

On retrouve ce même préjugé défavorable envers l'enfance dans le choix, jadis prioritaire, de spécialistes d'handicapés pour s'occuper des enfants appelés à fréquenter les maternelles nouvellement mises sur pied autour des années 50. De là, il n'y a qu'un pas pour expliquer cette tendance pernicieuse à déclarer handicapés jusqu'à 62 % des enfants d'âge scolaire. Jusqu'à récemment, le fardeau de la naissance pesait lourd dans la balance lorsqu'il s'agissait de déterminer si un enfant était handicapé ou non. Il suffit de mentionner les «enfants de Duplessis», au Québec, ou les orphelinats des Sœurs de la Merci, en Irlande, pour entendre les suppliques de ces milliers d'enfants brutalisés et jugés crétins du fait qu'ils étaient le fruit d'aventures illicites. Accusation similaire que nous entendons de nos jours chez les fondamentalistes chrétiens ulcérés à la vue d'enfants mulâtres. Ceci débuta au Moyen Âge avec la prolifération des bâtards issus des fils autres qu'aînés, qui ne pouvaient se marier afin de ne pas éparpiller le patrimoine familial.

Dans la foulée du Moyen Âge, le XVIIᵉ siècle ignorait presque l'enfant. Avant l'âge de sept ans, moment où débutait sa mise au travail, il était peint sous les dehors d'un adulte miniaturisé. Qui plus est, la mystique entourant ce chiffre sept fatidique brassait sérieusement les cartes en lui donnant toute sorte de pouvoirs magiques sur les enfants qui passaient ce cap vers la maturité. Pour preuve, parmi les illustrations d'époque, l'enfant était camouflé dans des peintures où il était affublé de l'habit des grands et où il se figeait dans des poses austères. L'adolescent, quant à lui, prenait forme de chérubin androgyne ou d'apprenti soldat, pour enfin apparaître sur la scène publique du XIXᵉ siècle nanti du statut distinct d'étudiant. En butte à tous les préjugés, le passage de l'enfance à l'adolescence s'escamotait dans les vignettes scientifiques où seuls apparaissaient les traits définitifs hérités d'un passé consanguin qui présageaient l'adulte en devenir. Ainsi, le biologiste Malpighi (1628-1694) dessine un glomérule habitant la liqueur séminale avec les rides et la barbe du sage vieillard à venir. Dans la même veine, Spallanzani (1729-1799) voit l'homunculus préformé au sein du spermatozoïde et Van Leuwenbeck observe l'animal humain flottant nourri par le sang maternel. Cependant, dénigrer l'enfance avec son statut distinct eut son bon côté puisqu'il fallut la remplacer et, pour ce faire, les spéculations théoriques allèrent bon train parmi les maturationnistes. Le débat occasionna une bataille rangée fructueuse opposant les *animalcultistes* aux *ovistes*. Les premiers virent l'embryon formé bien vivant dans la semence du père qui se sert de la mère uniquement comme cavité nourricière. Les deuxièmes ou *ovistes*, au contraire, prirent l'œuf de la mère qui, telle une poupée russe, emboîte les uns dans les autres tous les êtres à venir. Pour tous, un fixisme théologique latent exige que l'être métaphysique s'insuffle dans la chair comme élan vital permanent. Il faut attendre le XVIIᵉ siècle de Buffon et son évolution naturelle pour qu'enfin soit considérée la matière physique qui s'anime par le vivant évoluant dans l'espèce tel que prôné par Darwin ou encore dans l'individu vanté par Lamarck. Ici s'amorce la controverse contemporaine opposant les phylogénistes héritiers du premier aux ontogénistes attachés au deuxième.

Une note explicative semble de rigueur à ce moment-ci. Exposer ici l'évolution de la biologie humaine peut paraître arbitraire, mais de fait le motif est sérieux. Nous montrons qu'à partir du paradigme romantique, et de fait à partir de n'importe quel paradigme, la roue se met en marche et une multitude d'idées sont générées à travers les âges. L'enseignant qui adopte un paradigme se trouve pareillement aux prises avec une multitude de conséquences dont il doit prendre conscience. Découvrir à l'aide de la pensée critique les aboutissants d'une thèse donnée trouve là sa justification.

Avec ce même souci, nous continuons d'explorer le statut de l'enfant qui, pour l'enseignant, découle du choix qu'il fait de l'option romantique. Jusqu'à présent, nous avons remarqué qu'en réalité son statut est minimal. Il est dédaigné parce qu'il pleure, qu'il crie, qu'il est malade et qu'il meurt prématurément. L'esprit religieux s'offusque, car cet enfant semble opérer hors de l'ordre divin, tout de bonté, de paix et d'harmonie. Le contraste ne peut pas être plus sanguin. Les qualités humaines, preuves de l'œuvre divine, sont essentiellement spirituelles dans la version religieuse du romantisme. Chez l'enfant, elles demeurent embryonnaires et laissent le champ libre aux déviations charnelles d'un corps, proie facile du diable aux aguets. Cette image, on la reçoit de Platon, qui entrevoyait la bête humaine terrée dans l'être capable des pires crimes. Nul besoin alors de blâmer les dieux mythologiques. La dichotomie s'enclenche ici même entre la raison qui guide les bonnes actions et le corps passionné qui gâte la sauce. Ce thème divisif, réminiscence d'une nature déchirée entre Dr Jekyll et M. Hyde, reviendra souvent lors des explications subséquentes, car il gouverne les visions contemporaines. En avant-goût, on le retrouve dans les élans naturels qui, pour Jean-Jacques Rousseau, valorisent la spontanéité enfantine et, dans les élans divins, choyés par saint Thomas d'Aquin, qui temporisent l'agir jusqu'à l'éclosion des facultés, dont la raison tant convoitée.

Aucun doute que les petits, espiègles par leurs diableries, devaient provoquer davantage de courroux que de sourires complices lorsqu'ils révélaient l'influence satanique au cœur de leur chair indomptée. Dans ces moments, il était difficile de sentir en eux le souffle éternel divin si paisible. Illustrant encore mieux cette méfiance, rappelons la tradition récente des bébés emmaillotés ou ficelés bien droit sur une chaise pour éviter qu'ils ne tombent à quatre pattes à l'instar des singes ou tout autre vestige de leur nature bestiale.

Pour le pédagogue, confronté à ces petits diables, une seule voie s'ouvrait: discerner l'adulte enfoui et libérer les qualités prêtes à jaillir selon un plan divin préétabli. C'est toute la nature dormante qu'il cherche à réveiller et à faire sortir, tel le génie de la lampe; quitte à frotter l'enfant parfois un peu vivement. Bien entendu, l'éclosion de ces qualités, loin d'être le fruit d'efforts personnels, résulte d'un élan vital. Ceci explique l'accusation rousseauiste contre les maîtres d'école soupçonnés d'entraver cet élan lorsqu'ils agissent à contre-courant en éduquant à l'aide d'artifices néfastes.

L'être humain: la femme et l'homme

Nous pénétrons maintenant dans la zone la plus controversée de l'héritage naturaliste, les statuts différenciés de l'homme et de la femme. En accord avec cette idéologie, la civilisation judéo-chrétienne confère à l'homme et à la femme des occupations différentes propres à leur nature. Héritière des cultures chinoise, indienne, mésopotamienne, sumérienne et égyptienne, elle juge les deux sexes animés par une énergie qui s'extériorise différemment: l'un par l'*animus* qui favorise le sens de l'harmonie et du bien commun; l'autre par l'*anima* qui facilite l'expression des passions individuelles, sources de conflits. Cette dichotomie prit chez l'homme la forme d'un flux vital montant vers le cerveau et descendant vers les organes reproducteurs chez la femme. Curieusement, cette polarisation revient à la mode aujourd'hui dans la théorie des hémisphères cérébraux qui place du côté gauche, masculin, la pensée rationnelle organisée et du côté droit, féminin, les intuitions esthétiques. Encore plus étonnant, cette vision bicéphale est soutenue par certaines études qui s'appuient sur une expérience de bombardement des hémisphères par des ondes électromagnétiques. Elles rapportent un sentiment de présence divine à gauche et d'influence démoniaque à droite (Nichols, *Secrets of the Brain*. Macleans's, 22 janvier, 1996, p. 46). Il y a là de quoi étonner depuis que la chirurgie sur les lobes cérébraux montre une prise de contrôle générale par le côté non endommagé lors d'un constat de déficience dans un des lobes. Autre exemple d'une différenciation désobligeante entre les sexes, le symbolisme des nombres qui, lorsqu'ils sont pairs, connotent la féminité avec sa passivité et même sa duplicité (*two-faced, double-crossed*) et qui, lorsqu'ils sont impairs, qualifient la masculinité avec son dynamisme harmonieux (le un de l'unité et le trois de la trinité).

Les deux sexes sont prédestinés à des rôles opposés de par leur nature soit innée, soit héritée. La femme se définit par les attributs biologiques fondamentaux et donc innés nécessaires à l'enfantement. L'homme accomplit ses tâches à l'aide de talents dont il hérite bien entendu. Il est aidé en cela par l'*animus* qui implique le Dieu judéo-chrétien dont l'œuvre passe par les lignées héréditaires consanguines illustrées par le mythe du fils de l'homme (Bachelard, 1971; Jung, 1969; Ricoeur, 1969). Ceci explique que le transfert du sceptre se fasse selon les lignées mâles héréditaires capables de gérer la sphère du vivant. Par l'*anima,* la nature innée s'immisce dans et par l'élan vital qui transfère l'énergie universelle à travers le fruit des entrailles de la mère. Peu étonnant que l'éminent philosophe français Henri Bergson, qui place l'élan vital au cœur de son système, se sente obligé, par la même occasion, de proclamer le règne de la femme. En effet, mue par cette énergie vitale, elle précède l'homme le long de la poussée évolutive dont elle saisit intuitivement le devenir. La dichotomie du vital inné et du vivant hérité explique peut-être le paradoxe judaïque. D'un côté, l'orthodoxie juive accepte le matriarcat en accordant le sang juif *inné* à travers la mère. De l'autre, elle exile la femme hors du saint des saints de la synagogue où se gèrent les us et coutumes religieuses grâce à un talent *hérité*. En insistant sur l'inné lié aux besoins vitaux telle que la nourriture, on comprend mieux pourquoi les tâches familiales sont dévolues aux femmes. Cet élan vital inné se trouve, cependant, défavorisé eu égard à la grâce divine qui se concentre sur l'énergie spirituelle nécessaire pour gérer la vie héritée.

Souvent traitée comme l'enfant et parfois comme une enfant, la femme est dédaignée, car ravalée dans sa chair où elle y souffre, s'y abandonne, y enfante dans la douleur, ne peut s'y arracher pour atteindre la plénitude apollinienne. Sa chair ou matière, peu importe, a l'immense faiblesse de s'offrir gisante, inerte, incapable de participer aux élans désincarnés d'une force spirituelle. L'interprétation est facile à défendre puisqu'au Xe siècle seul l'homme travaillera la terre, symbole féminin par excellence. Par son labourage, il la fécondera sans vraiment songer à éviter aux femmes les travaux pénibles. Par ailleurs, ce travail contraignant lui est imposé dans les tâches domestiques qui cernent totalement son existence. À tel point que, à part les aristocrates et les religieuses de haut rang, la femme disparaît dans les oubliettes de l'histoire. Sauf la duchesse du château de Regensburg qui nourrit les légendes à partir du XVIIIe siècle où elle contrevint à l'ordre divin en cultivant des fleurs en hiver, elle fut décapitée puis brûlée.

Peu étonnant que notre vocabulaire, un tantinet péjoratif à cet égard, traduise la condition de femme comme une maladie. Enceinte ou ayant ses règles, elle est vue *indisposée* avec, non pas des signes, mais des *symptômes* de la menstruation ou de la grossesse. Perçue comme un poison, elle subit au XIIe siècle l'ostracisme hors du monde des hommes qui la chassent des maisons de Dieu. Sans beaucoup d'humour, on fait un culte de l'invalidité liée aux règles menstruelles pour obliger les femmes à s'éloigner dans leur appartement, leur hutte ou hors de la présence divine. L'Europe catholique leur réserve peu de quartiers (Verdon, 1999). Ainsi, du VIIIe au XIIe siècles, les édictes notariés accroissent la soumission des femmes aux hommes. Ceci se prolonge encore avec le code Napoléon dont on sent les séquelles jusqu'en 1960; date à laquelle on donne aux femmes un peu de répit. Le Moyen Âge empire leur état car, à la limite, elles peuvent jouir des biens durant leur vivant, mais à leur mort tout retourne aux enfants mâles de tous bords. Une fois veuves, leur disparition est presque totale puisqu'elles ne peuvent reprendre le commerce de l'époux décédé (édicte de 1381) et que le fils s'arroge tous les droits testamentaires. Une conséquence socioéconomique curieuse s'ensuit. Le fils aîné hérite et seul se marie pour éviter l'éparpillement du patrimoine familial. Les cadets se mariant moins produisent une surabondance de bâtards. Les filles n'héritant point forment un corps de célibataires surabondantes ou contractent des mariages hypogamiques (statut social plus bas) (Verdon, 1999).

D'ailleurs, nombreuses sont les modes qui interdisaient certaines activités aux femmes afin de les amener vers une retraite forcée hors du monde ou, au contraire, les enfermer dans la geôle de la séduction. Par exemple, la *gawari* faisait office de poétesse officielle dans les familles aristocratiques mauresques à la manière des *geishas* japonaises. Les femmes chinoises, quant à elles, devaient vivre avec leurs pieds atrophiés bloquant les tentatives d'évasion tout en les forçant à se dandiner afin d'exciter les hommes. Plus près de nous, mentionnons le corset étriqué qui provoque des évanouissements par manque d'oxygène lors d'émois soudains apparemment séduisants. Ils entraînaient des infections souvent mortelles par faute d'hygiène ou lors de l'ablation des côtes pour rétrécir la taille. Rabaissée par les traditions, la femme des castes indiennes les plus basses est prédestinée à l'emploi héréditaire et obligatoire de nettoyeuse d'excréments. Que dire des petites filles africaines immanquablement déformées par le fardeau sur leur dos décharné de leur petit frère ou petite sœur (Groult, 1993). La condition féminine, contrainte à une forme d'existence débilitante, n'augure rien qui vaille pour un être dont, ici-bas, les visées ne peuvent s'élever vers un au-delà de délivrance éternelle. Qui plus est, un dilemme sérieux fut soulevé lors d'un des conciles catholiques du IVe siècle, à savoir si l'«homo» des écritures incluait hommes et femmes. Il fallut attendre une faible majorité au cours d'un concile très tardif du XIVe siècle pour que la nature féminine, soupçonnée d'être proche de celle d'une bête, soit jugée assez pure pour s'élever jusqu'à une spiritualité toute chrétienne méritant enfin une âme.

Point intéressant, tous les peuples ont des mots péjoratifs pour qualifier les étrangers. Par exemple, les anciens grecs se moquaient des *barbaroi*, dérivé en latin vers *barbare*, qui signifiait les babilleurs étrangers quasi incompréhensibles. De là il n'y a qu'un pas à voir la femme, espèce un peu étrange donc étrangère à l'homme, comme une *babilleuse* invétérée. On retrouve cette tendance dérogeante envers l'étranger lorsque la syphilis est appelée le mal français, napolitain, allemand, portugais, selon que vous êtes d'un côté de la frontière ou de l'autre. L'influenza, qui fit cinquante millions de victimes durant les deux dernières grandes guerres mondiales et donc plus que toutes les batailles réunies, fut baptisée *grippe espagnole*; référence péjorative apparente au seul pays non belligérant. Les invectives mutuelles entre peuples étrangers se lancent parfois de manière curieuse. Ainsi, l'impolitesse devient *filer à l'anglaise* d'un côté de la Manche, et *take a French leave* de l'autre côté.

Une question surgit naturellement. L'homme et la femme, qui semblent ne pas se comprendre et qui jouent parfois aux parfaits étrangers, s'affublent-ils mutuellement d'attributs péjoratifs pour ces raisons-là? Bien entendu, le sexe masculin dominant dans la civilisation judéo-chrétienne va considérer l'autre sexe comme la barbare bredouilleuse. Nombreux sont les psychanalystes qui rapportent le traumatisme de l'étranglement de la voix chez la femme contemporaine. Notre société lui refuse la parole sous prétexte qu'elle piaille, s'adonne aux commérages ou, horreur des horreurs, est trop franche et, alors nous pouvons légalement lui clouer le bec en cas de récidive (Barbara Brotman, *Chicago Tribune*, janvier 2000). Le silence lui pèse. Elle confesse leur soif de dire ce qu'elle pense, d'y être même obligée. Pourtant, l'obsession demeure de se taire, de garder le secret, d'écouter pour ensuite être entendue (Ruddick, p. 40). Quelle meilleure preuve de cet interdit que le dicton *Sois belle et tais-toi*. Sous un jour religieux, en parlant trop, la femme se déclare païenne. Sagesse et prophétie, privilèges sacrés de l'homme, passent par l'entendement unifiant qui s'identifie au sens de l'ouïe. Par contraste, la vue, par laquelle la femme resplendit dans la civilisation anglo-saxonne hollywoodienne, offusque l'esprit judéo-chrétien aux essences sémites qui ne peut souffrir son penchant à désintégrer l'esprit et l'âme de l'homme (Gaarder, 1995).

Jusqu'à nos jours, le dilemme du statut précis de la femme ne nous laisse pas de répit. Rappelons qu'en 1928, donc il n'y a pas si longtemps, le gouverneur général du Canada, pressé de nommer un sénateur, somma la cour suprême de l'éclairer sur l'usage du mot *personne* dans l'acte de l'Amérique du Nord britannique. Il lui fut répondu, à son grand soulagement, que ce mot ne se référait qu'à l'homme (Blais, 1990, p. 163). Heureusement que le Conseil privé de la Reine a revu cette interprétation *politiquement correcte* à l'époque, mais un peu trop étroite à l'heure présente. On peut soupçonner à cet égard une réaction politique protestante contre des antécédents un peu trop catholiques eu égard à l'exclusion féminine. Les suffragettes révoltées furent aussi à l'origine des protestantes. Cela rappelle d'ailleurs la révolte d'Henri VIII contre le pouvoir papal. La petite histoire y voit la marque d'un enfant gâté et parfois, le signe d'un privilège royal usurpé. De fait, Henri VIII gardait vivement en mémoire le lot de son ancêtre qui, lors de circonstances semblables, vit ses biens confisqués par une église empressée de saisir les terres anglaises de ceux qu'elle excommuniait; particulièrement les divorcés dont le roi se préparait à joindre les rangs. Il ne fallait rien de plus pour avoir une Église anglicane sans disputes théologiques trop virulentes. D'ailleurs, Henri VIII damait le pion au clergé catholique en lui soustrayant ses propriétés et en s'attachant la bourgeoisie locale qui les acquérait à vil prix.

Un clou de plus pour clore le débat sur la thèse toujours renaissante qui veut que ce soit l'histoire qui fait l'homme ou plutôt, dans ce cas, c'est l'homme et ses femmes qui font l'histoire.

La vision naturaliste de la femme, être spirituel en suspens, est tenace puisque les plus grands penseurs judéo-chrétiens tirent dans tous les sens les ficelles de ce pantin mi-homme, mi-bête. À l'orée de notre ère, Platon (IVe siècle av. J.-C.) soutient que seul le besoin eugénique d'une race forte donne à la femme une quelconque importance (*République*, 563b). Ce besoin compense son existence accidentelle souvent liée à la réincarnation d'un homme lâche dont un état maladif conclut sa stérilité (*Timée*, 90e). Quant à Aristote, son élève (384-322 av. J.-C.), il tient le mâle meilleur guide en tout que la femelle (*La Politique*, I-12, 1259, b1-10, Paris: Vrin, 1970). Aristote prend cela comme évident puisque la fonction qui détermine la destinée et les formes existentielles de tout être (anisotropie) se positionne dans le statut de citoyen avec tout ce que cela requiert de sens politique et juridique. Bien entendu, la femme accompagnée en ceci par l'enfant, l'esclave et l'animal n'a aucun droit à la citoyenneté. Toute fonction institutionnelle publique étant supérieure aux tâches familiales cachées, la femme ne peut trouver sa place au soleil où se partagent les pouvoirs réels (*La Politique I*, 5, 1254b).

Dans le monde judéo-chrétien, la déchéance féminine entre de plein fouet avec saint Paul, l'un de ses éminents fondateurs. Sans pitié, celui-ci soumet la femme en tout à l'homme auquel elle doit obéissance et à l'époux, son maître (*Épître aux colossiens*, 3-18). Pour ne pas être en reste, saint Augustin (IVe siècle ap. J.-C.), digne héritier de Platon et de saint Paul, voit dans la femme, à la raison affaiblie, la servante de l'homme (*Œuvres complètes*, Tome 7,528. Paris: Vivès, 1873). Il l'avilit sans relâche lorsqu'il la bl,me de faire naître l'homme entre l'urine et l'excrément. Elle pousse l'audace jusqu'à l'affubler dans un élan dé-spiritualisant d'un *petit être séparé*. Marc Aurèle surenchérit sur ce point précis en blâmant ce petit être pénien d'activités répréhensibles lors de l'accouplement... *frottement d'un boyau et l'éjaculation, avec un spasme, l'accompagne d'un peu de morve* (Marc Aurèle, *Pensées pour moi-même*. Paris: Garnier, 1951, Livre X, XIX).

Pire encore, la femme angoisse car au-delà de deux relations sexuelles, l'homme risque de perdre son essence vitale et évitera comme la peste la femelle séductrice. Cela relève même de la psychopathologie chez certains hommes. On sent ici l'effroi du coadjuteur de la cathédrale Notre-Dame de Paris qui, attiré par la beauté d'Esméralda, se devait de la condamner au bûcher par peur de perdre son âme et son élan vital. Cette peur de la tentation féminine persiste à travers la civilisation sémite et aussi, malgré les apports culturels divers, prend une forme pernicieuse chez les judéo-chrétiens. Enclin à favoriser *l'entendement* qui passe par *l'ouïe globalisante,* ils se méfient de *la vue,* source païenne de la parcellisation dénaturante (Gaarder, 1995). La femme qui s'offre si belle à la vue affole les hommes. C'est sa vue qui les brise et éparpille leurs pensées dans tous les sens. Elle doit donc se voiler pour éviter d'être une séductrice diabolique. Impossible pour elle de se rehausser grâce à son rôle reproducteur puisqu'elle n'est que cavité nourricière (Aristote). Passive, elle recueille la semence mâle dont l'homme se sert pour mouler la matière en une forme humaine qualifiée. En tant que mère, son rôle est minimal. Par exemple, le sang menstruel était tout au plus le conduit nourricier du fœtus (J. Verdon, 1999). Il faudra attendre autour de 1830 pour que des études précises sur la reproduction remettent les pendules à l'heure, féminine en l'occurrence. Bien entendu, le débat se poursuit puisqu'aujourd'hui la fonction des règles est remise en question et que, en accord avec les Perses de jadis, on la voit comme une malédiction plutôt qu'une bénédiction liée au rôle sacré de la femme.

Entre-temps, l'homme peut se passer des femmes si la parole pauliste très chrétienne est entendue. Elle exhorte la continence. En effet, nul besoin de fornication puisqu'il y a déjà assez de monde pour réapparaître lors du jugement dernier. L'église garde par prudence cet interdit en recommandant l'abstinence autour des fêtes religieuses dont trois fois quarante jours à Noël, Pâques et l'Ascension. Cette idée fut suivie par les moines, qui en sont d'ailleurs eux-mêmes privés et, qui se font une joie d'interdire ce plaisir. Curieux comme les temps changent car à l'heure actuelle, les exhortations à se multiplier abondent de la part de la hiérarchie catholique. Souci religieux ou peut-être politique, le clergé installe l'hégémonie catholique bien en selle sur les générations successives qu'elle attache au pouvoir génératif des deux sexes. Bien entendu, la femme ne peut s'y soustraire si l'on en croit les nombreux prêtres qui, dans les Amériques, lui commandent d'œuvrer à créer une famille nombreuse. Au Québec, jusqu'à récemment, on refusait l'absolution à la femme qui «empêchait la famille», car on la disait en état de péché mortel. Les pays catholiques ne sont pas les seuls affligés de cette ambiguïté puisqu'aujourd'hui, le Japon moderne interdit la pilule anticonceptionnelle pour les femmes tandis que le Viagra est légalement commercialisé.

Pour revenir à l'orthodoxie catholique, saint Thomas d'Aquin (1224-1274), fidèle lecteur d'Aristote, refuse à la femme l'accès raisonné aux vérités éternelles. Afin de ne pas être dépassé par l'auguste père de l'Église, le grand philosophe judaïque Baruch Spinoza, tance l'humanité d'enlever tout pouvoir à la femme car, si elle s'en saisissait, son premier geste serait d'éduquer l'homme à son image en lui amoindrissant l'intelligence (*Traité de l'autorité politique*, p. 276). Encore plus gênant, le fameux médecin et alchimiste Paracelse se sert de sa science pour affirmer avec sérieux que tous les insectes proviennent du sang menstruel. Bien entendu, il faut comprendre que sa théorie était de trouver en tout une correspondance entre le corps humain et la nature.

Ne restant pas en peine, le calviniste J.-J. Rousseau n'épargne pas le genre féminin. Pour lui, l'étalon naturel des qualités supérieures étant manifestement l'homme, la femme doit s'y référer pour, de toute évidence, obtenir une existence de seconde main (voir *Émile ou De l'éducation*, p. 473). Ceci rappelle en certains points l'argument ontologique de saint Anselme qui, de l'idée d'une perfection divine, dérive l'existence de Dieu. Rousseau, prenant l'idéal constitué par l'homme, en fait le cadre de référence pour la femme et ainsi justifie son mode de vie inférieure. Il promeut l'idée qu'une femme, en se distinguant par ses rôles qui découlent de ses attributs sexuels, a le malheur de se différencier et, par voie de conséquence, s'exclut des œuvres les plus éthérées de l'ordre divin réservées à l'homme. Du Xe au XVIIIe siècle, la jurisprudence inspirée par Dieu est dominée par des législations qui autorisent la torture, l'esclavagisme ou la vente des femmes selon le caprice des hommes.

À travers les siècles, la femme a été considérée trop profondément charnelle et pas assez spirituelle. De plus, elle a la malencontreuse idée de mieux résister que l'homme aux maladies et donc aux épidémies. Encore plus grave, elle semble violenter l'ordre divin puisqu'au Moyen Âge, elle vivait habituellement six ans de moins que l'homme. Équation renversée à notre époque moderne. Il n'en faut pas plus pour soupçonner une collusion diabolique. Les inquisiteurs du Moyen Âge, surpris par cette ténacité coriace, fomentent des accusations de sorcellerie et entament des procès contre des milliers de femmes. Ils choisissent les vieilles filles, proies marquées puisqu'elles osent vivre contre-nature hors des liens vassaux du mariage. De plus, elles sont des cas d'exception avec un soupçon de pacte diabolique au sein d'une démographie moyenâgeuse où elles meurent plus jeunes que les hommes. De fait, cette même vieillesse leur permet de survivre à leur époux dont parfois elles héritent les biens. Ceci provoque l'envie des hommes d'Églises avides de confisquer leur richesse. Ils les brûlent dans la foi après avoir extrait des confessions par la torture; ce qu'elles prouvent d'ailleurs en payant à l'avance le bois du bûcher. Tout compte fait, une lueur d'espoir apparaît dans ce tableau sombre; leur survie rend les femmes plus nombreuses avec une puissance économique qui mérite de la considération. Célibataires indépendantes, libérées de l'enfantement obligatoire et capable de subvenir seule à leurs besoins, elles se donnent un statut tout nouveau avec enfin une visibilité socioéconomique légitime au sein de la civilisation judéo-chrétienne.

Entre-temps, l'homme continuera à définir l'existence de la femme et, dans une soumission vassale en échange de sa protection et de celle de sa progéniture, obtiendra droit de vie et de mort. En vertu de quoi, il usurpera le fruit de son labeur, la maintiendra confinée dans le cercle familial et la dominera en tout (voir l'ouvrage pénétrant de Jean-Paul Sartre, *Situations I & II*). Loin d'être restreintes au monde judéo-chrétien, ces croyances font office de coutumes universelles tombant sous le joug d'une idéologie romantique. Elles transcendent les valeurs sociales gouvernées par les activités journalières. Il est donc difficile de les limiter à l'idée d'une femme pur produit social tel que voudraient nous le faire accroire Simone de Beauvoir et Jean-Paul Sartre. Ils furent trop engoncés dans un réformisme sociopolitique à saveur marxiste. Bien que catalyseur utile d'une époque révolue, leur morale a subi des dérapages désobligeants comme l'ignorance complice de la condition féminine en URSS, qui s'ajoutait aux génocides staliniens.

Le même universalisme idéologique pervers qui soumet les âmes explique l'appui toujours vivace pour une vassalité servile qui ressort lors de nombreux sondages auprès des femmes elles-mêmes. Mentionnons à cet effet plusieurs exemples significatifs qui défrayaient la presse en 1999 et 2000 (voir l'article édifiant de Pamela Constable dans *Woman news*, *The Gazette*, 22 mai, 2000, p. E5-E6). «Le crime d'honneur» autorise impunément le meurtre, l'amputation, la torture d'environ 10 000 femmes par an à travers le monde. Les femmes musulmanes prônent encore aujourd'hui le port du voile en arguant qu'elles protègent l'homme de ses propres tentations et lui offrent ainsi une voie royale vers le paradis. Plus de 75 % des Égyptiennes admettent mériter d'être battues par leur mari à la plus légère velléité d'indépendance ou encore pour des erreurs d'ordre ménager. Notons que ces mêmes motifs forment le cœur d'une loi française du XIVe siècle. Les femmes pakistanaises risquent d'être écorchées impunément par leur famille si elles n'acceptent pas leur choix d'un époux. Les petites Africaines sont encore excisées par millions à l'aube du XXIe siècle. Aux Indes, on ne sait où sont passées vingt-cinq millions de femmes et, parmi celles qui restent dix millions de fillettes de moins de onze ans se retrouvent chaque année mariées contre leur gré souvent à des hommes beaucoup plus âgés qu'elles. Une statistique sur les avortements à Bombay, en 1997, révèle huit mille foetus femelles contre un seul mâle. L'an 2000 voit les Talibans gouvernant l'Afghanistan d'une main religieuse sévère qui exclut les femmes d'un quelconque rôle professionnel ou politique et ce, sans outrage officiel de la communauté internationale.

Ces exactions s'appuient sur la conviction que l'homme est l'étalon comparatif pour la femme placée sur une marche inférieure de l'ordre divin. On en trouve des traces sur tous les plans, aussi bien physique que psychique. Ainsi, s'inscrire dans une université était pour la femme une perte de temps puisqu'elle était incapable de raisonner, de juger et donc de profiter des doctes maîtres dispensant leur sagesse. Dépourvue de la patience sobre des hommes nécessaires aux raisonnements complexes, la femme fut donc exclue officiellement de l'université de Paris aussi tard qu'au XIXe siècle. Hier encore, la première femme qui enseigna dans une université italienne dut le faire cachée derrière un rideau. Tous ces éléments expliquent pourquoi une auteure devait publier sous un nom d'emprunt masculin que ce soit en littérature ou en science. Dernièrement, une sorte de scandale accompagna la découverte des sculptures de Camille Claudel attribuées faussement à Auguste Rodin. Un joli roman québécois, *Les filles de Caleb*, nous fait vivre ce genre de tourmente dans le cœur d'une jeune fille courageuse, douée, intègre, incapable de transgresser les interdits liés à son sexe, à sa condition sociale et à son éducation. Le Québec a maintenu longtemps ces interdits qu'il a légiférés en 1866 en n'accordant pas aux femmes le droit à la propriété puisqu'elles étaient considérées incapables de la gérer au même titre que les crétins (terme médical pour les handicapés mentaux). Rappelons l'obstacle prépondérant installé par le code Napoléon qui soumet la femme à son mari et la rend juridiquement impotente. Cette vision colore encore les lois françaises qui maintiennent l'homme chef de famille (article 13) bien que, depuis 1942, elles commencent à améliorer le sort de la femme.

Benoîte Groult dénonce les dénigrements universels de la femme par la grande majorité des écrivains qui ont marqué la civilisation judéo-chrétienne (Groult, 1993). Cette quasi-unanimité masculine interpelle notre bon sens et nous force à chercher une explication au-delà du machisme pur et dur. Bien entendu, il y a le poids contraignant de la culture judéo-chrétienne dont ces écrivains sont tous imprégnés dès leur plus tendre enfance. Il y a aussi l'argument sociopolitique des intérêts du groupe dominant à vouloir maintenir son pouvoir. Cependant, dans le cas presque universel des auteurs les plus célèbres qui attaquent sans répit la réputation des femmes, il faut chercher une autre explication. Il est plausible de soupçonner les conditions même de leur prééminence. Ces auteurs ont écrit et travaillé sans répit heure après heure, jour après jour, pour gagner leur renommée. Stressés, isolés, il n'y a qu'un pas pour les soupçonner d'avoir été asociaux. Bourreaux de travail, coupés de la société, sans famille ou épouse à proprement parler, on peut les soupçonner d'être aigris, frustrés et à la limite misogynes face au fruit défendu. Deuxième facteur à considérer, une interprétation de l'intelligence émotionnelle révèle qu'à travail intellectuel intense dans la sphère des analyses rationnelles correspond une diminution proportionnelle de la charge émotive. Il n'y a qu'un pas à faire pour blâmer l'ablation affective qu'ils ont subie eu égard à leurs critiques obsessionnelles de la gente féminine.

Ces obsessions idéologiques, empreintes de valeurs religieuses, sociales et politiques, reprennent du poil de la bête avec le cri de ralliement des gardiens de la promesse tenue (*promise keepers*) qui réunit à Washington en 1997 plus d'un million d'hommes. Ce raz-de-marée cherche à ensevelir les révolutions sociales contemporaines en portant aux nues les principes bibliques qu'il faut soutenir: l'homme, chef de famille, occupe l'emploi rémunéré, tandis que la femme reste au foyer et maintient la tradition de compagne chaste et obéissante. On semble entendre cette contrefaçon curieuse qui blâme les barbares païens pour la violence masculine et loue la douceur et la chasteté féminine dues à un esprit chrétien local. Celles-ci embellissent le foyer bien mieux que le monde politique qui demande la gouverne ferme d'un homme. Certains citent pour le prouver le règne démentiel des deux soeurs Zoé et Théodora, impératrices de Byzance au Xe siècle (Verdon, 1999).

En ignorant la force sous-jacente d'une idéologie destructrice, trop de bonnes âmes outrées se cantonnent dans des condamnations morales ou revendications socio-économiques. Elles évitent ainsi d'entamer une réforme en profondeur. On entend sur le front économique que «les femmes fournissent 70 % des heures travaillées et reçoivent 10 % des revenus» ou que «les femmes possèdent moins de 1 % des richesses de la planète». La lecture se poursuit sur le front moral par: «deux millions de petites filles sont sexuellement mutilées chaque année». Puis, la leçon est tirée: «la misère des petites filles est liée à ce qui se décide ici au Canada et ailleurs dans le monde au sein des instances anonymes des pouvoirs économiques et commerciaux». L'exhortation vient ensuite avec: «N'est-ce pas suffisant pour se convaincre que, non, la *"révolution féministe"* est loin d'être accomplie et que, oui, le monde mérite d'être changé» (Monique Simard, *Le Devoir*, mercredi 8 mars 2000, p. A7). On égrènera donc les statistiques pour réveiller de leur torpeur les spectateurs passifs. Aucune chance, puisque le commun des mortels, au lavage de cerveau bien fait, se soumet de prime abord à l'ordre des choses vu comme naturel ou divin au sein d'une obédience romantique aveuglante. Cet état d'esprit se retrouve lorsque, dans un élan paradoxal, sont célébrées les qualités féminines ainsi qu'est respectée sa responsabilité biologique historiquement maintenues par la puissance de la Vierge Marie au sein de l'église (Verdon, 1999, p. 321). À cela s'ajoutent les esprits échauffés qui s'accrochent à toutes les brindilles flottantes dans les parages pour n'y voir que du naturel. L'une d'elles porte la nouvelle que les allergies ont singulièrement augmenté parmi les populations urbaines. La cause probable, aux dernières nouvelles, semble liée aux projets horticoles qui favorisent les plantes et arbres mâles riches en pollen au détriment des spécimens femelles qui salissent le sol (Ogren, 2000).

La solution politique implicitement suggérée ignore son vice le plus profond qui la veut toujours locale et pour aujourd'hui, donc sans lendemain. Par exemple, mentionnons les diktats soviétiques qui pendant 70 ans imposèrent l'égalité des femmes et dont les effets, n'ayant que peu influencé l'âme panslaviste, s'évanouirent avec la renaissance récente de la sainte Russie. Curieux d'ailleurs que les métiers qu'elles investirent, telle la médecine, y ont perdu de leur prestige dans le paradis des camarades travailleurs et travailleuses. Allons! Depuis combien de siècles les guerres et les génocides sont-ils dénoncés par les patriarches religieux sans que les membres de leur congrégation n'arrêtent de bénir canons, armées ou chefs militaires?

De fait, le jugement désobligeant sur la condition féminine devrait nous alarmer, car ce n'est ni un malaise social ni une déviation culturelle, mais une tare viscérale de nos civilisations. L'idéologie naturaliste supprime 50 % du potentiel intellectuel, car elle refuse aux femmes leur contribution au progrès de l'humanité. La révolte morale amenant un renouveau politique fait piètre figure eu égard à ce lavage de cerveau; d'autant plus qu'elle n'atteint que 10 % de la population du globe. Une remise en cause radicale se fera par un coup d'œil nouveau sur la nature et le développement de l'esprit humain et non en rêvant d'une révolte orchestrée par des exposés médiatisés. Un objectif de la pensée critique, qui cerne les tenants et aboutissants de l'éducation par un exposé des idéologies, vise à démontrer qu'elles forment un carcan qui berne trop souvent l'âme de tout un peuple, et ce, à très long terme. Se réfugier dans le court terme des panacées politiques a le même effet que des aumônes qui disculpent et font chaud au cœur des paroissiens qui peuvent alors occulter la pauvreté.

Une voie royale s'ouvre pourtant à nous. Il suffit d'affronter de face l'argument traditionnel d'infériorité féminine et non de le contourner. Comme nous l'avons vu ci-dessus, la femme doit sa supposée infériorité au corps qui la soumet. Souvent lié à l'enfantement d'après ses détracteurs, cet état coercitif lui enlève tout espoir de raison paisible et patiente lorsqu'elle reste subjuguée par les souffrances et les maladies. À cela s'ajoutent toutes les prémisses religieuses qui la prennent comme bouc émissaire du courroux divin. Il nous suffit, afin de faire face à cette idéologie, de démontrer qu'un *esprit de corps* et non «un esprit sain dans un corps sain» gouverne l'être humain. En d'autres mots, le corps se révèle la pierre de touche du développement psychique et, en particulier, des processus cognitifs. D'autant plus que selon cette thèse, la pensée ne réside plus uniquement dans le cerveau, mais possède l'habitat corporel dans son entièreté. Le château de cartes dualiste, nommément l'esprit séparé du corps, s'écroule. Par conséquent, la révolte morale ou politique gagnerait à être supplantée par une réévaluation épistémologique. Et ce, en montrant que le psychisme baigne dans une intelligence émotionnelle ou, encore mieux, dans *une intelligence corporelle* (Morin-Brief (1995); Brief (1995)).

Les retombées sociales

L'esprit romantique a des répercussions d'une grande portée dans une société qui utilise à fond les aspects économique, génétique, héréditaire et religieux de tous ses citoyens.

• Sur le plan socio-économique

Le romantisme assoit les stratifications sociales sur des assises naturelles. En déterminant les qualités qui accordent la préséance de l'être humain à son naturel, le romantique scelle sa destinée dès la naissance. Plus significatif encore, il la scelle de *par sa naissance*, car le tempérament s'hérite au même degré que le type sanguin. Bien entendu, en se rapportant aux connaissances médicales du Moyen Âge, le tempérament sous-tendu par la personnalité se propage par les voies sanguines sous *la forme d'humeurs*. Il en va donc des maladies aussi bien que des tempéraments, ils sont les fruits du flux humoral gouverné par la bile, l'atrabile, le flegme et le sang qui se lient respectivement aux tendances colérique, mélancolique, flegmatique et sanguine. Rien d'étonnant à ce qu'il faille utiliser la saignée pour évacuer par les humeurs celui qui y est mal logé. À cet égard, l'état intégral de la personne sera évalué grâce à un diagnostic basé sur une étude sophistiquée du pouls. D'ailleurs, la médecine douce chinoise détecte encore aujourd'hui à travers le pouls pas moins de quarante-sept symptômes. Notons que les quatre humeurs issues du flux vital forment un crédo explicatif colligé dans d'énormes ouvrages et utilisé depuis l'antiquité par des générations de médecins convaincus. Le principe des humeurs ramasse toutes les croyances et observations sous le chapiteau de prémisses religieuses inattaquables. Par conséquent, bien que seul le sang s'observe dans les voies sanguines, rien n'empêche l'existence ineffable des trois autres humeurs.

À l'heure actuelle, le même esprit romantique se retrouve dans la pléthore d'articles qui vante le pouvoir des gènes sur le comportement humain. Les gènes sont supposément responsables des stress, viol, racisme, esprit mystique, goût pour la musique et bavardage interminable. Aux dernières nouvelles, l'amour aussi est pris en otage par les hormones contrôlées par les gènes pendant trente mois de passion incontrôlée. Aucune activité humaine n'échappe à la biologie génétique qui, sous ce jour, se rend digne héritière du *romantisme*. Est-il possible que face à l'individualisme extrême courant à notre époque, une manière commode de se déculpabiliser viennent de naître et que la génétique s'en fasse la complice?

Être responsable semble pourtant lié au développement riche et nuancé de toutes les activités humaines. En effet, le développement amène avec lui l'intention d'agir délibérément et, le plus souvent, l'engagement envers autrui. De prime abord, les généticiens enthousiasmés ignorent l'énorme distance qui sépare le potentiel de la réalisation et, donc, de la réalité. Ainsi, l'acuité envers les sons n'entraîne pas le goût pour la mélodie, ainsi que le démontrent quotidiennement les handicapés. N'oublions pas l'énorme apport des interactions sociales dans la genèse des gestes humains. L'isolement génétique des individus cadre peu avec ce préalable développemental.

• Sur le plan génétique

Les romantiques doivent se louer de pouvoir s'allier les généticiens contemporains puisque depuis des millénaires ils s'appuient sur des arguments quasi génétiques pour défendre leur position. Ainsi, ils placent le sang royal, tout bleu qu'il est et capable de transporter le nez des Bourbons dans la famille royale française, à l'origine de l'aptitude à gouverner, des vertus guerrières et de l'inspiration divine. Cette vision romantique dirige les ambitions parentales parmi les aristocrates, les castes indiennes et, bien entendu, les protecteurs du sang pur aryen; slave ou saxon. Ceux qui voudraient jeter la première pierre à ces croyances voudront bien scruter dans leur propre jardin les politiques eugéniques encore appliquées aujourd'hui en Suède, aux États-Unis, au Canada, en Yougoslavie et, en général, dans tous les états membres de l'ONU.

Cette ligne de pensée attache la naissance d'une façon indissoluble à chaque individu qui se trouve ainsi nanti des traits caractéristiques de sa condition sociale. Cette croyance lui donne, supposément, bonne conscience eu égard à sa destinée. Cependant, une trajectoire imprévue se dessine ici pour ceux qui, en bons romantiques, valorisent la nature jaillissante. Celle-ci s'insuffle dans l'être par le terroir, l'inné biologique ou l'hérédité sanguine. Elle prend alors les couleurs de ces origines, qui peuvent être saines ou défectueuses, riches ou pauvres, belles ou laides. On naît donc tributaire de l'humus nourricier propre à notre milieu, notre race ou notre linéarité consanguine. Il est aisé ensuite d'en induire les traits globaux de notre personnalité. Cette lecture s'accompagne d'attentes prises parfois comme des préjugés. On les retrouve dans les gestions de classe qui y puisent leur inspiration en affublant les enfants de tempéraments différents dus à leur ascendance familiale. Plus précisément, un enfant de la classe moyenne sera vu différemment de celui issu d'un milieu défavorisé. Dans une classe, les conséquences peuvent être bénéfiques ou tragiques: d'autant plus que l'effet pygmalion mêle singulièrement les cartes. À savoir, la réputation accordée à un élève influence les attitudes et les attentes de l'enseignante à son égard. Cela a un effet sur la motivation, la performance et, souvent, l'évaluation à rebours des deux parties impliquées.

Au départ, le romantique base son optimisme sur les forces vives de la nature jaillissante qui animent l'être humain. Mais progressivement, il l'enferme dans des niches dépendantes de la stratification sociale. Bien que favorablement incliné envers l'être humain, le romantisme comporte donc ses méfaits cachés. Garçons et filles en savent quelque chose puisqu'ils sont installés dans des niches dissemblables qui, depuis des millénaires, défavorisent la gente. Assez drôlatique, d'ailleurs, puisque le génome humain, comprenant aux dernières nouvelles presque 40 000 gènes et à la veille d'être décodé, révèle supposément une différence minime entre les deux sexes. C'est à se demander d'où vient l'énorme disparité annotée à travers les siècles.

• *Sur le plan héréditaire*

Historiquement, le sang a toujours parlé haut et fort. Le paysan sera de par sa nature benêt, amené à courber l'échine sans se plaindre et à servir son maître sans honte. Le seigneur, tout au contraire, pense avec lucidité, se rebiffe fièrement et administre avec équanimité. Les basses classes sont condamnées aux besognes pénibles par leurs humeurs sanguines et n'aspirent au savoir que sous l'emprise d'une soif impie. Rappelons ici l'exemple du péché originel d'Adam et Ève qui transgressent les ordres divins en mordant dans le fruit interdit de l'arbre de la connaissance et, encore plus grave, violent par ce fait même leur nature la plus intime. Plus récent que la déchéance du paradis, le célèbre roman de Stendhal, *Le rouge et le noir*, dépeint les tragédies qui découlent de ces interdits. Entre autres, notons la défense des contacts charnels hors de sa classe sociale ou le péché de se cultiver, condamnable chez le petit peuple. La France du XVIIIe siècle punissait les attouchements sexuels entre membres de classes sociales différentes jusqu'à la torture par écartèlement. Respecter l'ordre social imposé reste une obsession tenace puisque parmi les archives judiciaires du XXe siècle, celles de 1934 pour être exact, se dénichent les condamnations d'ouvrières ayant transgressé les tabous sociaux en osant aller travailler avec des chaussures à talons hauts. De plus, nombreux sont les groupes ethniques ou religieux contemporains qui se régissent à l'aide de tabous. Au Québec, jusqu'à tout récemment, l'accès aux professions libérales ou professions tout court passait par les écoles classiques réservées à la bourgeoisie. Parfois, une âme sauvée par la grâce accédait à l'éducation en se destinant aux ordres religieux. Cette voie d'accès opportune pour certains a produit de nombreux défroqués qui apparurent à la suite de la révolution tranquille ou autres bouleversements sociaux de ces dernières décennies. Dans le même esprit de stratification sociale collée au sang que l'on voyait jadis dans tous les pays d'Europe, la Suisse lie encore le rang militaire au statut social et à l'emploi. L'excuse évidente donnée est que le temps disponible à consacrer aux manœuvres n'existe que pour les cadres supérieurs.

La stratification sociale permet sans honte d'enlever au bas-peuple le droit aux loisirs et à l'instruction afin de le réserver uniquement aux travaux manuels. Il est facile d'imaginer avec quelle désinvolture morale les jeunes enfants étaient entassés, enchaînés et mouraient par milliers dans les ateliers de tissage et les mines de charbon qui ont fait la réputation de la révolution industrielle. On en retrouve des traces éloquentes dans l'œuvre de Friedrich Engels, le soutien financier de Karl Marx. Une vision similaire se retrouve dans la stratification militaire qui copie assez fidèlement l'ordre des classes sociales. Ainsi, le haut état-major, niche favorite des adhérents de l'extrême droite comme l'a prouvé l'affaire Dreyfus, est connu pour sa foi dans les vertus guerrières. Avec un romantisme significatif, l'idéologie militaire enracine le patriotisme directement dans le terroir profond de la nation. Ce qu'exprime ouvertement l'hymne français *La Marseillaise*. Peu étonnant que ce même haut état-major punisse sévèrement toute résistance à défendre le territoire national. De là leur interprétation de la conscription universelle qui évinçait l'idée même d'un objecteur de conscience. Lors de la Première Guerre mondiale (1914-1918), la sévérité du maréchal Pétain fut inexorable et il eut peu de réticence à ordonner l'exécution massive des insurgés, considérés le plus souvent comme de la chair à canon provenant des basses classes. Une foi inébranlable dans le maréchal amena nombre de patriotes à joindre les rangs de la milice, gardienne de la France une et pure, contre les traîtres et les étrangers.

L'adage *bon sang ne saurait mentir* soutient le romantisme, car il vante les qualités héréditaires qui favorisent l'harmonie consanguine entre tous les mortels, pourvu qu'ils tiennent leur place dans la stratification sociale. À cet égard, la puissance monarchique sera respectée par tous puisqu'elle provient d'une bienfaisance divine qui lui donne toutes ses qualités. Ceci explique pourquoi l'émoi saisit le bas peuple au récit des exploits seigneuriaux qui mettent en jeu des forces naturelles irrésistibles. N'en déplaise à la révolution bolchevique, les films historiques d'Eisenstein, tel *Ivan le Terrible*, eurent un énorme retentissement par leur côté surnaturel. La même ferveur nous saisit à l'écoute de l'épopée d'un *shogun* qui, dans les récits mythiques japonais, célèbre moins un individu que les vertus surhumaines dont il est le dépositaire telles que la droiture, le sacrifice et la loyauté. Indéniablement, les droits de succession dans les familles régnantes s'attachent à ces vertus anoblissantes. La pureté du sang, protégée par les mariages consanguins, s'impose malgré les dangers maintes fois réalisés d'apparition de traits récessifs nuisibles. Une protection s'imagine même contre ces tares puisqu'elles se transmettent par le sang et que, par conséquent, nous nous sentons tous obligés d'ignorer les erreurs ou folies des aristocrates. Elles sont parfois déroutantes, mais jamais désobligeantes. De plus, le souffle divin amené à la rescousse les protège puisque *les voies du Seigneur sont impénétrables.*

La croyance selon laquelle nos qualités s'héritent par le sang semble faire l'unanimité. D'ailleurs, l'histoire nous enseigne qu'entraver la libre circulation des vertus princières a toujours provoqué l'opprobre universelle. Ainsi, le régicide fut toujours sévèrement puni pour cette raison. En versant le sang royal, il commet un crime *contre nature* puisqu'il viole l'ordre naturel des choses et, par conséquent, contrevient aux desseins divins. Son assassinat est plus qu'un meurtre commis sur la personne royale, c'est la destruction du monde tel que prévu. Plus grave encore, l'assassin transcende le crime politique en s'immisçant sur la scène religieuse, voire mythique. Il s'avoue sacrilège en étouffant non seulement la vie d'autrui, mais aussi le souffle divin qui aurait dû inspirer tous ses actes. Il a commis un crime contre sa propre nature en transgressant les lois qui gouvernent l'harmonie universelle qu'il est supposé ressentir et à laquelle il aurait dû se soumettre sans coup férir. Évidemment, possédé par des forces maléfiques, le régicide sera sciemment torturé pour lui extirper une confession et, par la même occasion, un repentir qui sauvera son âme et redonnera vie au souffle divin malencontreusement dévié.

Cette vision des choses ne nous a pas quittés. Il suffit de se rappeler les confessions publiques des déviationnistes à l'ordre stalinien (voir *Le zéro et l'infini* d'Arthur Koestler), ou les autocritiques dans les assemblées publiques qui, durant la période révolutionnaire chinoise des *Cent-Fleurs*, se concluaient souvent par des lynchages. Nos sociétés démocratiques font preuve d'un esprit similaire lorsqu'elles récompensent les confessions ou accordent des peines moins lourdes à ceux qui expriment leur repentir.

Ces éléments expliquent l'interprétation papale de la conception. En admettant le flux divin qui habite et organise pour tous les temps le déroulement du monde et particulièrement les destinées humaines, toute ingérence artificielle dévie ou pire encore interrompt ce déroulement naturel. S'immiscer dans la conception devient une action à bannir puisqu'elle opère hors de la loi divine. En particulier, arrêter le processus naturel de la procréation s'avère un crime contre nature qui endigue le flux divin et risque d'entraver le cours de l'histoire universelle. En regard de cette violation, empêcher l'avortement devient *faire l'œuvre de Dieu* qui autorise toutes les réactions. Il faut défendre cette œuvre divine à tout prix, même si cela exige un assassinat. Le meurtre initial étant religieux, le crime qu'il provoque le sera aussi.

Une variation curieuse de cette foi dans la puissance du flux vital porté par le réseau humoral et sanguin se retrouve chez ceux qui s'interdisent toute évacuation de fluide (sang ou semence) et aussi à l'inverse, chez ceux qui veulent le verser dans des sacrifices ou par l'automutilation. Le même esprit protecteur paraît dans les sectes religieuses, tels les témoins de Jéhovah, qui s'opposent à la vaccination ou aux transfusions sanguines par peur d'une intrusion dénaturante dans l'être dont la divinité doit demeurer *au naturel*. Cela se retrouve aussi dans la médecine *douce* et l'homéopathie qui placent toute leur confiance dans les forces vives de l'être *au naturel*.

On ne sera donc pas surpris de constater que le mouvement pro-vie s'arme des mêmes arguments romantiques eu égard aux droits naturels. Fait notoire, le respect pour les lignées familiales, pour l'ordre des choses avec son relent de droit divin, pour les valeurs patriotiques aux accents nationalistes, relève aussi du romantisme d'extrême-droite. Il ne faut donc pas s'étonner que le mouvement pro-vie et l'extrême-droite française utilisent les mêmes imprimeurs.

Autre aspect intéressant du romantisme, il n'est pas rare qu'un contrevenant à la raison d'état soit accusé de perversité. La raison invoquée est qu'il dévie du chemin civique tracé par les élus du peuple dont les décisions obéissent à des normes naturelles. Ces décisions deviennent indubitables du fait qu'elles représentent la volonté commune à la suite de l'élection de ceux qui les prennent. Curieusement, ces élus prennent alors des accents d'infaillibilité. S'il n'est de protection constitutionnelle très forte, le danger guette tous les peuples qui acceptent l'idéologie romantique. Par exemple, l'élection de Ronald Reagan comme président des États-Unis s'accompagna, pour certains conservateurs à l'âme romantique, d'une cerise sur le gâteau présidentiel puisqu'armé de la volonté instinctive du peuple, il ne pouvait plus ni se tromper ni le tromper.

L'histoire rapproche à certains égards les politiciens qui se protègent derrière l'écran disculpant de la raison d'État. Ainsi, le führer germanique, auquel on prêtait serment, incarnait le peuple teutonique, mais aussi la nature dont il se nourrissait depuis des millénaires. Pour preuve, dans ses mémoires, l'organisateur des camps de la mort nazis, Adolphe Eichman, se déclare non coupable des crimes imputés, car il était mû par des forces organiques irrésistibles unissant l'univers dans une marche en avant transcendante: *So I had to wait 5 billions years until the all powerful order commanded me...* (*The National Post*, 14 mars 2000, p. A18).

Au sein de cette vision curieuse de la démocratie, la critique ne peut venir que d'un déviant qu'il faut isoler puis rééduquer pour le ramener dans le droit chemin et l'animer d'un pouls authentique. L'image est saisissante de ressemblance avec certains mouvements politiques contemporains dont l'héritage s'avère, par conséquent, fortement romantique. Nous n'avons qu'à nous interroger sur la rééducation rurale ou industrielle prônée par les états communistes pour corriger les déviationnistes. D'un côté, l'esprit rural s'impose, car travailler la terre nous fait sentir le flux vivant et naturel dont les dirigeants s'inspirent. De l'autre côté, les usines assainissent les idées, car manipuler des matières premières nous fait vibrer en harmonie avec les forces socioéconomiques. Puisque les dirigeants, eux-mêmes des travailleurs marxistes hors pair, sont inspirées par ce flux et ces forces naturelles, il n'y a plus lieu de les critiquer.

Dans un appel vibrant au rousseauisme, les mouvements révolutionnaires vont s'appuyer sur les jeunes encore plongés dans la terre nourricière et peu susceptibles d'être corrompus par la culture artificielle. Que ce soit Staline, Hitler, Pol Pot, Hô Chi Minh ou les mouvements de guérillas, ce sont les jeunes de 10 à 20 ans qui font les frais de cette idéologie romantique fomentée par des hommes beaucoup plus âgés. Qu'on se souvienne de l'enthousiasme d'une jeunesse chinoise, soulevée et armée par Mao-tsé-tung durant les journées révolutionnaires des *Cent-Fleurs* qu'il utilisa pour se débarrasser de ses ennemis. Il dut les désarmer lorsqu'elle s'en prit aux enseignants et parmi eux les plus haïs, les professeurs de mathématiques. Une rumeur appuyée par des documents retrouvés en 1998 suggère que non contents de les lyncher après une autocritique forcée, quelques jeunes adolescents provinciaux les firent bouillir avec une certaine délectation de cannibale. La révolution trouva ainsi une voie nouvelle pour se perpétuer.

Point de ralliement curieux, le romantisme justifie les principes fondamentaux de l'extrême-droite aussi bien que de l'extrême-gauche à travers son appel aux forces naturelles qui animent les hommes au-delà de leurs intérêts personnels.

Les aboutissants: le nativisme philosophique, le maturationnisme scientifique, le naturalisme éducationnel

Cadre philosophique Nativisme

L'histoire des théories de la connaissance abonde en controverses qui opposent les avocats de l'esprit aux tenants du corps. Les uns et les autres s'approprient le raccourci le moins sinueux qui mène à la réalité. Traditionnellement, les romantiques ont opté pour la défense philosophique de l'esprit. Elle avait l'avantage d'arguments naturels réalistes: un esprit, un monde, une intuition et aucun intermédiaire dénaturant. Ses premiers balbutiements se trouvent dans le nativisme de Platon qui vire vers la primauté de l'esprit que le corps soutient en jouant les sous-fifres. Il annonce le réalisme classique en accordant à la pensée un accès privilégié vers la réalité. Ce sont les facultés qui illuminent les connaissances déjà préformées en son for intérieur. Bien entendu, une union symbiotique avec l'univers est souçonnée puisque notre esprit naît dans et par lui. Par conséquent, nul besoin de perceptions tournées vers l'extérieur si l'esprit reste aux aguets des messages internes. Ne nous étonnons donc pas de ne voir dans les sculptures grecques de cette époque aucune pupille ouverte vers le monde externe puisque ces artistes dotaient leurs statues d'un regard intérieur.

Platon maintient que le corps, toujours dangereux par ses fluctuations contingentes, dénature l'illumination de l'esprit saisissant le réel stable. Heureusement que ce corps est domptable par une éducation qui le rend propice à l'harmonie des vertus de l'âme déjà apprêtées à saisir la nécessité des choses. Pour leur part, les émotions esthétiques, étant des produits corporels, peuvent être amenées par le récit d'actions nobles à s'unir à la faculté morale qui en appréciera la bonté jaillissante. Dans ce sens, Platon promeut la discipline qui, tout en moulant le caractère, façonne également certaines facultés dont le rôle est d'ouvrir les portes d'accès aux vérités éternelles. Bien entendu, ces vérités sont saisies par un esprit issu de la nature éternelle de l'homme et donc ne peuvent fluctuer selon les velléités d'une culture ou d'une société qui s'imprime par les sens. La corruption des idées provient donc du corps et de ses émotions. On comprend mieux les remarques désobligeantes de Platon et de tous ses successeurs philosophes envers les femmes qui ont le malheur de rester trop attachées à leur corps. Seul l'homme s'imprègne d'un esprit désincarné pur et dur.

Beaucoup plus enclin que Platon à chercher un compromis entre le corps contingent et l'esprit éternel, Aristote donne au corps la fonction de fournisseur des données sensorielles tout en accordant à l'intellect le rôle de les universaliser. Pour ce faire, les données seront qualifiées par dix catégories: temps, espace, qualité, substance, quantité, relation, état, action et sensibilité. Le dilemme est posé pour les siècles à venir: contingence du réel d'un côté, nécessité de la raison de l'autre. Rien n'est plus caractéristique à cet égard que sa syllogistique où le contingent se met au service du nécessaire. Ainsi le montre le fameux syllogisme qui déduit la mortalité de Socrate à partir de deux prémisses postulées comme vraies au départ. Très simplement, nous avons:

Syllogisme aristotélicien

Prémisses:
a) Tous les hommes sont mortels
b) Socrate est un homme

Conclusion: donc, c) Socrate est mortel

Notons que le caractère singulier de la mortalité de Socrate peut être déduit de l'universelle nécessité donnée dans les prémisses et non d'une quelconque preuve axée sur la mort éventuelle par la ciguë qui ne peut être qu'accidentelle. Le fait que Socrate soit finalement mort ne prouve rien et n'entre aucunement dans l'équation de sa mortalité. Saisir la vérité d'une proposition est affaire de raison et non le fruit d'observations. Aristote commence donc le périple de la logique moderne qui se résume en une qualité très simple et brève: *la logique est l'étude de la préservation de la vérité à travers le discours.*

Saint Augustin (IVe siècle ap. J.-C.) ainsi que les autres pères subséquents de l'Église gardèrent pure la priorité de l'esprit si chère à Platon. Et ceci soit en tant que théologiens bâtissant l'apologétique chrétienne dans la faculté de théologie, soit en tant que philosophes argumentant *ad nauseam* à la faculté des arts. Ils accordent à l'homme le don divin d'intelligibilité, voie d'accès privilégiée aux vraies réalités exprimées en standards universaux. Par exemple, l'idée universelle de *rougeur* préexiste sans fausse pudeur aux fards accidentels d'un rouge nuancé. Bien entendu, localiser cette *rougeur* occasionne des diatribes sans fin: pour les réalistes, elle est saisie au vol lors des rencontres expérientielles; pour les nominalistes, elle est déduite logiquement; pour les conceptualistes, elle est conçue dans un réseau notionnel. Leurs analyses, calligraphiées laborieusement sur des milliers de parchemins, tapissent le Moyen Âge, mais non en vain puisqu'elles amorcent la logique contemporaine. En effet, les théologiens se consacrent à révéler la nature des *universaux* et à démontrer logiquement leurs propriétés. Pour eux, toutes les connaissances se déduisent afin de bien cerner l'univers tel que créé par Dieu. L'esprit domine, l'observation s'y soumet. Contre les prémisses théologiques, l'expérience factuelle, sans contredit trop humaine, ne peut rien et ne prouve rien; ni celle de Galilée, ni celle de Giordano Bruno qu'il faudra brûler avec ses hérésies bien trop expérimentales. Il vaut mieux s'en remettre aux onze cents propositions défendues en cour de Rome contre tout sceptique par l'esprit universel de Pic de la Mirandole.

Saint Thomas d'Aquin: prépondérance de l'esprit

En tant qu'éducateur, nous nous devons de noter l'importance extraordinaire de saint Thomas d'Aquin. Eu égard aux autres pédagogues qui se démarquent par une ou deux idées, ce grand théologien catholique imprime de son sceau intellectuel la pensée moderne allant de la Renaissance à l'ère contemporaine. C'est toute une vision de l'esprit humain qu'il nous offre. Sa conception des *facultés humaines*, au confluent harmonisé de Platon et d'Aristote, se retrouve encore dans les discours pédagogiques et les théories psychologiques d'aujourd'hui. Au-delà du vocabulaire, la ressemblance est frappante au sein des systèmes qui couvrent l'intelligence et, encore plus surprenant, l'intelligence émotionnelle que les psychologues ont dernièrement mise à la mode.

Théorie

Le Moyen Âge, vieux de mille ans, débouche sur la Renaissance (fin du XIVe siècle) avec saint Thomas d'Aquin (XIIIe) qui prit cent cinquante ans avant d'être accepté. Cette reconnaissance à retardement s'explique dans un monde tout de spiritualité auquel il s'oppose en redonnant son dû à la nature. Rappelons que cette nature était fort peu prisée par les platoniciens qui dominèrent le millénaire qui précède saint Thomas d'Aquin. Il fallut sa redécouverte d'Aristote à travers les écrits transportés par les philosophes arabes pour que cette même nature redevienne un facteur humain important. *Nativiste,* par son respect pour tout *ce qui est,* saint Thomas vénérait la création naturelle instaurant l'ordre divin de la bonté. D'ailleurs, en agissant selon sa nature ou en vertu de ce qui lui convient, l'homme est assuré de faire le bien et d'éviter le mal. Douter d'abord, agir ensuite selon sa conscience assure une pensée juste, l'état de bienheureux et la sécurité de ne pas déroger aux lois naturelles. Un jeune qui s'écoute s'avère donc moralement supérieur aux adultes qui obéissent aux édictes sociaux (Blais, *idem,* p. 224). Comme on le verra ci-dessous, cette idée paradoxale se filtre aisément à travers les idées pédagogiques de saint Thomas.

Dans l'esprit du temps, bâtir un système qui se tienne à partir de prémisses incontournables s'avère nécessaire et suffisant. De là, le rejet de tout argument factuel qui risque d'affaiblir le discours religieux. Celui-ci forme le cocon protecteur autour de la spiritualité de l'être et des qualités qui en découlent. L'*herméneutique* s'avère essentielle pour comprendre les théologiens d'époque et transposer leurs idées dans une interprétation plus contemporaine. Cet exercice appliqué à saint Thomas facilitera sa compréhension.

Il est donc opportun de soumettre l'épistémologie thomiste à une pensée critique. Ainsi, au lieu de mettre en lice selon des vues contemporaines *la motivation, les émotions et la pensée,* saint Thomas baigne *son nativisme* dans une âme capable au travers de ses *trois formes conative, affective et intellective* de donner vie au corps. Lorsque celui-ci s'attache à la matière, l'âme l'habilite par les deux premières formes à des existences végétative et sensible. Mais, lorsque ce même corps est imbu du divin, l'âme utilise la troisième forme pour lui accorder une puissance intellectuelle. C'est l'âme qui est principe de vie puisqu'elle organise le corps ainsi vivifié et l'entraîne à la reproduction. En fait, bien plus que l'habiter tel un bernard-l'hermite, elle l'enveloppe en un tout uni de manière à la faire exister. Sans elle, il se désagrège en y perdant la vie. Dans un revirement calculé vis-à-vis du platonisme classique, c'est en tant qu'élan vital naturel s'imbriquant dans le corps que le coût devient acte de religion. Cependant, pour ne pas trop déroger à l'orthodoxie chrétienne représentée par saint Paul, l'acte sexuel reste inférieur à la continence. En effet, pour saint Paul rien ne doit troubler l'esprit afin qu'il soit libre de contempler les vérités divines.

On sent ici le dualisme repris d'Aristote du *corps-esprit* et du *corps-matière*. Cette idée redevient courante en Europe chrétienne grâce aux philosophes arabes Avicenne (980-1037) et Averroès (1126-1198) qui accompagnèrent les conquérants Maures. Ils protégèrent la pensée d'Aristote éteinte pour le monde chrétien depuis un bon millénaire. Saint Thomas lut et adopta Aristote pour redonner du vif au corps lié à la raison. Ces deux composantes de l'être humain furent méprisées par saint Augustin, héritier de Platon, qui dirigea pendant neuf siècles la théologie et philosophie chrétienne. Celles-ci s'appuyaient sur la foi et non la raison ou le corps. Pour les augustiniens, l'âme se sert du corps tout en s'en distinguant, tandis que pour saint Thomas les deux composent et complotent pour le plus grand bénéfice d'un être pensant. Ceci est révolutionnaire eu égard à la pensée platonicienne. N'oublions pas que pour Platon, un vrai penseur est un philosophe qui, idéalement, s'élève jusqu'à l'état de *penseur-homme-mort* dont l'âme s'est libérée du sépulcre dans lequel son corps l'avait emprisonnée. Sur ce point, l'allégeance de Platon envers les cultures égyptiennes et orientales devient évidente. Tout au contraire, saint Thomas prêche que l'âme compose avec son corps pour sentir; tandis que ce corps, à son tour, profite de l'âme, principe d'unité, pour ne pas tomber en poussière.

En raison de cette hérésie et à bien d'autres encore, dont la substitution de la raison pour la foi, il fut controversé durant son vivant et frappé d'interdits scolastiques après son trépas; causé, paraît-il, par un empoisonnement. Cependant, vengeance de l'histoire ou plutôt de l'ordre des Dominicains qui arracha le contrôle de la papauté aux franciscains, il devint le porte-parole orthodoxe de l'Église et même son père angélique canonisé.

Dès 1277 et en de nombreuses occasions au cours du XIVe siècle, saint Thomas fut jugé coupable d'hérésies multiples qui touchaient principalement aux relations entre le corps et l'âme. Pour mémoire, citons divers arguments qui provoquèrent le courroux de ses contemporains. L'âme et le corps sont faits l'un pour l'autre puisque le corps est matière première d'une âme friande d'exister et de revenir au jugement dernier. Par contraste, l'âme offre les besoins que le corps s'empresse de satisfaire. Celui-ci ira même jusqu'à prêter ses mains pour que l'âme puisse agir intelligemment. Le corps devient récipiendaire de facultés qui lui donnent vie de par leur cohésion. Réciproquement, il favorise ou entrave leur éclosion de par ses qualités à lui; telles la beauté, la vigueur ou la santé. Il est ainsi capable de jouer son rôle d'inter-médiaire entre l'âme et le monde. Ce corps occupe donc une place charnière importante qui contredit l'orthodoxie théologique antérieure. En bref, il s'enveloppe de l'âme pour lui donner littéralement *corps* à travers *les facultés*. Telle une statue révélant son énergie à travers les plis de sa tunique, le corps se drape de l'âme pour prendre vie. Les plis sont bien entendu les facultés qui, en arrivant progressivement à maturité dans et par le corps, offriront l'accès contemplatif aux vérités.

Les facultés, puissances omnipotentes, révèlent la compétence de l'être à travers les trois formes suivantes du psychisme humain (Blais, *idem*, p. 4):

- l'intellect qui offre la connaissance à son état pur. Les intermédiaires utilisés seront les sciences et les arts. On y retrouve aussi la prudence qui opère grâce à l'habileté à planifier;
- l'affection qui réalise les façons de vivre. Ses intermédiaires sociaux seront la parole et les langues;
- la conation qui favorise les attitudes et la volonté. Ses intermédiaires actifs seront la religion et la morale.

Ces trois composantes du psychisme demeurent actuelles à travers les réformes de l'an 2000. En effet, elles reconnaissent l'importance centrale d'*instruire*, de *qualifier* et de *socialiser*. Un petit effort de *traduction herméneutique* révèle des affinités entre l'intellect friand de connaissances et donc d'instruction; entre l'affection et les habiletés qualifiant au savoir-faire; entre la conation et la motivation à interagir dans une enceinte sociale.

L'épistémologie thomiste, que l'on peut enfin détailler, influence tout le développement de la philosophie moderne et domine encore la pensée orthodoxe chrétienne. Elle maintient que la réalité est directement saisie en tant que connaissance pure par certains instruments de l'esprit, nommément *les facultés*. Celles-ci, au nombre fatidique de *sept*, se mobilisent successivement selon un ordre préétabli par la nature humaine, mais obtiennent leur force et leur acuité grâce aux pratiques quotidiennes.

La perception et la volonté sont les deux premières facultés dont l'une ramasse la pléthore de sensations offertes par l'activité perceptuelle initiée par la deuxième. On voit donc que la volonté est la forme conative de l'âme, nécessaire au corps qui doit s'activer afin de prendre contact avec la réalité. Il en résulte des données qui prennent un sens personnel grâce à la faculté de la perception. En d'autres mots, tout ce qui est perçu se trouve coloré de sensibilité ressentie sous forme d'amour ou de haine, de désir ou d'aversion, de douceur ou de colère. On voit donc que vouloir agir pour percevoir représente la mise en œuvre de deux facultés et exige la collaboration de l'âme et du corps. Mais, puisque la sensibilité, eu égard à ce qui est perçu, en jaillit, l'état d'esprit d'un être humain se fait jour. De là, on peut en déduire son tempérament et son caractère. La dette envers le médecin arabe Avicenne est évidente puisqu'il posait ses diagnostics en interprétant les réactions sensibles du patient à travers l'écoute de son pouls. Les humeurs, qui empruntent le réseau sanguin, transportaient les qualités de l'âme identifiées ci-dessus. Celles-ci affectaient le pouls selon les passions maladives du moment. Cette *science* des états d'âme, très sophistiquée, a encore aujourd'hui ses adhérents.

La mémoire et l'imagination, troisième et quatrième facultés, élargissent l'accès direct au monde sensible en lui accordant des dimensions spatiales et temporelles. En effet, les perceptions sont au départ éparses et fugaces. Les mémoriser leur accorde une existence plus stable aussi bien dans le temps que dans l'espace. Une fois réunies par la mémoire, ces perceptions forment des noyaux cohésifs que l'on reconnaît comme un objet qui dure et qui occupe une certaine étendue. Une fois synthétisées autour de l'objet particulier, les sensations accumulées deviennent significatives.

On peut concevoir l'âme comme juchée sur les épaules du corps afin d'apercevoir les îlots de constance dans l'univers. Mieux encore, c'est comme si l'âme sensible sanglait par ses facultés le corps à la réalité. On entend presque le père angélique italien, se révélant fin gourmet, déclarer que *ça l'a mis* (!) de bonne humeur de voir l'âme enfin capable de ficeler à l'aide des facultés un corps ainsi vivifié et bienheureux.

L'intelligence et l'évaluation, les cinquième et sixième facultés, relient les objets particuliers entre eux. Elles sont ainsi capables de découvrir des propriétés qui les unissent. Dans l'esprit scolastique d'époque, on a appelé ces qualités communes des *universaux*. Une réalité plus profonde se trouve ainsi révélée par ces deux facultés. *L'intelligence*, vue dans un esprit aristotélien, *abstrait* de l'objet singulier la nature universelle ou forme générale qu'elle partage avec ses semblables. Par exemple, je deviens conscient que les coquelicots et les tomates sont rouges. *L'évaluation*, inspirée plutôt de Platon, inverse le processus en prenant de l'idée universelle que nous possédons au départ et en l'attribuant à l'objet concerné. Dans ce cas, les coquelicots et les tomates participent à l'idée qualitative de rougeur. À ce moment, une certaine dichotomie classique reprend le dessus chez saint Thomas. L'âme qui unit les données corporelles au sein des universaux et qui est mue par l'esprit divin a le privilège de redevenir purement intellective. L'âme, en tant qu'entité spirituelle, se détache du corps qui, malheureusement, s'éparpille au gré des contacts sensoriels.

La raison, dernière et septième faculté maîtrisée, représente l'apogée de l'esprit humain. Elle peut relier les qualités universelles découvertes antérieurement et en déduire celles qui restent cachées. Elle est donc capable de découvrir et de contempler certaines vérités suprêmes ignorées par le commun des mortels qui en est dépourvu. Par exemple, elle jugera une table en bois apte à être brûlée. Contrairement à l'intelligence qui se repose uniquement sur le contact avec des objets singuliers pour accéder aux universaux, la raison découvre des relations qui lui révèlent les principes fondamentaux régissant l'univers. En bref, cette dernière phase maturationnelle de l'esprit humain permet à l',me d'utiliser le corps pour se saisir des choses singulières afin de concevoir à l'aide de jugements les vérités premières dans le détachement des universaux.

Pratique pédagogique: l'intellectualisme

L'épistémologie thomiste favorise l'épanouissement de la vie intellectuelle qui, grâce à la croissance des sept facultés, révèle progressivement une réalité de plus en plus profonde et universelle.[1] Le désir de connaître met en jeu l'acuité mentale et le courage d'utiliser concrètement chaque faculté. Ces deux qualités forcent l'être à rechercher la connaissance selon les modalités successives des facultés plutôt qu'à l'attendre passivement. De cette base épistémologique assez étroite découlent des conséquences pédagogiques innombrables qui dominent depuis six siècles le monde scolaire occidental.

L'épistémologie thomiste détaillée jusqu'à présent nous permet de spécifier sept principes fondamentaux.

• Premier principe: Le savoir se résume à comprendre et non à apprendre, car les facultés forment et non informent.

En effet, les facultés moulent la réalité au sein de cadres graduellement plus pénétrants. Ces cadres reprennent les catégories de l'intellect d'Aristote: temps, espace, qualité, substance, quantité, relation, état, action et sensibilité. On comprend mieux leur utilité quand la réalité d'un objet est questionnée. Successivement, il faut se rendre compte que l'objet doit exister dans un espace physique, qu'il doit être là devant nous, qu'il doit y demeurer un certain temps, qu'il ne peut disparaître une fois qu'on a le dos tourné, que nous ne soyons pas le seul à y avoir accès, que nous puissions le découvrir par tous nos sens ou presque. Indéniablement, les cadres fournis par les facultés forment l'objet afin d'en saisir les modalités d'existence. C'est là l'essence du message d'Aristote et d'Aquin.

---

[1] Le nombre mythique sept, apparemment imprégné des forces vives de l'univers, s'associe souvent, de près ou de loin, à la vie humaine: les sept merveilles du monde, les sept enfers, le septième ciel, les sept arts ou encore le septième art (le cinéma), les sept notes qui harmonisent une mélodie, les sept sacrements de l'Église, les sept péchés capitaux, les sept jours de la semaine, l'âge de raison à sept ans, les trois cycles de sept ans dans l'éducation grecque ou dans le développement humain chez certaines tribus africaines, l'ensemble économique du G7, la boisson 7-up, le septennat présidentiel de la République française, le parrain présidentiel du septième enfant (Chili), le septième enfant ayant des dons, l'importance du sept dans les jeux de chance, le ménora juif à sept branches, les sept années de vaches maigres suivies par sept années de vaches grasses rapportées par la Bible, les sept couleurs de l'arc-en-ciel, les sept os du cou, la mémoire favorisée par regroupements de sept éléments, les sept nains de Blanche-Neige, une femme est comblée par sept maris, le bonhomme sept heures au Québec, il faut tourner sept fois sa langue dans la bouche avant de s'exprimer, la danse des sept voiles. Aujourd'hui, les sept intelligences forment un pendant naturel aux sept facultés de l'épistémologie thomiste.

Autre point intéressant, l'âme utilise le corps pour prendre contact avec les objets. Ensuite, ses facultés saisissent les propriétés qui les relient et en tirent des conclusions. Il s'ensuit que le savoir se constitue au sein d'un réseau conceptuel instauré par les facultés. Le contenant prévaut donc sur les contenus. Cela signifie sur le plan pédagogique qu'une faculté va s'utiliser afin de former plutôt que d'informer. Par exemple, la faculté de l'évaluation utilisera les exercises de grec ou de latin afin de former le goût de la belle prose et non pour savoir parler ces langues mortes. Il est donc vain de reprocher aux frères chrétiens cet apprentissage apparemment inutile. Vouloir supprimer ou ajouter des disciplines en vertu de leur manque d'actualité ou de la recrudescence d'intérêts temporaires reflète une incompréhension crasse du rôle de l'école. Celle-ci vise la croissance des facultés au sein de la nature humaine éternelle et universelle et non un apprentissage cumulatif d'informations disparates.

• Deuxième principe: la discipline est nécessaire aux disciplines.

Les facultés sont les fibres dont l'âme se sert pour unir le corps à l'esprit. Plus elles sont exercées avec force et assiduité, plus cette union sera solide et puissante. Métaphore fructueuse, le corps initialement pantin désarticulé prend vie tel un pinocchio lorsque les ficelles constituées par les facultés l'enserrent dans l'étau de l'âme pour faire jaillir l'esprit. Rappelons l'inversion théologique qui, en desserrant l'étau dans la mort, donne au corps la chance de tomber en poussière.

L'harmonie entre le corps et l'esprit enfin réalisée assure une pensée juste et lucide. C'est dans *la discipline* que se forge la fortitude harmonieuse. D'où le nom de *disciplines* dont s'affublent les champs de la connaissance forgés par l'enseignant. Bien que sujet à éclosion inéluctable découlant de la nature même de l'esprit humain, l'épanouissement de ces facultés dépend des *exercices ardus* qu'on leur imposera. Le *maître*, si justement nommé après avoir été *l'enseigneur* dans la première moitié du XIXe siècle, s'en chargera soit grâce aux *disciplines* où rigueur et travail contraignants dominent, soit en tant que *répétiteur* qui impose des *exercices* scandés à l'infini. Ainsi, les cent lignes infligées afin de corriger les fautes sensibilisent l'esprit à la beauté d'une prose ajustée au cœur d'un corps discipliné. Ces efforts favorisent le sens de l'esthétique du mot juste et de l'équilibre phraséologique au sein de la faculté évaluative. Interprété à tort comme des punitions, ce genre de travail rébarbatif accompli dans des conditions difficiles vise un épanouissement vigoureux de toutes les facultés. Il est plausible de tracer jusqu'ici les pratiques ascétiques qui forgent l'acuité spirituelle en meurtrissant la chair. Le corps doit s'effacer devant l'âme nourrie de spiritualité à l'exemple de Jésus jeûnant dans le désert.

D'ailleurs, ce corps jadis inconnu, plein de mystères, ne mérite pas qu'on s'y attarde outre mesure puisqu'il est sujet aux manœuvres souvent diaboliques. Une vivisection mal venue et donc interdite pourrait les révéler au grand jour avec tout ce que cela implique de savoir impie. À cet égard, rappelons le châtiment qui bannit Adam hors du paradis lorsqu'il mordit aux fruits de l'arbre de la connaissance et y gagna sa mortalité. Pour y remédier, ce corps vivant, car temporairement lié à l'esprit par les facultés, se trouve libéré par la mort des besognes bassement charnelles afin de commencer une destinée béatifique lors de son entrée au paradis. Par conséquent, il est de bon aloi de ne pas nourrir les forces de l'ombre œuvrant dans un corps dont l'ascète se méfie en jeûnant. Il se doute bien que pour accéder à une *odeur de sainteté*, ses entrailles sans nourriture seront libérées des odeurs et ne produiront plus de bruits malséants.

- Troisième principe: Une vie réglée favorise la compréhension.

Paix et béatitude exigent une vie bien ordonnée, sans surprises troublantes, où le quotidien des tâches n'entrave pas la vie de l'esprit. On y retrouve le souci pédagogique pour les exercices répétés, le silence imposé durant les études, la vie scolaire bien réglée avec ses rituels qui évitent toute dérogation troublant la quiétude des classes. On y sent aussi l'avantage de ces grandes bâtisses aux froids corridors qui s'imposent par leur masse, rigidité et austérité. Leur sévérité architecturale, pictographique et chromatique encourage habitude et rigueur dans les activités humaines. Toute distraction étant interdite, on bannit les femmes des monastères et les filles des écoles car elles risquent de troubler la vie de l'esprit. Dans un même esprit, les religieux ponctuent leurs journées d'exercices rituels afin de favoriser la contemplation des vérités ultimes accessibles par la foi.

N'oublions pas qu'une orthodoxie catholique bienvenue oblige Thomas d'Aquin à profiter de la foi au-delà des messages offerts par la raison. Cette foi ne peut souffrir d'écarts charnels. Le vœu de chasteté vise aussi la quiétude des sens afin d'éliminer les inquiétudes spirituelles. De nos jours, on sent cette préoccupation dans le fondamentalisme chrétien, qui reste obsédé par le fruit du péché qu'il cherche à dépister dans tous les recoins, même ceux de la Maison Blanche des États-Unis. Au temps de l'inquisition, l'obsession du péché imposa le bûcher aux femmes qui osaient faire frissonner la chair des pères de l'Église. Dévoués qu'ils étaient à sauver les âmes et à instaurer le règne divin sur notre humanité perdue, il leur revenait de débusquer les desseins diaboliques, le plus souvent cachés sous la forme impudique d'une Ève éternelle. Après tout, sa naissance avec tous ses attributs charnels l'exilait hors des sphères de l'ordre divin et la destinait à joindre les hordes de Belzébuth.

- Quatrième principe: Chaque discipline fait appel à une forme de l'intelligence

Chaque faculté utilise des exercices appropriés pour s'épanouir. Au cours des siècles, la pédagogie inspirée par l'épistémologie thomiste a pu expérimenter les disciplines idéalement appropriées pour accomplir cette tâche: les mathématiques pour la raison, les sciences naturelles pour la perception, les langues pour l'évaluation, la religion pour la volonté, etc. Il serait parfaitement oiseux d'ajouter une quelconque discipline à des fins informatives puisque chaque faculté se façonne déjà grâce à sa discipline de prédilection. On voit ici le danger d'une redondance. Ceci explique pourquoi l'enseignement moral fut rejeté du curriculum par le haut clergé catholique. Sa fonction potentielle de formation d'un sens de la moralité est déjà l'apanage de l'instruction religieuse. En effet, celle-ci s'occupe, depuis des siècles, grâce à la catéchèse de former la faculté de la volonté dont l'un des rôles est de décider à l'aide d'un esprit juste et bon. Le même exercice se répète pour l'informatique qui doublerait la fonction formatrice des mathématiques. L'idée des compétences transversales, mises à la mode dans les réformes de l'an 2000 et qui doivent remplacer la maîtrise des objectifs ou connaissances, se trouve préfigurée chez saint Thomas.

- Cinquième principe: Le curriculum optimal est formé de sept disciplines.

Le curriculum scolaire est chapeauté par sept facultés qui forment un ensemble cohésif capable de développer tout l'esprit humain. Ainsi se résume la philosophie de saint Thomas d'Aquin. Il est aisé ensuite de tracer des conséquences pédagogiques dont la plus évidente est que, pour s'épanouir pleinement, les facultés ont besoin de certaines disciplines. À travers les siècles, les enseignants ont eu la surprise de découvrir qu'il suffit d'un groupe optimal de disciplines pour remplir cette fonction. À cet égard, notons le fait historique que dans les université du Moyen Âge, la faculté d'art était la porte d'entrée aux trois facultés de droit, de médecine et de théologie. La formation générale précédait les spécialisations. Spécifiquement, la faculté d'art partageait son enseignement selon sept disciplines de base divisées, d'une part, en un trivium axé sur la rhétorique, la grammaire, la dialectique, et d'autre part en un quatrivium traitant l'arithmétique, la géométrie, l'astronomie et la musique. Sans trop nous surprendre, le curriculum optimal s'est finalement arrêté, après des siècles d'expérimentation, sur sept disciplines: art, sciences naturelles, sciences humaines, sciences pures, langue maternelle et deuxième langue, langues mortes (grec et latin) et instruction religieuse. Pour couvrir une panoplie plus large, il suffit d'introduire des sous-compétences sous ces sept compétences fondamentales. Le tour est ainsi joué depuis six siècles, la pédagogie issue de saint Thomas défend l'idée qu'il suffit de quelques compétences avec d'innombrables habiletés sous-jacentes pour développer un être humain. Sans trop de surprise, notons que ces disciplines, pendant naturel des sept facultés, passent par l'entendement pour façonner les qualités de l'esprit. Il suffit donc de décompter dans les curriculum nationaux fournis par l'UNESCO le nombre de disciplines utilisées pour révéler les ministères de l'éducation d'obédience thomiste. Test simple qui diagnostique sans trop de défaillances. Au Québec, le primaire et le secondaire aussi bien que le premier cycle universitaire comprennent, en général, entre six et huit disciplines. Sans étonnement eu égard à la réforme scolaire de l'an 2000, ces curriculum se rattachent directement à un système réduit de facultés intellectuelles à développer.

Bien entendu, l'ajout d'autres disciplines sous prétexte qu'elles amènent de nouvelles connaissances s'avère inutile.

D'autant plus qu'elles risquent de diminuer l'importance dominante de l'entendement en mettant l'accent sur l'information et non sur la formation. L'entendement reste le riche filon de la culture judéo-chrétienne issue de la civilisation sémite. L'esprit humain est coulé dans le béton du moule originel divin qui n'a cure de contenus aléatoires fluctuant au cours des décennies ou des siècles. Nul besoin d'aller chercher des contenus additionnels si les sept disciplines développent de façon optimale les sept facultés qui sont capables à elles seules d'éclairer toutes les connaissances qui peuvent leur être soumises.

• Sixième principe: La formation générale domine la formation spécialisée.

Des idées soulevées dans la section précédente, il s'ensuit que l'insertion postscolaire dans le marché socio-économique est favorisée par la formation générale des facultés qui facilite tout apprentissage subséquent.

Toute faculté devient le creuset au sein duquel se moulent les connaissances. Elle est le contenant qui offre aux contenus d'origine perceptuelle le privilège de faire partie d'un savoir. Semblable à la forme donnée à la matière, chère à Aristote, son rôle catégoriel est déterminé par l'épistémologie thomiste dans toutes les matières et sur tous les sujets possibles puisqu'elle les cadre et leur donne un sens. C'est le phare qui illumine par son rayonnement chaque objet afin d'en prendre connaissance. Elle n'est pas une habileté qui se transforme lorsque transférée d'un sujet à l'autre. Par exemple, la prudence, une des fonctions thomistes, garde sa nature stratégique de savoir-agir au travers des savoir-faire appliqués aux divers domaines. Cette prudence unit ainsi le savoir-faire structuré du corps multiplié à l'infini au savoir-agir universel de l'esprit.

Encore une fois, le discours thomiste prend des accents modernes aussi bien sur le plan des fonctions qu'un être est amené à remplir que vis-à-vis des tâches qui lui sont dévolues. De fait, on entrevoit l'esprit piagétien puisque l'agir y est central. L'adage si fameux de Montaigne, *il vaut mieux une tête bien faite que bien pleine*, y trouve une interprétation épistémologique. En d'autres mots, une formation générale s'impose puisqu'elle permet de saisir dans son faisceau lumineux toute donnée nouvelle obtenue dans une spécialité qui s'assimile alors facilement. Les écoles normales de jadis privilégiaient cet esprit bien formé apte à se pencher sur tous les problèmes à partir de structures communes. De même, l'ingénieur français issu des grandes écoles analysera longuement une situation problématique à partir de principes généraux, tandis que l'ingénieur américain appliquera sur-le-champ des formules toutes faites pour cracher une solution. Nous sommes proches ici de la réforme lancée par le ministère de l'Éducation du Québec qui favorise les compétences transversales guidées par des savoir-faire et des savoir-agir. En passant, cette même réforme semble vouloir mettre un bémol sur les formations universitaires commanditées par l'industrie qui préconisent des cadres étriqués supprimant toute polyvalence ou tout éclectisme.

- Septième principe: l'école n'est pas pour tout le monde.

Les préjugés défavorables de Thomas d'Aquin envers le sexe féminin ont eu des conséquences pédagogiques désastreuses à travers les siècles. À son corps défendant, on peut constater qu'il fut l'héritier sur ce point de toute la civilisation judéo-chrétienne. En premier lieu, le père angélique dénigre la gente féminine lorsqu'il annonce «*femina est mas occasionatus*». Cela se traduit habituellement par «la femme est un homme occasionnel et accidentel». Une traduction qui est récusée par certains puisque le mot attribué à Aristote, le biologiste, parle des femelles et mâles procréateurs. Saint Thomas l'emprunte en changeant sa signification (Blais, *idem*, p. 129). En effet, au lieu «d'accidentel», c'est «manqué» qu'il aurait dû dire, et ce, en songeant à un tir d'archer qui manque sa cible. La phrase se lirait alors «la femelle est, selon Aristote, un mâle manqué, survenant pour ainsi dire en dehors de la visée naturelle». La femme engendrée est simplement imprévue et non défectueuse, car différente du produit ou de l'homme parfait visé initialement. Tristesse ineffable, nous sommes Gros-jean comme devant aurait dû dire Martin Blais, car la femme se trouve jetée malgré tout hors de l'ordre divin et l'on sait bien que Dieu, au septième jour, n'aime et ne protège que ses créatures. Belzébuth en sait quelque chose, lui qui devra éventuellement d'après les inquisiteurs inclure la femme dans ses hordes de démons et qui profita du proverbe *hors de l'Église, point de salut!*

Un autre point sensible chez le théologien dominicain se fait jour lorsqu'il juge que la femme est capable d'*intelliger* aussi bien

que l'homme. Dieu a prévu cette faculté pour saisir instantanément les vérités sans avoir à passer par les étapes fastidieuses de
l'argumentation. C'est là que le bât blesse pour la femme, car elle
est supposée être peu aguerrie à construire les étapes d'un argument pour cause de sautes d'humeur. De fait, elle est faible en
raison puisque sa sensibilité bloque la pensée objective. Elle se
trouve donc incapable de prendre des décisions raisonnées et
impartiales. On retrouve cette faiblesse dans son attitude envers
l'avortement, qu'elle voit sous un jour sociopratique au lieu d'y
attacher une importance spirituelle. Le raisonnement qui devrait
la retenir lui échappe puisqu'apparemment elle ne comprend pas
les enjeux qui ressortent lorsqu'une âme est prête à donner vie
au corps auquel elle s'unit par ses facultés pour donner naissance
à un esprit.

Il n'en faut pas plus pour démontrer qu'une tâche bien
menée est dépourvue d'émotions et que la femme pressée par les
besoins matériels est fort impatiente de nature. Rendue ainsi
fragile sur le plan moral, il lui manque la raison froide qui dirige
l'action pratique (Blais, *idem*, p. 211). Parmi les actions pratiques
se situe l'acte sexuel qui par son naturel est de l'ordre de la raison
et que même Dieu ne peut interdire. Sous ce rapport, la femme,
un tantinet dépourvue de raison par rapport à l'homme, doit se
soumettre dans l'ordre divin à ses désirs sexuels. Elle peut deviner le comment, mais ne peut comprendre le pourquoi. En
reprenant les étapes épistémologiques qui marquent l'éclosion
des facultés, l'intelligence, dont la femme est pourvue pour
accéder à la connaissance conceptuelle, précède la raison dont
elle est dépourvue de par ses élans passionnels dérangeants. Ce
défaut lui enlève le privilège de déduire les vérités cachées,
source ultime de la contemplation béatifique.

Thomas d'Aquin prévient donc son lecteur quant au peu de
raison des femmes trop sujettes à des dérèglements charnels. Les
fluctuations émotionnelles qui les accompagnent interdisent
toute action sereine. Conséquemment, il est vain de leur ouvrir
la voie à des études supérieures si dépendantes de la raison. Bien
entendu, elles ne peuvent espérer professer avec tout ce que cela
requiert de patience et de persévérance à cheminer le long des
méandres sinueux d'arguments compliqués. Quant à la prêtrise,
inutile d'y songer avec son sacerdoce qui baigne nuit et jour
dans l'inspiration des vérités éternelles qu'il s'agit ensuite d'expliquer rationnellement et patiemment aux ouailles.

Le plus étonnant dans cette sombre histoire de préjugés rationnellement défendus par saint Thomas et bon nombre de ses prédécesseurs est de constater leur actualité contemporaine. Les défenseurs de cette version à saveur théologique abondent et ne se cachent pas pour le claironner. Comme nous l'avons exposé précédemment, la solution n'est ni politique, ni morale, ni sociologique; elle est épistémologique. Il s'agit, en l'occurrence, de construire une argumentation serrée qui démontre que l'esprit, la pensée, l'intelligence et la cognition dépendent étroitement des actions que chacun de nous entreprend personnellement. Puisque ces actions sont toujours corporelles, l'adage d'un *esprit de corps* qui exprime l'union intime du corps et de la pensée doit supplanter l'idée traditionnelle divisive d'*un esprit sain dans un corps sain* (Morin et Brief, 1995; Brief, 1995). À cet égard, une révision totale des options présentées au sein des études sur *l'intelligence émotionnelle* doit être effectuée, et ce, de toute urgence.

Jean-Jacques Rousseau: prépondérance du naturel

Face au théologien géant chaussant l'intellect pour mieux contempler les vérités éternelles, se campe le timide calviniste imprégné de sensibilité. Le combat est inégal entre l'esprit, champion depuis des siècles de l'Église et de l'aristocratie, et le corps, nouveau venu sur la scène des amoureux de la nature. Il y eut le siècle des lumières d'abord qui célèbre la science et la raison, puis le XIXe siècle qui le suit avec la fanfare des âmes romantiques. Le coup de tonnerre de la Révolution française et de l'ère napoléonienne les sépare sans qu'on puisse déclarer un vainqueur.

Cette lutte entre le corps et l'esprit dure encore de nos jours avec le lourd fardeau pédagogique qui en découle. La faute se centre sur le différend qui oppose Thomas d'Aquin à Jean-Jacques Rousseau, et en tracer les éléments est chose relativement facile. D'un côté, saint Thomas voit l'esprit ne jaillissant qu'une fois le corps solidement ficelé par les sept facultés de l'âme. Il oppose donc le corps à l'esprit et s'annonce franchement dualiste. De l'autre côté, Rousseau unit par les sept sens le corps à l'esprit. Il est clairement intégriste ou même moniste. Point crucial puisqu'aux cinq sens (vue, odorat, toucher, ouïe, goût) habituellement liés aux perceptions s'amalgament l'intuition et le sensualisme corporel. De là provient cette fameuse âme romantique rousseauiste paradant avec ses plus beaux atours lorsque la nature et le naturel humain se font complices.

L'opposition devient très explicite puisqu'à l'impératif spirituel thomiste, Rousseau préfère la nature vivante avec tout ce que cela présage de la révolution biologique darwinienne. Cependant, Rousseau ne donne pas tout son assentiment à la nature physique gouvernée par l'éclosion des sens puisqu'il maintient la supériorité de la nature humaine enrichie par son sensualisme. C'est ainsi qu'une jouissance sensuelle de bon aloi, telle que préconisée par Pestalozzi, adepte fervent de Rousseau, marquera la maturité des sens accédant à une réalité impartie alors d'un regain d'intérêt. Pour peu que l'œil brillant regarde dans la bonne direction, les objets et leurs propriétés sont identifiés intuitivement et affectueusement sans l'intermédiaire d'un esprit froid qui les conçoit. Chaleur humaine et sévérité désincarnée de l'esprit opposent une fois de plus saint Thomas à Rousseau. Cela se traduit, d'ailleurs, par une profonde séparation entre les sentiers nous menant à la connaissance. L'un nous entraîne vers l'identification réaliste des objets grâce au *sens commun*, ou gros bon sens, qui est crucial pour Rousseau. L'autre nous dirige vers la conceptualisation intelligible des qualités attribuées à ces mêmes objets à l'aide du *bon sens* qui nous dit: «Oui! ça a du sens.» Évidemment, le bon sens sera préféré par Thomas d'Aquin. À cet égard, les certitudes existentielles ont pris la relève des vérités logiques. Par conséquent, la déduction pure et dure se trouve remplacée par la pratique qui nous révèle instinctivement ce qui est approprié en comparant, reliant, jugeant les liens causals entre événements. C'est, d'ailleurs, ce que Rousseau appelait la raison pratique. Pour lui, il faut se fier à l'authenticité de nos activités spontanées, qui demeurent imbues d'une forte confiance dans nos émotions. Elles sont dignes de notre confiance, car nous les sentons bonnes et naturelles. Il est maintenant facile de comprendre le credo rousseauiste: *je sens donc je suis*, qui devient la version renouvelée du cogito cartésien trop rationnel exprimé par le fameux, *je pense donc je suis*. Cette substitution trahit le fait que la sensibilité supplante la raison. Parmi les conséquences, notons que l'authenticité et la raison pratique se conjuguent pour agir en accord avec notre nature. Celle-ci se maintient donc constamment morale afin que l'être puisse se sentir bien dans sa peau et être sensible à son prochain en accord avec son moi intime.

La conséquence surprenante de cette authenticité est qu'elle devient source de moralité et se révèle chez les idéalistes source de leurs arguments sociopolitiques. Ceci explique que de nombreux mouvements révolutionnaires s'inspirent ouvertement de Rousseau pour affirmer leur foi dans les élans naturels des groupes humains. Les manifestes de la Révolution française, de la commune de Paris, de la révolution bolchevique, de la révolution cambodgienne des Khmers rouges ou de la révolte des étudiants parisiens de 1968 ont tous déclaré leur foi anti-intellectuelle et même irrationnelle. À l'extrême, ils s'arrogent le droit d'éradiquer la classe bourgeoise qui nourrit la mauvaise graine intellectuelle avec sa culture.

Comme nous l'avons mentionné, Rousseau accorde son allégeance à la nature, mais aussi à la nature humaine. L'une se révèle par le sensualisme corporel, l'autre par l'intuition. Le credo «je sens, donc je suis» traduit cette double appartenance. Malheureusement, cela a donné lieu par la suite à des ambiguïtés parmi les adeptes du philosophe. De fait, on sent se dessiner chez lui deux tendances opposées: celle du noble sauvage et celle de la perfection humaine. La première provient de son naturalisme foncier, la deuxième est imprégnée par sa morale calviniste genevoise. Ces caractéristiques lui imposent une idéologie bicéphale au corps central divisé sous la force d'une nature physique jaillissante qui fait contrepoids à la conscience d'un homme prédestiné. Rien ne caractérise mieux ce dualisme paradoxal chez Rousseau que les deux vocabulaires si distincts retrouvés dans les discours contemporains. L'un révèle l'humaniste généreux inspiré par la métaphore du noble sauvage. L'autre reflète le fondamentaliste sobre prônant la perfection humaine. Il est facile alors de soupçonner que Platon et Aristote se partagent l'âme de Rousseau.

Le départage de cet héritage est peu facile, car Rousseau reste ambigu. D'un côté, l'idéal que l'homme cherche à atteindre est fait de beauté, de vertu et de vérité ordonnée. Ceci est du pur Platon. De l'autre côté, un soupçon d'Aristote apparaît lorsque cet idéal humain a besoin d'un corps pour s'y éveiller. Cependant, les inspirations platonicienne et aristotélicienne ne font pas bon ménage chez Rousseau. En effet, les sens qu'il apprécie risquent de gâcher la vision idéale sur laquelle il s'appuie pour donner un objectif à la ténacité, à la volonté et au courage. Rousseau doit garder l'idéal platonicien et aussi les moyens aristotéliciens pour le réaliser. En fait, il polarise cette dichotomie par ce qu'on pourrait presque appeler un bilinguisme idéologique centré autour du noble sauvage et de la perfection humaine. Le sens qu'il leur donne illustre avec pertinence sa philosophie nativiste et sa pédagogie naturaliste. Il semble donc utile d'en offrir une synthèse sémantique à l'aide d'une grille.

Vocabulaire nativiste de Rousseau			
Noble sauvage		**Perfection humaine**	
bonheur	symbiose	potentiel	vertus désirables
harmonie	optimalité	objectifs	maximalité
besoins	guider	motivation	maturation du fruit
inné	élan vital	hérédité	hors contrôle
éclosion	épanouissement de la fleur	mûrissement	forcé
processus	conscience collective	produits	conscience individuelle
organique	croire en sa bonne étoile	prédestiné	croire en sa destinée
disposition	tendance naturelle	prédisposition	enclin à

Il s'agit maintenant de justifier ces choix:

• Le noble sauvage traduit l'image populaire laissée par un Rousseau adorateur de la nature pure et innocente. Il y place l'homme animé de tendances naturelles qui, prêtes à s'épanouir, l'entraînent vers une vie harmonieuse. Tout à son existence symbiotique au sein d'un univers qui répond à ses besoins innés, il n'a d'autres choix que de croire en sa bonne étoile qui le dirige tout au long de son existence.

De son innéisme découle l'éclosion graduelle des besoins qui appuie la thèse organique rendue fameuse par la métaphore horticole. Les pédagogues y adhèrent avec ferveur en laissant vaquer en toute liberté ce petit enfant, fleur grandissante qu'il suffit de protéger.

L'être atteint le bonheur s'il est guidé selon ses dispositions intrinsèques vers un équilibre symbiotique soumis à un processus de croissance optimale. Dans sa généralité, c'est du Platon à l'état pur.

Peu étonnant que ce bain symbiotique partagé par tous les êtres favorise une conscience collective. Cela n'est pas passé inaperçu, comme noté ci-dessus, pour les révolutionnaires de tout acabit qui s'inspirent de Rousseau.

• La perfection humaine exige la maturation de qualités valorisées en vertu de l'idéal d'un être prédestiné. Pour Rousseau, cet idéal est calviniste de par la vertu, la fortitude, l'autodiscipline, la droiture, la ténacité et la générosité qui le constituent.

Armé de ce potentiel, l'être est motivé à atteindre ces traits comme objectifs ou produit maximal.

Une sorte d'hérédité, ancrée dans la personne divine, prédispose l'être à se réaliser dans et par ces qualités dont les particularités existentielles lui accordent une conscience individuelle. Pour agir, il doit croire en sa destinée; le téléologisme aristotélicien est flagrant.

Pratique pédagogique: le sensualisme

Il semble utile de voir où nous mène ce départage en faisant profiter les conséquences pédagogiques du travail effectué, particulièrement en ce qui a trait aux pédagogies alternatives contemporaines.

En accord avec le naturalisme rousseauiste, il faut respecter la nature sensible dans tout être qui, par là, se révèle authentique. Notre ère contemporaine s'y est plongée avec délice sous la forme d'une authenticité profondément morale. On en retrouve une coloration paradoxale chez Carl Rogers, le psychologue, qui adopte l'affirmation du moi assez représentative de l'individualisme américain. Quant à l'enfant, tout à ses instincts et image d'Épinal du Rousseau de l'*Émile*, il reste entier. Son tuteur devra s'occuper de sa croissance globale et non comme dans l'option thomiste des facultés distribuées selon les qualifications particulières. En effet, celles-ci se spécialisent dans l'école pour l'intellect, l'église pour la volonté, l'état pour l'évaluation sociale et la famille pour la vie affective.

On ne peut donc d'après Rousseau qu'accepter et encourager le naturel révélateur. Dans la sphère pédagogique, cet accent sur la nature prend des aspects franchement darwiniens. Ainsi, les étapes suivies doivent respecter la maturation et récapituler l'évolution de notre espèce:

a.   1 à 5 ans: l'organisme réagit instinctivement sur le plan des sensations. Il faut, donc, favoriser les expériences vivantes;

b. 5 à 12 ans: l'être s'enferme dans des expériences solitaires qui éveillent sa sensualité émotionnelle. La curiosité devient, donc, essentielle et les sciences naturelles y contribueront. De là la popularité de la zoothérapie.

c. 12 à 15 ans: l'être pensant qui décide domine grâce à la raison pratique. Il s'agit donc d'aider l'enfant à prévoir et à sentir ce qui est utile par les sciences appliquées.

d. 15 à 18 ans: l'être socialisé grâce aux relations humaines se réalise sur le plan des sentiments et des passions. Le domaine de prédilection sera l'étude des sciences sociales.

Il est donc primordial de tester les intérêts et, donc, la maturité de l'élève avant d'entamer avec lui l'exploration d'un domaine donné. Par exemple, s'il s'intéresse aux nombres ou aux livres, alors on peut commencer à lui apprendre à compter ou à lire. Puisque chez Rousseau, les intérêts gouvernent à partir des désirs instinctifs ou des besoins, un laisser-faire pédagogique s'impose. Ce vocabulaire est aujourd'hui consacré par toutes les écoles alternatives et les psychologies humanistes. On trouve donc beaucoup de naturalistes dans le monde scolaire où abondent les recettes qui prônent les intérêts des enfants. Par conséquent, on favorisera des projets uniquement s'ils les intéressent. Il s'ensuit une pédagogie rousseauiste qui s'appuie sur les vocations, car elles mettent en jeu la pratique instinctive. Nul besoin alors de coercition puisque la spontanéité créative s'initie par le dynamisme d'une aide non directive.

Le dualisme du noble sauvage et de la perfection humaine, détaillé ci-dessus, a donné naissance à une panoplie de pédagogies différentes. On retrouve ainsi les deux courants de la non-directivité et de l'auto-perfectibilité.

• La Pédagogie non directive se fonde sur une conception organique des tendances naturelles. Cela suscite des choix circonstanciés pour l'autodéveloppement, l'autoapprentissage et l'autoévaluation (voir ci-dessous).

L'enseignant sera un facilitateur se devant de découvrir la poussée irrésistible dans chaque enfant. Il écoute, n'initie jamais, facilite la satisfaction des besoins tout en fournissant le matériel approprié pour réaliser les activités. Grâce à cette transparence individuelle, le collectif respecte le moi jaillissant. Évidemment, la prédominance des besoins est quasi absolue et elle se retrouve chez de nombreux psychopédagogues: besoin de connaître, besoin d'apprendre, besoin de modèles, besoin d'obstacles. De fait, toute activité sera conduite par un besoin interne reflétant la nature humaine la plus profonde. Par là, se confondent les notions de besoin, de motivation, d'intérêt, d'attitude ou toute autre idée qui parsème le discours de l'enseignante. Il s'agit de ne pas céder à la facilité en s'appuyant sur une analyse solide qui, bien entendu, distinguera tous ces mots confondus afin de créer un réseau notionnel aux accents pédagogiques diversifiés.

Les pédagogies alternatives à la Rogers mettent en jeu toutes ces notions afin d'envelopper l'enfant dans une matrice affective. Mais, l'empathie est l'axe central de communication avec l'enfant qui, dans ce cas, se contente d'observer sans critiquer, sans raisonner et, ainsi, se rend capable de rejoindre autrui avec confiance et sans conformisme. Notons que cette conception organique semble avoir peur du rationalisme. En effet, elle favorise une ambiance où le non-savoir permet aux êtres de se joindre et de se sentir libre. Cette approche ressemble à l'anti-positivisme des traditionalistes religieux. Le fait de réagir positivement aux programmes axés sur des objectifs soumis aux besoins trahit souvent cet anti-intellectualisme rousseauiste.

Parmi les pédagogies non directives, on peut distinguer:

- L'autodéveloppement qui favorise l'être enclin à se réaliser au niveau moral, social et rationnel. En fonction de quoi, il est impossible de voir l'enfant négativement, même s'il est apathique, égoïste ou cruel. L'école de Summerhill fondée par Neill fut souvent confrontée à ce dilemme qu'elle résolut grâce à la conscience collective qui jaillissait lors des rencontres journalières et corrigeait les déviations trop extrêmes.
- L'autoapprentissage qui maintient une création authentique et perpétuelle de l'être. Il s'ensuit que l'enfant lui-même devient le seul expert capable de juger de son devenir et de ses transformations. Ici domine le slogan cher à Rogers que *l'on apprend toute sa vie.*
- L'autoévaluation qui prône les virtualités latentes ne pouvant être appréciées que par l'enfant lui-même en accord avec l'inconscient collectif. De là, cette insistance dans certains milieux à vouloir s'évaluer soi-même sans aucune interférence externe qui s'appuie trop souvent sur des examens ou

des questionnaires. Il n'y a donc aucune raison pour cette pédagogie d'utiliser un système de récompenses puisque la réussite de l'activité dépend d'abord et avant tout d'une satisfaction personnelle.

La pédagogie de l'autoperfectibilité s'appuie sur la maturation du potentiel humain qui nous rend *automobile* à l'américaine grâce à quatre thèmes pédagogiques prépondérants (Broudy, 1961).

- L'autodétermination engage un être soumis à ses désirs sur le chemin le plus profitable pour se rendre responsable de son avenir par des actions éclairées.
- L'autoréalisation utilise les ressources internes de l'être pour l'aider à lutter dans sa voie prédestinée. Il réalise son potentiel en utilisant ses capacités à agir. Ce n'est donc pas l'éclosion qui domine, mais l'exercice du pouvoir sur le monde. De cette façon, il utilise ses capacités pour devenir humain et ainsi se valoriser.
- L'autointégration assure le lien cohérent de toutes nos qualités pour produire l'unité d'un être globalisé. Nous nous organisons en un moi unifiant par la mise en œuvre sans conflits de nos façons d'agir sur une situation précise.
- L'autoactualisation est rendue possible par la maturation personnelle maximale de nos qualités intrinsèques d'être humain qui se révèlent par une intuition personnelle de notre bien-être.

Bibliographie

Ammerman, R. & al. (1970). *Belief, Knowledge and Truth*. N.Y.: Scribner:

Aristote (1970). *La Politique, I-12, 1259, b1-10*. Paris: Vrin.

Bachelard, G. (1971). *Poétique de la rêverie*. Paris: PUF.

Blais, M. (1990). *L'autre Thomas d'Aquin*. Montréal: Boréal.

Brookfield, S.D. (1987). *Developing Critical Thinking*. San Francisco: Josey-Bass.

Broudy, H.S. (1961). *Building a philosophy of education*. New York: Prentice-Hall.

Cousture, A. (1989). *Les filles de Caleb*. Montréal: Club Québec loisirs.

D'Angelo, E. (1971). *The Teaching of Critical Thinking*. Amsterdam: Gruner.

Dauer, F. W. (1980). *Critical Thinking*. NY: Barnes & Noble.

Ennis R.H. (1962). «A Concept of Critical Thinking» *Harvard Educational Review, 32 (1), 81-111*.

Feigl, H. & Scriven, M. (1967). *Concepts, Theory and the Mind-Body problem (V. II & III)*. Minneapolis: Univ. of Minnesota Pr.

Fearnside, W. (1959). *Fallacy; The Counterfeit of Argument*. Englewood: Prentice.

Gaarder, J. (1995). *Le monde de Sophie*. Paris: éd. du Seuil.

Galton, F. (1962). *Hereditary Genius*. Cleveland: Meridian.

Gardner, H. (1983). *Frames of Mind: The Theory of Multiple Intelligences*. N.Y.: Basic Books.

Gauthier, C. (1993). *Tranches de savoir*. Montréal: Logiques.

Goleman, D. (1997). *L'intelligence émotionnelle*. Paris: R. Laffont.

Green, T. (1971). *Activities of Teaching*. N.Y.: McGraw-Hill.

Groult, B. (1993). *Cette mâle assurance*. Paris: Albin Michel.

Gutek, G. (1988). *Philosophical and Ideological perspectives on Education*. Englewood, NJ.: Prentice-Hall.

Hempel, C. (1950). *Fundamentals of Concept Formation in Empirical Science*. Chicago, Un. of Chicago Pr. .

Hitchcock, D. (1983). *Critical Thinking*. NY: Methuen.

Jung, C. (1978). *Dialectique du moi et de l'inconscient*. Paris: Gallimard.

Kaplan, A. (1964). *The Conduct of Inquiry.* Chicago: Chandler.

Koestler, A. (1956). *Le zéro et l'infini.* Paris: Calman-lévy.

Kohlberg, L. & Mayer, R. (1972). «Development as the Aim of Education» *Harvard Educational Review, 42-4.*

Marc Aurèle (1951). *Pensées pour moi-même.* Livre X, XIX. Paris: Garnier.

McPeck, J.E. (1981). *Critical Thinking and Education.* NY: St. Martin Pr.

Nagel, E. (1960). *The Structure of Science.* N.Y.: Harcourt.

Ogren, T. (2000). *Allergy-Free Gardening.* London: Ten Speed Pr.

Pap, A. (1962). *An Introduction to the Philosophy of Science.* NY: Free Press.

Peters, R. (1967). *The Concept of Education.* London: RKP.

Pinker, S. (1997). *How the Mind Works.* NY: Norton.

Reboul, O. (1971). *La philosophie de l'éducation.* Paris: PUF.

Reboul, O. (1975). *Le slogan.* Paris: PUF.

Ricoeur, P. (1969). *Le conflit des interprétations: essai d'herméneutique.* Paris: Seuil.

Rousseau, J.-J. (1966). *L'Émile ou de l'éducation.* Paris: Flammarion.

Ruby, L. (1974). *The Art of Making Sense.* N.Y: Lippincott.

Ruddick, S. (1990). *The Maternal Instinct.* N.Y.; Ballantine.

Saint Augustin (1873). *Œuvres complètes, tome 7, 528.* Paris: Vivès.

Saint Thomas d'Aquin (1886). *Summa Theologica.* Paris: Lethielleux.

Sartre, J.-P. (1947). *Situations I & II.* Paris: Gallimard.

Scheffler, I. (1973). *The Language of Education.* Springfield, Ill.: Thomas, 1973.

Schell, R. (1980). *Psychologie génétique.* St-Laurent, Qué: Renouveau Pédagogique.

Spinoza, B. (1978). *Traité de l'autorité politique.* Paris: Gallimard.

Thornhill, R. (2000). *A Natural History of Rape: Biological Bases of Sexual Coercion.* Boston: MIT Pr.

Tieger, P. (1998). *The Art of Speedreading People.* NY: Little Brown.

Verdon, J. (1999). *Les femmes en l'an mille.* Paris: Perrin.

Le paradigme culturaliste
ou la culture comme puits de lumière

> **Mots-clefs**: culture, civilisation, environnement, science, technologie, héritage, informer, Une réalité, les savoirs, observation, objectivité, permanence, mémoire, modèle, exemple, imitation, écouter.

Les tenants: l'idéologie culturaliste

Malgré les nombreux cris de révolte sans cesse renouvelés contre l'image d'un élève que l'on gorge de connaissances, l'idéal d'un être cultivé domine toujours la pédagogie contemporaine. À croire que cela demeure un havre de repos pour tout enseignant qui, par nostalgie, se repose sur les traditions et les techniques éprouvées. Le paradoxe est flagrant et demande à être éclairci. Il faut donc se faire l'avocat du diable et tracer les lignes de force idéologiques qui donnent à cet idéal son éternelle popularité. D'ores et déjà, nous pouvons constater qu'il se nourrit depuis deux siècles à même la philosophie et la psychologie moderne. Cela lui accorde une certaine universalité acceptée qui lui assigne son statut de paradigme dominant.

Clef essentielle propre à **la pédagogie culturaliste**, la pensée humaine s'ouvre grâce à la culture et même en dépend. Une fois gorgée de savoirs, elle resplendit avec orgueil, car elle devient porteuse de toute la civilisation. D'ailleurs, certains moments cycliques de l'histoire occidentale l'ont portée aux nues en tant que calice contenant toutes les qualités du genre humain. Chargée de culture, cette pensée place l'humanité au pinacle de l'évolution universelle. Le genre humain peut alors jouer le rôle de guide en imprimant sa marque sur la nature par les produits de sa raison immanente.

La nature humaine n'est évidemment pas une nature *au naturel* telle que le valorisait les romantiques. Capable de tout bouleverser, le règne du genre humain s'impose sur les autres règnes, qu'ils soient minéral, végétal ou animal. La pensée, qu'il lui est seul loisible de développer dès sa naissance, se propage par ses travaux aux accents particuliers. Il s'y incarne au cours des âges et s'apprécie de génération en génération, assurant l'émergence inéluctable de ses qualités les plus viables. Peu étonnant que le XVIIIe siècle s'adonne avec une telle ferveur aux activités qui mobilisent la pensée, comme en témoigne le mouvement encyclopédique et que les deux siècles suivants surenchérissent avec les expositions universelles. Ces siècles vont encore plus loin puisqu'ils déifient leurs travaux à travers une déesse de la raison qui trace le chemin à parcourir pour les hommes voulant bien la reconnaître en la célébrant lors de grandes fêtes nationales. On l'idolâtre par une fête de la confédération le 14 juillet 1790, jour anniversaire originel de la Révolution française remplacé subséquemment dans la mémoire populaire des hommes par la prise de la Bastille. Cette déesse imprègne de raison chaque homme qui se donne la peine de s'imbiber des grandes œuvres consacrées par le temps. D'ailleurs, on les sacralise dans le Panthéon parisien, temple des hauts faits de l'humanité. Paradoxe curieux, bien que consacré à la déesse de la raison, ce monument n'a été honoré que tout dernièrement par la présence féminine de la physicienne Marie Curie.

Portée au summum de sa vocation, l'activité humaine règle la nature jusqu'à lui imposer ses rythmes vitaux. C'est ainsi que les battements de cœur des rois ou des sorciers se répercutent dans les pulsations du cosmos. C'est ainsi également que l'empereur d'une Chine ancienne ordonnait l'apparition des mois en habitant successivement douze chambres; enfant du ciel, il créait le temps et organisait l'espace.

L'essence de cette idéologie se situe dans la nature humaine qui naît lorsqu'elle s'imprègne d'histoire. En effet, elle se révèle non par une maïeutique revigorée ou un réveil de ce qui dort en chacun de nous, mais bien par l'étude de l'histoire qui l'incarne dans les hauts faits qu'elle récite. Il se fait jour ainsi un message de vie culturelle intense. **L'étude des grandes œuvres et des hauts faits non seulement informe, mais bien plus, garantit une identité du moi fondée sur l'humanité immanente à tout un chacun.** En particulier, les us et coutumes ne s'adoptent point, ils prennent corps en nous lors du retentissement qu'ils provoquent durant la lecture d'ouvrages réputés. Le livre, épaissi par l'histoire et les histoires, s'ouvre sur l'infini de l'imaginaire. Son auteur fait autorité et donc s'impose à travers les siècles (rappelons que la racine étymologique d'auteur est bien «autorité»). À l'écoute de la compréhension, il laisse dans la poussière les incidents contemporains médiatisés qui s'oublient sur-le-champ.

Savourer un roman, aimer une poésie, apprécier une peinture, admirer un bâtiment, rire ou pleurer au théâtre lors d'une comédie ou d'une tragédie révèlent en chacun de nous les sentiments et les goûts qui animent notre nature la plus profonde. Ces fibres affectives vibrent moins par réaction personnelle qu'en vertu d'une collusion des âmes qui unissent par-delà les siècles tout le genre humain. Au plus profond de notre être, nous sommes saisis tout un chacun par le sort des âmes pécheresses d'un Dante, les traditions écrasant Mme Butterfly, l'injustice infligée à Jean Valjean, l'ingratitude du père Goriot, l'amour indomptable d'Abélard et Héloïse ou la passion impossible de Werther.

La beauté de ces œuvres qui étalent l'âme humaine est, bien entendu, affaire d'esthétisme. Cependant, plus profond encore, c'est un parcours gastronomique qui nous engage à goûter chaque livre comme autant de mets aux saveurs raffinées. Ce n'est pas par hasard qu'une âme cultivée se saisit du *savoir* duquel elle sent la *saveur* qui lui est liée par l'étymologie. Elle peut ainsi apprendre par *cœur*. On s'en douterait bien puisque cet idiotisme ne signifie pas apprendre par le *cerveau*, mais bien saisir à bras-le-corps une fois dépassée la mémoire. Au théâtre où apprendre par cœur demeure un préalable, le public ne regarde pas tout simplement jouer l'acteur, il participe à son jeu. Le grand acteur est talentueux par l'épaisseur historique introduite dans chacun de ses personnages; épaisseur qui enveloppe tous les spectateurs afin de transmettre les vibrations culturelles, sources symbiotiques de leur communalité. Il n'emprunte pas le personnage, il le fait sien et le partage avec autrui en y intégrant toute sa personne. Elle s'unit à son humanité qu'il offre à fleur de peau. Union rendue possible lorsqu'il transcende son être quotidien pusillanime afin de faire vivre pour un soir des épopées enivrantes d'humains qui se surpassent. Selon le cliché des monstres sacrés, ils s'éclatent dans la dramaturgie d'un Othello jaloux, d'un Scapin étourdi, d'un Hamlet délirant, d'un Volpone cupide, d'un Don Quichotte halluciné ou d'un Faust ambitieux.

Sans doute, l'esprit aussi bien que la lettre importent dans le bain culturel où les individus se plongent afin de **sentir les thèmes universels**. Nous pénétrons grâce à eux dans le cœur du culturalisme. L'individu négligé sort de l'ombre dans la lumière crue des traits humains qui forment faisceau au long des siècles. En s'y reconnaissant, il sort de l'anonymat. Il devient plus qu'anecdotique, car il s'affirme référent éternel et s'inscrit œuvre valable au sein d'une culture d'où il tire la fierté d'être humain.

Par contraste, la marque factice des modes fugaces n'accorde pas la facture de grande œuvre; vivre pour aujourd'hui ou pour soi se déclare, selon la belle formule de Toffler, un *crime crapuleux* face à cette recherche perpétuelle d'une symbiose de l'être avec sa civilisation (Toffler, 1970). Le culturaliste, incompris lorsqu'il est jugé réactionnaire, dénigrera donc les productions trop hâtives issues du quotidien. Il s'offusquera d'une critique des traditions, d'une réévaluation soudaine. Il isolera l'école pour la soustraire aux controverses politiques, par essence publiques et locales, auxquelles elle n'a pas lieu de participer et dans lesquelles il lui est inopportun et nuisible de s'immiscer. Peu étonnant que les traditionalistes s'insurgent contre les étudiants brouillons et faciles à embrigader. Ceux-ci, protégés des soubresauts socio-économiques dans leur fief universitaire, descendent souvent manifester dans la rue pour se mêler trop tôt de choses qu'ils ne sont pas encore aptes à bien saisir. Une fois cultivé, leur for intérieur pourra sentir le pouls historique qui les marquera à vie. La bourgeoisie ne s'y trompe pas lorsqu'elle envoie ses enfants dans les écoles privées afin de les immerger dans le patrimoine socioculturel.

Libérée des normes sociales avant son temps, hors du temps, maintes fois au cours des âges, une invention, une production originale fut déclarée inacceptable. Qu'on se rappelle Léonard de Vinci, Jules Verne ou Giordano Bruno, brûlé si vif qu'il en fit réfléchir son ami Galilée. Être méconnu découle souvent non de la valeur ou de la négligence, mais bien plutôt d'une erreur temporelle d'à-propos. À l'inverse, être reconnu s'attache souvent à un opportunisme valorisant qui peuvent leurrer un jury. Cela se voile souvent dans l'imitation, la mimique ou pire, le plagiat. C'est pourquoi, toute œuvre requiert l'*imprimatur* d'organismes socioculturels officiels avant d'être mise sur la place publique. Très actuel encore, le Vatican frappe de son sceau toute œuvre avant qu'un catholique fidèle n'y ait officiellement accès. Noblesse oblige, cette *imprimatur* inscrit l'œuvre dans la lignée du progrès grâce à l'estampille socioculturelle. Les nombreux prix littéraires se font justice de la même façon en accordant leur lettres de noblesse à certains ouvrages. Même visée, d'ailleurs, dans la prolifération des médailles, récompenses, fonds de recherche, prix d'excellence et, peut-être aussi, du prix Nobel.

Les thèmes universels ont trouvé chaussures à leur pied *culturaliste* en se propageant grâce aux outils communicatifs **du modèle, de l'imitation et de l'exemple.** Les œuvres de vulgarisation s'y attèlent en extrayant des travaux d'une époque les idées clefs qui l'exemplifient pour la postérité. Notamment, les vulgarisateurs qui alimentent les textes scolaires d'expériences cruciales. Leur acharnement à exprimer l'air du temps (les *zeit-geists*) s'avère donc un chaînon important dans la transmission d'une culture auprès des générations montantes.

- **L'imitation**, contrairement à la création spontanée, catalyse le dépassement individuel et active ainsi les forces vives de l'être collectif. Il suffit pour s'en convaincre de s'immerger dans un bain de foule et de prendre conscience ensuite de nos actions parfois jugées surprenantes. Au sein des défilés ou manifestations, l'âme s'élève jusqu'aux cimes d'un idéal partagé. Sans trop de surprise, l'imitation demeure la seule fonction innée admise par le béhavioriste Burrhus Skinner, pape contemporain du conditionnement des comportements socioculturels.

- **Le modèle** s'appuie sur l'imitation pour rejoindre les idéaux dont s'enorgueillit une nation. Chaque pays se forge nation lorsqu'il déterre de son terroir quelques héros fabriqués selon des qualités démesurées. Cela favorise une abondance historique de mini-fuhrers, heureux du profit à tirer de ces engouements passagers. Ils s'affublent d'oripeaux tragi-comiques avec lesquels ils espèrent fouetter toute la populace d'un élan patriotique personnalisé.

- **Les exemples** à imiter sous la forme de modèles se campent en personnages historiques dépouillés des basses faiblesses du quotidien humain: Jeanne d'Arc pour les Français exemplifie la loyauté; Lincoln aux États-Unis représente l'intégrité; Churchill chez les Britanniques pose le courage indomptable; Stakhanov en URSS fige la force colossale; Ghandi aux yeux du monde assoit la non-violence; sœur Thérésa ou Albert Schweitzer pour l'humanité tout entière modélise le dévouement.

Cet esprit soucieux des traditions dérape parfois dans une mode de saison. Les idéaux chéris par tout un pays sont stéréotypés dans les œuvres de pacotille encombrant la télévision, les salles de cinéma, le théâtre, les journaux. La télévision montre bien à quel point la mode peut être fugace en figeant ses nouvelles dans une actualité fermée qui n'offre aucune autre option. On les voit deux fois et tout est dit. L'éternité n'est pas de son côté et encore moins de celui des journaux, qui n'existent que pour propager un message instantané sur mesure. Ces médias sont devenus les instruments populaires d'un échauffement artificiel des esprits autour de qualités dont souvent le pays est dépourvu. Il est donc prématuré d'identifier l'association plausible entre un pays et les qualités qui y sont médiatisées. D'ailleurs, on peut construire à partir des films à la mode le répertoire des traits nationaux désirés, mais peu souvent réalisés dans la vie quotidienne. L'acrimonie et la prétention seront remplacées dans les feuilletons par la gentillesse et l'humilité. L'opportunisme capitaliste se cache sous les oripeaux d'un cowboy déchiré entre le bien et le mal. Les cours de morale vont glorifier les mêmes idéaux que l'enseignement religieux qu'ils remplacent afin de maintenir bien haut la plateforme des principes généralement absents de la vie quotidienne. La culture s'unit ainsi au nationalisme afin de glorifier le même patrimoine tout en évacuant le quotidien bien trop banal.

Songeons aux Miss ou Mister Univers qui consacrent des canons de beauté éliminant tout défaut personnel. Nous chutons dans les stéréotypes figés. On en retrouve des traces sur les MPS (argent militaire utilisé par les forces armées des États-Unis), qui projettent une femme et une mère désincarnées à l'image des Jean Harlow et Marilyn Monroe. Les hommes combattent pour assurer l'avenir d'un symbole médiatisé qui garantit tout un empire.

Le **modèle**, clef idéologique, risque fort de choir dans une caricature d'époque. Il est alors dénué d'envergure atemporelle, car il résume en un stéréotype social les visions d'un groupe restreint. L'être factice domine l'actualité et c'est tout. Il ne peut être imité par les générations à venir, car il n'a pas l'ampleur nécessaire pour devenir le symbole universalisant une époque. Le culturalisme exige, ne l'oublions pas, qu'un être devienne humain en étant habité par des traits qu'il partage avec tous les autres humains de toutes les époques. Être à la mode ne peut suffire. On comprend mieux le danger créé par l'immense prolifération des slogans qui, si compris et partagés, standardisent les attitudes et les comportements. La publicité ne s'y trompe pas puisqu'elle recherche sans trop de subtilité à fomenter l'unité sociale autour de ses produits vendus grâce à ses slogans. Cet exemple montre bien comment l'empreinte sociale modélise l'individu sans le transformer dans sa nature profonde innée. Un romantique avancerait que le décalque artificiel qu'il devient s'efface éventuellement sans vraiment dévaloriser ses élans naturels ou éteindre le souffle divin qui l'anime. Les expériences à la mode collent successivement sur l'individu sans l'affecter. Elles épousent son relief pour cerner une silhouette à plat, évidemment plaquée, tout en évitant d'y imprimer des dénivellations modifiant son caractère authentique. On retrouve cette caricature dans le film *Fahrenheit 451* dont la trame dramatique dessine des êtres artificiels rendus conformistes par la télévision et dont l'originalité et l'authenticité ont disparu avec l'exclusion des livres, tous brûlés à 451 °F. Selon l'adage que *la fiction est plus étrange que la réalité*, Jean Seberg, l'actrice principale de ce film, ainsi que son époux, Romain Gary, se suicidèrent plus tard en raison, semble-t-il, de l'ostracisme social parisien.

Le modèle, favori du culturalisme s'il représente un trait universel des hommes, manque sa vocation lorsqu'il typifie l'individu agissant dans une société conformiste sans lendemain. Malheureusement, en s'enrobant dans des slogans ou des clichés, le modèle tombe dans le piège de l'actualisme. Il n'a plus l'avantage du thème universel qui œuvre hors du temps et qui baigne l'humain dans le flot d'une civilisation. Le modèle factice marque, sous une forme édulcorée, le caractère des individus sans transformer en profondeur la nature humaine. De plus, il s'efface sans dénaturer lorsqu'il est, tôt ou tard, supplanté par une nouvelle mode. On tombe victime alors d'une pédagogie par l'exemple axée sur l'actuel fugace de l'aujourd'hui. Cela peut donner à l'imitation un mauvais goût que l'on sent dans les performances de *lip sync*, ersatz d'un talent qui échappe aux amateurs. Encore plus indicatif de la dérive de l'exemple, prenons le cas du champion olympique d'hier. Il fut exemplaire par son individualisme, son abnégation, son amateurisme gouverné par les règles du baron de Coubertin. Aujourd'hui, il est réduit à inspirer la jeunesse à travers ses gains personnels ou sa valeur médiatisée. De plus, sa popularité est trop souvent récupérée par les politiciens soudainement frappés d'hyperpatriotisme. L'actualisme est vraiment devenu un *crime crapuleux* (Toffler, *idem*, 1970). Quatre vaches sacrées, nommément les juges, les policiers, les politiciens et les médecins, sont coupables de ce crime d'actualisme, car elles dérivent leur notoriété et leur statut du fait que leurs actions dominent notre vie quotidienne. Au-delà de cette implication dans l'actuel égocentrique de nos vies, leur importance est minimale eu égard au passé culturel ou au futur civilisé. De plus, le crime d'actualisme constitue leur raison d'être; crime légal pour les juges, crime social pour les policiers, crime d'état pour les politiciens et crime biologique pour les médecins.

Il nous faut rejoindre l'idéal de cette école culturaliste en redorant le blason de l'héritage culturel au sein du système scolaire qui est supposé en implanter les racines. Peu étonnant que cette école reprend du poil de la bête en prônant connaissances et études classiques tout en évitant de se laisser séduire par la société de consommation. Le message se veut explicite lorsque les étudiants outragés rejettent les publicités affichées sur les murs universitaires.

Sans fanfare ni trompettes, le culturalisme accomplit son devoir par l'acte le plus banal qui soit, l'**écriture**. En effet, régi par des règles grammaticales, l'écrit garantit l'authenticité du message transmis et reçu. À cet égard, immunisé contre l'embrouille produit par le jeu du téléphone, il évite les dérèglements verbaux ou malentendus. L'authenticité s'assure grâce à une grammaire qui régularise les textes, éveille l'âme nourrie par leur lecture, leur récitation et leur composition. Il suffit pour en sentir l'importance d'observer la place sociale élevée tenue par le sage chinois, capable de calligraphier avec élégance et fidélité jusqu'à 35 000 idéogrammes. Il communie directement avec l'esprit éternel, seul capable de représenter l'univers dans un même élan de reproduction et de création. Eu égard à cette vision de la symbiose entre l'individu et la culture qu'il porte dans son cœur et sur son corps, il est peu étonnant que le système d'écriture importé par les Romains dans les tribus barbares ne put être assimilé. Bien entendu, leur façon de penser s'y opposait, et ils n'y virent que des pratiques étrangères propres à des incantations magiques.

Dans une veine similaire, s'inscrit le rôle de **la parole ou** *logos* capable de faire jaillir le monde non seulement passé, mais futur lorsqu'elle forge l'esprit. D'où l'influence énorme des poètes, scribes, chantres qui exaltent à en faire frémir. Nietsche disait jadis *lire c'est écouter*, lui qui se plongeait avec délice dans la civilisation grecque. Ce pouvoir éclate avec la prophétie qui, par ses versets lapidaires, annonce et fait croire. Elle se réalise puisqu'elle engage ceux qu'elle convainc à agir selon ses prédictions. Lire un horoscope, c'est s'apprêter à interpréter tout évènement selon ses prévisions, d'autant plus qu'il est écrit en termes si vagues que tout lui sied. L'influence méritée des mots de l'enseignant peut se voir sous cette lumière, car il est prophète sans le savoir lorsqu'il prépare l'avenir de ses élèves par son rôle de modèle imité et, donc, engageant.

Le message culturaliste se précise lorsqu'il impose des façons de faire. En effet, il forme un lien entre le passé et le futur puisque les comportements qu'il prône sont gouvernés par les coutumes, traditions et autres leçons bien apprises. Ainsi s'explique la résistance féroce des catholiques traditionalistes, fidèles à une messe chantée en latin qu'ils perçoivent comme un rituel préparant l'âme au message divin. Impossible d'avoir accès à la foi dans une langue moderne rénovée capable tout juste de fournir une compréhension rationnelle. De même, le cercle de pierres celte vieux de 2 500 ans doit être pénétré, afin de communier avec les ancêtres, selon les rituels incarnés dans les incantations du druide.

Enfin, se reconnaît la puissance du verbe augurant le monde qui, par la Bible, incarne la volonté divine créatrice. En introduisant les écrits religieux judéo-chrétiens par la simple phrase *au début était le verbe*, la pensée divine trace son œuvre pour tous les temps. Ce n'est pas pour rien que la Bible incarne l'autobiographie de Dieu (Gaarder, 1995). Les versets bibliques augurent le royaume de Dieu s'ils sont obéis et commandent nos agissements. D'après les propriétaires américains de fusils qui s'opposent à leur contrôle, la Bible les appuie, et ils doivent se plier à ses commandements en restant armés jusqu'aux dents. Pour avoir la paix et bloquer le banditisme, la surenchère biblique est de mise.

À notre époque, le *verbe*, mentionné dans la Bible, prend la forme tronquée du slogan politique, religieux ou commercial. Comme à l'ancienne, il est capable au travers de son message socioculturel d'entraîner les foules dans une *marche forcée* vers un avenir prophétisé pris parfois dans les mailles du cercle vicieux de la volonté divine. Ainsi agissaient les mots sacrés du pharaon, fils du ciel, qui personnifiait l'ordre divin sur terre. De même opéraient les formules sacramentelles judéo-chrétiennes des élus de Dieu insufflant dans la matière l'intervention de Dieu. La gloire de Nostradamus s'y attache, car il perpétue ses présages énigmatiques lancés d'une voix vibrante grâce à leurs interprétations renouvelées opportunément au cours des siècles.

Peu étonnant qu'instruire l'enfant prenne souvent la forme d'admonitions dont l'urgence s'impose due à sa destinée en gestation dans et par les écrits qu'il doit faire sien. L'élan insufflé doit l'imprégner pour devenir l'occasion d'une découverte de soi qui le révèle plus par l'instruction que par le moule adhérant à un fac-similé d'être instruit. Idée facile à comprendre pour l'acteur qui nous engage dans son jeu et, par là nous ouvre l'horizon de visions infinies. Même visée chez le chanteur qui révèle son talent en chantant juste le morceau musical et qui ainsi le reconnaît propre à sa nature sans avoir besoin de l'ânonner (Reboul, 1974, p. 97-114; Chateau, 1979). L'artificialisme s'élimine d'emblée durant l'exaltation provoquée par une musique que le corps accompagne de sécrétions hormonales.

Nous sommes capables maintenant de comprendre le rôle central joué dans le culturalisme par la **mémoire**. Très simplement, mémoriser accorde l'esprit grâce à la musique du verbe avec les traditions. En effet, la ferveur mémorisatrice qui accompagne le déchiffrage des textes sacrés assure aux âmes enfin éclairées une sensibilité ajustée. Apprendre par cœur la Bible, le Coran, le Talmud, les strophes védiques, les mélopées africaines ou arabes accorde l'esprit avec les messages généreusement pourvoyés par les sages inspirés au long des millénaires. Le message devient vivant s'il se gorge de versets poétiques chantés dans un arabe ancien par une Oum Kalsoum merveilleuse. Ces créateurs, tous prophètes, se sont incarnés dans le verbe écrit et par là nous rejoignent en enjambant les siècles. Ils ont par le *logos* créé un monde, notre monde contemporain où notre civilisation vivra aussi longtemps qu'il y aura des hommes agissant en fonction d'un apprentissage fidèle. Dans ce cas, l'habit fait le moine, car **cette fidélité** se réduit à l'extrême **au mimétisme**. Observons pour saisir cette fidélité les petits musulmans, hindous ou juifs obnubilés par leur récitation rythmique des textes sacrés.

La critique s'avère anathème vis-à-vis du message reçu, car elle transgresse par son interprétation cette fidélité requise pour sentir une présence consacrée par l'histoire. C'est ainsi que l'interdit de la prêtrise ou du rabinat porté contre les femmes sera souvent défendu en prenant à témoin les écrits sacrés qu'elles ne peuvent réinterpréter personnellement à leur guise. Regardons dans cet esprit la condamnation à mort de Socrate. Il fut jugé coupable de critiquer les institutions athéniennes dont la seule protection, eu égard à cette société presque totalement analphabète, était la fidélité absolue aux traditions orales. D'autres, un tantinet agnostiques, tel Ernest Renan, interprètent de même la mort de Jésus, qui eut l'audace d'attaquer les pharisiens israélites et de remettre en question leurs traditions. Notre époque connaît une situation semblable en la personne de Salman Rushdie dont *Les versets sataniques* sont censés détruire la civilisation islamique.

Les aboutissants: l'empirisme philosophique, le béhaviorisme scientifique, l'environnementalisme éducationnel

Ardent défenseur du patrimoine qu'il cristallise souvent autour du peuple-nation, le culturaliste s'astreint, en vertu du paradigme exposé jusqu'ici, à exiger de l'individu qu'il consacre son existence personnelle au destin de l'homme universel implicitement respecté. Il protège ainsi la destinée de l'humanité qu'il entrevoit éternelle et les traditions qu'il supporte par fidélité, humilité et objectivité. Tout son système de valeurs et les normes qui l'autorisent à juger dépendent de ses rapports avec le passé humain. Pour sentir ce qui est juste et vrai, le culturaliste prolonge les racines de son savoir dans l'humus socioculturel commun à tous (Hamlyn, 1978).

Cadre philosophique

Une rétrospective idéologique nous révèle les notions centrales qui gouvernent le discours culturaliste. Bien entendu, **la culture** en constitue la pièce maîtresse. Dans son acception la plus large, elle demeure la valeur fondamentale sur laquelle il faut tabler toute destinée humaine. En tant que conduit, elle imprègne l'individu des coutumes, traditions et connaissances qui le font vivre. Au cours des millénaires, la culture assure un bain symbiotique où se réalisent pleinement les promesses inhérentes à cette nature humaine qui se distingue au sein de l'univers et lui donne un sens. Héritant d'une culture, l'individu a le privilège d'y être né, d'y participer dans le présent, d'émaner de son passé et de la prolonger vers l'avenir (Bibby, 1991; Bloom, 1987; Finkielkraut, 1988). On comprend mieux les tribus de la Nouvelle Guinée, incapables d'insérer dans leurs coutumes la technologie du plus lourd que l'air. Trente ans après la guerre de libération, ils construisent encore des pistes d'atterrissage, offrandes aux dieux des hautes sphères célestes.

Les instruments sociaux utilisés par la connaissance baignent dans une civilisation qui transcende toute symbolique personnelle. Un individu empruntera donc à sa société tous ses éléments identificateurs (Rotman, 1977). À cet égard, les traditionalistes vont nous donner un avertissement sévère contre le relativisme culturel (Bloom, 1987). Ils s'opposent à la cohabitation d'héritages différents qu'ils soupçonnent d'être hétérogènes et donc incompatibles (Finkielkraut, 1988; Bibby, 1991). Leur thèse est de se reposer sur les progrès scientifiques d'une nation, indices de sa pureté, pour contrer les politiques multiculturalistes qui risquent d'enrayer son évolution.

Grâce à **l'objectivité** et à **la permanence** des valeurs traditionnelles, cet individu ne risque pas de se perdre en des égarements nocifs puisque, en tout temps, il doit en être pleinement conscient. **L'objectivité** qualifie un savoir réduit à des données factuelles garantissant **une et une seule réalité**. **La permanence**, quant à elle, se traduit par une mémorisation qui témoigne d'un héritage au-delà d'une acquisition. évidemment, la réalité seule et unique prend la forme d'un savoir pyramidal qui se lègue en accumulant les données.

Grâce à ces deux qualités, l'individu est maintenu dans le droit chemin, car il est, sans aucune excuse possible, informé et porteur de valeurs fidèlement obtenues. Les choix décisionnels qui lui sont offerts s'ouvrent toujours au sein de sa culture avec laquelle il communie normalement sans conflit. Il se trahit ainsi *animal social* laissant transparaître l'évolution de l'espèce humaine qui le définit héritier méritoire (Finkielkraut, 1988).

L'empreinte positiviste est profonde sur ce paradigme culturaliste aux réminiscences évidentes des édictes d'Auguste Comte. On y ravive l'idée que toute croyance se fige dans une forme unique de connaissance véridique accessible objectivement aux sens éveillés. Les idées intuitives, mystiques ou simplement sans fondements empiriques sont évacuées. Plus significatif encore, cette connaissance axée sur les données sensorielles et leurs relations définit le savoir scientifique qui fonde l'ensemble des activités humaines sans en être une expression particulière. Ce savoir devient l'essence d'une civilisation en marche qui se trouve imbue du rôle de porte-parole du progrès. Teilhard de Chardin (1955) s'en fit le champion lorsqu'il affirma que «Le divin s'accomplit par le progrès réalisé par les monstres sacrés de la science.» Peu étonnant que la science constitue à l'heure présente le socle de toute la société occidentale et l'envahisse jusque dans ses divisions professionnelles. Francis Bacon, précurseur enthousiaste, voyait le bonheur universel dans le progrès scientifique. Il ajoutait, d'ailleurs, que le caractère humain se façonnait grâce aux matières disciplinaires qui propageaient la science. Dans la même optique, le grand pédagogue Comenius faisait passer le progrès de chaque être par son labeur dans les métiers qu'il appelait *autopraxis*.

En accord avec ces vues, la science gère par ses applications les formes de pensée, ainsi que les pratiques et la solution de ses problèmes. Par cette collaboration où elle prédomine, la science s'impose dans un mouvement de ravalement à rebours en digérant dans son enceinte universitaire les écoles professionnelles. Devenue envers ces dernières la garante de la pureté de leur savoir, elle se permet d'en être un conduit désintéressé et leur octroie le poids moral nécessaire à leur pouvoir décisionnel dans les sphères sociales et politiques (Schön, 1983, p. 1). En d'autres mots, le progrès passant par la science appliquée utile aux professions leur donne droit de cité à l'université. D'autant plus que s'y forgent les habiletés et traits caractériels garantissant une implication sociale homogène.

Le cadre idéologique culturaliste entourant l'*homo faber* suscite donc un réseau notionnel significatif: observation - connaissances - science - sciences appliquées - techniques - solutions - professions - progrès - civilisation.

Le savoir et l'individu dans le monde occidental

Le processus civilisateur opère dans l'individu en harmonie avec *sa nature, la nature et une société*. Sa nature, intrinsèquement humaine, incorpore progressivement la nature environnante grâce aux apports intégrés de sa société. De plus, son insertion culturelle se fait sans brusquerie puisqu'elle ne viole pas ses intérêts qui coïncident effectivement avec ceux du milieu social ambiant qui forge l'individu.

D'un point de vue idéologique, les savoirs et l'individu sont primés en un bloc monolithique. Pour le culturalisme, ils s'inscrivent dans un système de croyances fortement socialisées qui autorisent des jugements axiologiques valorisés (justes ou injustes) et des délibérations moralement concernées (bonnes ou mauvaises). En vertu de quoi, les cultures vont façonner des manières d'agir différentes. Cela nous ramène sur le terrain d'un culturalisme à saveur occidentale qui se ramasse pour **le savoir** en neuf principes fondamentaux et pour **l'individu** en quatre croyances additionnelles auxquelles il doit se soumettre.

Le savoir occidental

- *Premier principe*: l'univers un et unique se représente grâce à un savoir objectif capable d'exprimer des lois auxquelles il se soumet.
- *Deuxième principe*: toute description de l'univers donne lieu à une explication aux accents scientifiques qui élimine l'intuition, le mysticisme ou les croyances préconçues.
- *Troisième principe*: le savoir est universel et universalisant sans restrictions locales.
- *Quatrième principe*: le savoir est détachable du sujet connaissant et donc transmissible; principe du nettoyeur-teinturier.
- *Cinquième principe*: toute connaissance est neutre, car dégagée de valeurs et d'un subjectivisme de mauvais aloi.
- *Sixième principe*: les connaissances s'accumulent au long des millénaires selon un processus pyramidal qui est supposé offrir une représentation plus complète et plus juste de la réalité. Cette idée classique est remise en question à présent par les ruptures paradigmatiques qui attribuent la progression scientifique à des points de vue se substituant les uns aux autres selon des interprétations révolutionnaires des faits présentés (Kuhn, 1962).
- *Septième principe*: les connaissances donnent lieu à des actions qui, de plus en plus appropriées, débouchent sur une pratique technologique. Celle-ci se qualifie grâce à des habiletés instrumentales formant le cœur de professions diversifiées. La science devient science appliquée et permet à chaque individu de contribuer au progrès par ses réalisations professionnelles.
- *Huitième principe*: la complexité inhérente à la multiplication des connaissances requiert des expertises centrées dans des matières.
- *Neuvième principe*: étant universelle et rationnelle, la connaissance de l'univers trouve son expression naturelle dans les mathématiques qui la rendent mesurable **et** quantifiable. L'outil par excellence pour réaliser cette prouesse est le théorème de représentation qui établit des correspondances

entre les *ensembles physiques* et les *structures mathématiques.* Par exemple, l'action physique de mettre bout à bout des objets, appelée *concaténation*, va être représentée par *l'addition* en arithmétique. En d'autres mots, l'étendue qualitative de tables accolées devient la longueur quantitative en mètres additionnés. Cette traduction du qualitatif en quantitatif imprègne toute la pensée moderne. On la retrouve dans la théorie des jeux où les choix humains se soumettent à la théorie des probabilités. Ce tour de passe-passe s'opère lorsque les préférences, mises en jeu dans les achats d'objets, sont soumises à l'esprit rationnel lui-même gouverné par les axiomes de Kolmogorov qui fondent la théorie des probabilités (Shimony, 1963; Lehman, 1963).

L'individu occidental

Les neuf principes qui identifient le savoir occidental, pierre angulaire de l'idéologie culturaliste, se complètent par une valorisation de l'individu en qui il se dépose et qu'il façonne.

- **En premier lieu,** l'individu est doué d'une nature humaine immuable composée de raison, volonté, passions, etc. Celle-ci vibre sous l'effet des thèmes universels de manière à cimenter l'union des esprits non seulement à une époque donnée, mais aussi entre générations.
  Sur ce plan, l'individu hérite d'une culture composée de valeurs, coutumes et savoirs qui exemplifient les thèmes universels.

- **En deuxième lieu,** l'individu possède une nature psychologique qui se ramifie en traits de caractère distincts forgés progressivement en habiletés au sein de métiers ou de professions. Ceux-ci montrent l'importance des sciences appliquées ou technologies responsables à chaque époque de l'émergence des personnalités humaines diversifiées à l'infini (comptable, ingénieur, outilleur, commerçant, avocat, etc.). Succinctement, les traits psychologiques définissent le caractère professionnel de par les applications techniques créées de siècle en siècle à partir de la science qui se bâtit progressivement. On trouve ici une raison essentielle pour la prépondérance des théories psychologiques appliquées en pédagogie aux systèmes d'apprentissage.

En bref, l'individu occidental est façonné par une civilisation composée de sciences appliquées, techniques, professions qui forgent des personnalités aux traits de caractère adaptés.

- *En troisième lieu*, l'individu baigné dans les valeurs héritées d'une culture agit selon des codes de déontologie propres aux métiers et professions. Civilisé et cultivé, il s'imprègne des traditions sociales, morales, scientifiques et religieuses aux dépens de l'émergence d'impulsions naturelles nourries par son for intérieur. En voulant utiliser ses connaissances acquises, il façonnera ses traits de caractère et, donc, sa personnalité. Par conséquent, l'intégration sociale sera accompagnée d'une motivation à travailler qui rend humain.

- *En quatrième lieu*, la personnalité de chaque individu composée de traits de caractère se façonne en un savant mélange par leurs divers emplois. Chaque époque conserve donc une empreinte de sa civilisation. Le système scolaire le reflétera en construisant des curriculum où quelques **quinze matières** vont composer le dosage requis des quelques **quinze traits de caractère** choisis. Francis Bacon (1561-1626) et Comenius (1592-1670), ardents précurseurs, se sont attelés, chacun à leur tour, à cette tâche dans leur pédagogie où ils associent respectivement histoire, poésie, mathématiques, sciences, morale et rhétorique à sage, fin, subtil, profond, grave et habile.

- *En cinquième lieu*, les traits de caractère distinguent les individus selon un ordre hiérarchisé qui accorde à certains une prééminence. Par exemple, la persistance dans l'effort, l'aisance à accomplir des tâches ou la facilité à surmonter les obstacles vont à l'école rehausser la valeur des étudiants pour, plus tard, déterminer la compétence professionnelle et valoriser d'autant l'individu. Ce revirement paradoxal brise le biais démocratique marquant au départ l'idéologie culturaliste. De plus, cela donne naissance à une psychologie naïve encline à faire briller ces trois habiletés comme autant de talents. De là, surgit le besoin pour une psychologie différentielle (Thomas, 1979, p. 95).

Un cachet particulier colore les neuf principes qui gouvernent le savoir occidental lorsqu'ils appuient toute connaissance sur le socle universel des sciences. Dans un mouvement naturel, ils introduisent ensuite l'idée de sciences appliquées avec, en sus, une idée cruciale: celle de déterminer les sphères professionnelles à travers ces applications. Ceci est évident puisque l'activité professionnelle adopte les modèles issus des sciences appliquées ou des techniques instrumentales, de manière à solutionner les problèmes pratiques (Schön, 1988).

Culture et civilisation: une distinction importante

En vertu des éclairages précédents, nous débouchons sur deux faisceaux distinctifs qui colorent toute société: la culture et la civilisation. D'un côté, sous l'impact des thèmes universels exemplifiés dans les œuvres classiques s'authentifie l'âme d'un peuple qui vibre en chacun de ses membres empreints de culture. De l'autre, une orientation progressive se trace grâce à la civilisation qui s'exprime à travers les sciences appliquées et les techniques. Au sein de celles-ci se démarquent les apports individuels liés au travail quotidien qui contribuent au progrès et au renouvellement. En d'autres mots, bien qu'on puisse dire qu'une culture croît sans vraiment progresser, cela est tout autre pour une civilisation qui nourrit le progrès grâce à ses professions. Dans ce dernier cas, une comparaison entre civilisations s'avère plausible. étant donné qu'elles se distinguent sur le plan de leur technologie respective, une hiérarchie s'ensuit aisément selon l'axe du développement et du sous-développement.

Tout au contraire, les cultures demeurent incomparables. Malheureusement, elles se composent souvent d'ethnies qui ont tendance à se toiser. Dans le jeu réciproque des préjugés, elles s'admirent et, parfois, se haïssent, se baptisant mutuellement de sous-humains. L'extrémisme nationaliste s'adonne parfois à ce jeu dans la frénésie des génocides. Il serait historiquement intéressant d'utiliser la dichotomie culture versus civilisation pour différencier les deux conflits qu'a connus la Seconde Guerre mondiale. Sur le champ européen, le pangermanisme et le panslavisme s'affrontèrent sur le plan de leur culture respective. Dans la zone du Pacifique, les Américains et les Japonais luttèrent sans merci pour la suprématie de leur civilisation, symbole de leur succès socioéconomique.

Cette même dichotomie se retrouve à l'heure actuelle dans la puissance démographique, donc économique, de la jeunesse. D'un côté, cette puissance fragilise la culture des aînés et, de l'autre, elle favorise la civilisation de l'enfant-roi où tout lui est dû et qui l'adonne totalement à la consommation. D'ailleurs, les *baby-boomers* avec leur appendage *yuppie* se meuvent dans des sphères professionnelles qu'ils baptisent agents du progrès. En vertu de quoi, ils forment un écran économique aux convictions assez inertielles pour bloquer le chemin des plus jeunes réduits au chômage. La sourde lutte économique accompagne le bris des cultures ainsi qu'en témoignent les manifestations contre la mondialisation.

Fait notoire, l'idéologie occidentale, révélée par sa civilisation, adopte des règles de conduite, au plus haut point morales, qui l'engagent vers un certain messianisme. En effet, reliquaire du savoir scientifique universel, elle se doit de le propager. Cependant, pour réussir, elle emprunte l'ouverture offerte par la technologie qui la place à la fine pointe du progrès. Les sociétés avancées se sentent alors obligées d'y amener ou plutôt d'y tirer de gré ou de force les autres civilisations bien moins nanties. Ce n'est point l'effet du hasard que le tiers-monde, exportateur de ses ressources naturelles, se retrouve pays en voie de développement, importateur des techniques et donc bénéficiaire du progrès scientifique. À l'instar des religions vouées au missionnariat et à la conversion, le scientisme occidental s'arroge une destinée manifeste pour envahir dans un mouvement d'impérialisme technologique tous ceux qu'elle jugera sous-développés. Le progrès doit moralement leur être imposé et même être une marche forcée pour les plus nationalistes tels que l'ont préconisé le nazisme, le fascisme ou le maoïsme (Habermas, 1978; Hilary, 1977; Lévy-Leblond, 1984; Thuillier, 1980).

Notons en passant la congruence significative joignant les principes valorisant la civilisation occidentale et l'individu qu'elle façonne. Plus précisément, **l'héritage** promu par une culture générale se subdivise, au fur et à mesure de son élaboration enrichissante, en domaines qui réfléchissent **sa complexité croissante**. Cette richesse grandissante exige une maîtrise des connaissances prenant la forme **d'une expertise** ainsi que celle d'une spécialisation. Cela signifie, il faut le redire, **une professionnalisation**.

On entre ainsi dans le jeu des traits professionnels notés ci-dessus. Toutefois, des traits à l'expertise et aux talents, il n'y a qu'un pas. Il est vite franchi par le culturaliste qui ensuite admet la prééminence conséquente de certains individus dans chaque domaine du savoir. Nous saisissons mieux la présence, au sein de notre société avancée, d'experts auprès des tribunaux. Ils se dédoublent en arbitres spécialisés qui témoignent dans les cas litigieux et, aussi, en maîtres experts, appelés par la société qu'ils représentent à être les témoins de l'état présent du savoir sur un sujet donné. Pareillement, les enseignants sont haussés par le permis d'enseigner au rang de témoins culturels. Ils obtiennent ainsi l'autorité officielle d'être les légataires et les ambassadeurs d'une civilisation dont ils transmettent les techniques formatrices aux nouvelles générations. Officieusement, ils le font par vocation et conviction.

Ainsi que déjà noté ci-dessus, les sociétés avancées s'empressent d'envoyer leurs experts en tout genre dans les pays sous-développés sous la forme de techniciens ou d'enseignants. Une ambition s'y surajoute, l'image offerte par la civilisation dominatrice se décalquera par fidélité respectueuse sur la nature humaine des pays récipiendaires. Le procédé, fort subtil, consiste à sculpter des traits psychologiques sur le fond naturel permanent et par là, construire une copie conforme appropriée à l'héritage culturel.

Le messianisme, allié de l'expertise, suggère un réseau conceptuel fort éclairant. N'oublions pas que les facettes culturelles et individuelles s'impriment sur un fond social. En effet, les us et coutumes, qui déterminent les relations sociales, débouchent par l'effort éducatif sur des fonctions dont l'aspect le plus flagrant est de départager les professions caractérisées par leurs habiletés. Point essentiel, la technologie, science appliquée, indique le chemin d'une société en voie de développement. On retrouvera là un départage des types d'instruction qui, parfois litigieux, risque de mettre en lice les talents associés aux degrés d'intelligence (Charlot, 1976, p. 27). La tendance naturelle veut que les professions, destinées aux applications de théories scientifiques, se fassent le véhicule du progrès humain. Qui dit progrès dit proéminence de certaines professions et de certains individus. La traduction exportatrice vers les pays sous-développés se fait par les ingénieurs ou techniciens intéressés à résoudre des problèmes sur le plan de la technicité. Cela signifie que le poisson de l'assistance technique est offert plutôt qu'est tendue la ligne à pêche du savoir scientifique. En accord avec les remarques débutant la préface de l'ouvrage, une matrice opportune nous permettra de visionner l'ensemble du réseau notionnel élaboré ci-dessus.

Matrice notionnelle

CULTUREL				
culture	traditions	héritage	domaines	champs
CIVILISATEUR				
civilisation	techniques	matières	compétence	progrès
INDIVIDUEL				
nature humaine	dimensions	traits	habiletés	talents
SOCIAL				
société	coutumes	fonction	professions	experts

Il est clair d'après cette grille que l'acceptation des principes culturels et de leurs décalques individuels nous entraîne vers les compétences et les talents. étonnamment, l'idéologie culturaliste, au sens démocratique implicite, rationalise la stratification sociale. Partant d'une nature immuable, distribuée à part égale parmi les humains, cette idéologie débouche sur l'élitisme. La cause en est simple. Elle admet l'expression de cette nature humaine par le biais de traits psychologiques façonnés par la suite en compétences professionnelles différenciées et différenciatrices. Elle ne peut y échapper puisque le progrès et le succès viennent de la pratique, à l'exclusion des grandes œuvres qui ne songent qu'à perpétuer les thèmes universels. La pratique soucieuse d'une transmission efficace s'exemplifie dans les textes de science appliquée qui s'accumulent au cours des siècles en exigeant le travail d'individus talentueux. Ceux-ci, experts dans leurs champs de prédilection, fabriquent et aussi créent. Leurs contributions socio-économiques avantagent la civilisation harmonisée. En son sein, le génie créateur voit sa destinée régie par son œuvre devenue un leg désincarné qui se détache de l'être individuel charnel et souffrant. De fait, l'œuvre ne lui appartient plus une fois accaparée par la société. Ainsi, les droits d'auteurs de même que les brevets sont d'une pérennité bien limitée; ce dont les concerts classiques savent bien se servir.

Les qualités humaines, ciselées au contact des belles œuvres consacrées par un *imprimatur* culturel, assurent la durabilité du chef-d'œuvre de par leur gestation elle-même. En effet, elles deviennent les standards appropriés aux sociétés successives. Les grandes œuvres, en se communiquant par delà les générations, assurent un consensus autour de stéréotypes qui typifient une époque et un genre d'homme. Le standard consacré s'opérationnalise par des comportements faisant office d'univers conceptuel accepté et acceptable. On reconnaît là l'ingérence possible des béhavioristes qui se justifient ainsi au sein de cette idéologie culturaliste. On tombe en plein dans la stratification sociale, suggérée auparavant, qui se perpétue en autant que les familles moulent en leurs membres les caractères propres à leur condition. La bourgeoisie, consciente de ce fait, inculque dans ses rejetons les qualités voulues en utilisant les écoles privées. L'initiation par bain culturel s'y ajoute pour assurer le bien-être de cette classe sociale (Bourdieu et Passeron, 1970). Bien entendu, le statut économique lié à la civilisation précédera dans ce cas les distinctions culturelles. D'où l'expression usuelle qui qualifie les *nouveaux riches* désirant vivement étaler au plus vite leur montée sociale. Plus modeste, l'immigration urbaine visera la promotion socio-économique par la diplômation scolaire avant d'y rechercher une culture.

Toutefois, qui dit stéréotypes, dit normalité dans une société. Lorsqu'il s'agit du psychisme humain, cette normalité avec toutes les comparaisons qui s'imposent est du ressort de la psychologie scientifique. On le sent fort bien dans les gradations du quotient intellectuel (Q.I.) qui hiérarchisent la pensée humaine en autant de différences individuelles. Cela se fait sur la base d'un trait humain universel qui, sous l'égide du facteur G (renvoie à une capacité *Générale* mise à la mode par le psychologue Spearman), le rend capable de comparer et d'établir des relations entre les choses.

Ne voulant pas demeurer en reste eu égard à une civilisation qui progresse par des créations individuelles, le psychologue va monter en tête d'épingle et même «hypertrophie» l'individu créateur. Par exemple, «la douance», dernier cri néologique, baptisera les plus talentueux au grand plaisir des éducateurs friands de créer des classes spéciales de surdoués. L'idéologie culturaliste a enfin trouvé chaussure à son pied. En effet, ce qui semble légitime dans une science pure divorcée de tout souci praxiologique et moral, devient un motif d'élitisme lors d'applications éducationnelles. Entre les psychologues Gagné et Shore et le généticien Jacquart, la controverse sur ce sujet fit rage

(Jacquart, 1989). Les psychologues se désistaient vis-à-vis de toutes tentatives d'applications. Le généticien, conscient des dangers culturalistes d'application d'une théorie scientifique, montait au front pour combattre à la source les tentatives de normalisation. Il s'opposait au concept de surdoué qui péchait par le simple fait qu'au sein de la complexité humaine incomparable rien ne permettait de favoriser un être par rapport à un autre. Il suffit de regarder les enfants trisomiques pour s'apercevoir qu'ils sont capables de relations empathiques exceptionnelles. Quant aux aveugles, le sens de la couleur, du volume ou de la présence d'autrui est sans pareil.

Rétrospective historique

Aucune pensée critique qui délimite les tenants et aboutissants de l'idéologie culturaliste ne serait complète sans une étude des influences philosophiques qui la soutiennent. De fait, l'école empiriste qui en forme la trame accentue le rôle primordial joué par l'environnement sur la formation de la pensée. Et qui dit environnement dit culture et civilisation.

Soyons clair sur les différences épistémologiques qui distinguent le culturalisme du naturalisme. D'un côté, **l'empirisme** prône **la représentation** qui est le fruit d'une présentation de la réalité sous la forme de données organisées. Celles-ci s'assemblent selon **un mode sensoriel** pour ensuite s'imprimer sur la surface physique d'un psychisme corvéable et malléable. Semblable chez tout un chacun, cette surface une fois ciselée opère selon des réactions similaires face à un monde thématisé au long des siècles. D'un autre côté et tout à fait différemment, **le rationalisme**, aux allégeances cartésiennes évidentes, donne à **la pensée** le rôle **de copier** tout l'agencement normé de l'univers en vertu des lois qu'elle partage avec celui-ci.

Une genèse historique de l'idéologie culturaliste est de mise pour illustrer celle-ci sans pécher par accès vers la revue exhaustive. N'oublions pas qu'elle influence les idées pédagogiques, en faveur depuis des temps immémoriaux. En dépit des moqueries contre la *tête bien pleine ou les apprentissages par cœur*, cette approche perdure dans les systèmes scolaires. Nous avons jusqu'à présent, en se faisant l'avocat du diable, montré les raisons fondamentales pour cet engouement millénaire.

Le message est clair: l'être métaphysique, vanté par l'idéologie naturaliste friande d'un pur esprit contemplant les vérités éternelles, se métamorphose au sein de l'idéologie culturaliste en un individu psychologiquement moulé selon les exigences de sa civilisation en marche. Encore une fois, *l'habit fait le moine* et cela s'avère d'une valeur inestimable pour ceux qui se vouent à la pérennité de l'homme et de ses œuvres. L'enfant n'est plus la cruche que l'on remplit de gré ou de force, il est l'être humain que l'on va forger en tant que citoyen héritier du patrimoine d'une nation. Bien entendu, il faudra le faire à deux niveaux: celui **culturel** lié aux qualités fondamentales qu'il partage avec tout un chacun, et celui plus particulier des traits de caractère personnalisés qu'il façonne au sein de sa civilisation.

Comme nous venons de le voir dans les paragraphes précédents, l'enseignant imbu de l'idéologie culturaliste valorise non seulement la culture, mais aussi la civilisation qui découle des pratiques. S'il veut perpétuer l'une et faire progresser l'autre, il devra se porter acquéreur, héritier et porteur. Pour ce faire, les empiristes sont utiles, car ils délimitent la théorie de la connaissance qui favorise ces trois rôles. Parmi eux, Francis Bacon (1561-1626) affermit cette alliance entre l'individu et sa culture en privilégiant les contenus disciplinaires porteurs de savoir et aussi capables de façonner la personnalité qui pourrait le saisir. Un virage important, puisque les facultés de l'esprit accentuaient jusqu'à son époque la forme du savoir plutôt que son contenu. Elles purent enfin être évincées. Cependant, les thomistes, toujours influents, gardaient le jeu des facultés dans leur discours pédagogique. Francis Bacon, quelque peu révolutionnaire, *met la main à la nouvelle pâte* pédagogique en utilisant les matières et non les facultés formatives pour construire un projet curriculaire. Rappelons que pour lui, l'histoire, la poésie, les mathématiques, les sciences naturelles, la morale et la rhétorique engendrent une pensée personnalisée. Grâce à ces matières, la pensée devient, respectivement, sage, fine, subtile, profonde, grave et habile (Bacon, 1968). Cela vaut la peine d'être redit: environ quinze matières vont façonner quinze traits de caractère. Cet embryon de projet curriculaire contraste avec les sept disciplines nécessaires aux nativistes pour faire éclore les sept facultés.

L'empiriste valorise la réalité avec tout son contenu. L'environnement lui donne donc la matière première pour bâtir sa théorie de la connaissance. Bien que les données sensorielles et la façon de les ramasser forment la base de cette théorie, elle doit aussi accepter que leur organisation dépende de cet environnement. Au sein de cette organisation offerte s'articulent la culture et la civilisation. On touche ici à la convergence du culturalisme et de l'empirisme, car pour assurer que cette offrande se prenne sans perversion indue, la théorie doit admettre des canons de représentation fidèle. Avec ce souci primordial en tête, son épistémologie légitimera une connaissance pourvu qu'elle demeure une reproduction exacte du *donné. Recevoir, enregistrer* et *mémoriser* deviennent donc les garants procéduraux de cette représentation. Celle-ci accentue les données sensorielles dont les sous-produits conceptuels dépendent de leur ordre de présentation. Typique de l'empirisme, la préorganisation des données assure une représentation spécifique de la réalité. Elle se démarque ainsi du rationalisme cartésien qui conçoit, tout au contraire, une raison capable de nous offrir une copie organisée de par ses propres lois. Cela s'explique aisément puisque le dieu cartésien ne peut le tromper et, par une illumination indubitable de l'esprit, il garantit l'authenticité de la copie conforme.

La théorie de la connaissance empiriste, appuyée sur la représentation, fut décortiquée après Francis Bacon par trois de ses représentants les plus éminents: John Locke (1632-1704), George Berkeley (1685-1753) et David Hume (1711-1776). Ils maintiennent que la représentation de la réalité se ramène à une accumulation de sensations formant des perceptions qui s'agglutinent ensuite afin d'être conceptualisées. Tous s'inquiètent cependant du substrat solide et permanent qui soutient ces sensations. Chacun a sa solution: pour Locke, un substrat physique suffit; pour Berkeley, le substrat est psychique et même spirituel puisque les mêmes lois gouvernent l'esprit, l'univers et Dieu. Quant à Hume, l'association entre sensations se fait tout simplement selon les contiguïtés spatio-temporelles ordonnées par leurs présentations.

La thèse empiriste se ramène au fond à ne voir dans la pensée qu'une grange, partiellement organisée et un tantinet organisatrice, dans laquelle s'entreposent les données ramassées par nos organes réceptifs. Le paradigme culturaliste est fort à l'aise dans cette théorie de la connaissance qui spécifie la perception, la mémoire et la représentation comme les outils intellectuels par excellence et dont l'épistémologie assoit la validité de toute assertion sur des données sensorielles venant du monde ambiant. La philosophie empiriste sert bien l'idéologie culturaliste.

L'alliance culturaliste se fait encore plus serrée au XIXᵉ siècle avec l'école positiviste. En effet, nettement délimitée par son fondateur Auguste Comte (1798-1857), le positivisme s'appesantit sur la marche de l'esprit humain au cours des millénaires et à travers des civilisations successives. L'individu se trouve totalement à la merci de son environnement puisqu'il lui est interdit toute spéculation autoréflexive. Il s'en tient à des observations positives de phénomènes factuels qui dépendent d'une méthodologie impersonnelle sans failles. De plus, la progression même des sciences en accentue l'exactitude. Auguste Comte pousse à son paroxisme ce penchant vers l'observation fidèle en bannissant la formulation d'hypothèses. L'accumulation de données à corréler assure seule une représentation garante d'une pensée positivement formée. On peut presque prétendre que les procédures opérationnelles traduisent l'universalisme des stéréotypes comportementaux et assurent à l'individu la maîtrise conceptuelle propre à une culture. Le béhaviorisme contemporain à saveur fortement culturaliste baigne ici dans l'huile positiviste.

Un petit bond en avant nous indique que ce courant se retrouve fidèle dans le néo-positivisme des années vingt. À cette époque, des groupes de «scientistes» se réunirent afin de professionnaliser leur discipline respective en fixant leur terminologie et en standardisant leurs procédures. On reconnaît ici les fameuses écoles de Vienne, de Prague et de Berlin, mentionnées dans la préface, qui se sont attelées à purifier les propositions scientifiques. Pour ces néo-positivistes, hors de l'observation point de salut, car toutes les expressions révélant la pensée humaine dans sa pureté courent le grand danger d'être dénuées de sens ou, au mieux, de ressembler à des tautologies. Ils vont donc colliger les procédures opérationnelles en usage afin de remédier à ces défauts. Pour eux, montrer comment accéder aux phénomènes ou, ce qui veut dire la même chose, opérationnaliser les observations, est la seule façon d'obtenir un consensus. Bien entendu, cette opération a trois conséquences scientifiques cruciales: le phénomène peut être identifié, il peut être reproduit et les termes qui le dénotent obtiennent alors un sens précis.

Très liée à l'école positiviste, nous retrouvons toute la psychophysique du XIXᵉ siècle qui donna naissance au béhaviorisme contemporain (voir la section «Burrhus Skinner: prépondérance du comportement» ci-dessous; Brief, 1995, p. 26-29). Les comportements et les données sensorielles forment les deux piliers de cette théorie psychologique et, à ce titre, ils soutiennent l'environnement au-dessus de l'individu et de ce qu'il peut être. Il n'en faut pas plus pour y voir un allié naturel du culturalisme qui, lui aussi, demande à l'environnement d'abriter le devenir de l'individu. D'ailleurs, en insistant sur le façonnement des traits individuels par le milieu ethnologique, le culturalisme donne la prééminence à l'être psychologique. Cet environnement qui prend la forme des grandes œuvres, qu'elles soient incarnées dans la littérature, la musique ou la sculpture, assure la naissance d'un être vivant en symbiose avec tous ses partenaires dans une société en marche. Dans la pratique, cela se traduit en comportements à tous les niveaux de la conduite humaine. Même les idéaux inscrits dans le legs culturel se réduisent à des performances qui inspirent et sont imitées. Celles-ci permettent à tout l'univers conceptuel hérité du passé de s'ouvrir au nouvel arrivé par des comportements socialement acceptés. L'union entre le béhaviorisme et le culturalisme ne peut être plus étroite.

Sans trop nous choquer, on voit bien qu'ici la connaissance n'est ni immanente, ni émergente, ni le produit d'un être soutenu par sa spiritualité. Tout au contraire, le support culturaliste offert par le béhaviorisme reste solide puisque la qualité humaine toujours présente se réalise dans la pratique performative des choses offertes par la société.

La leçon à tirer de **la pensée critique** portée sur le **courant culturaliste** montre que ses racines historiques le nourrissent d'idées concordantes. Que ce soit sur le plan idéologique, philosophique ou psychologique, tout se ligue autour du **paradigme d'un être cultivé à civiliser**. Bien entendu, cela favorise une pédagogie destinée à assurer la longévité d'un *élève studieux* dont «l'annonce de sa mort est prématurée». L'idéal poursuivi cherche à cultiver les qualités humaines qui formeront un être humain viable et valable. Pour ce faire, il faut œuvrer culturellement afin de créer un meilleur individu, tout en lui trouvant des pratiques qui lui permettent de s'améliorer. La nature de l'individu et sa façon d'agir au sein d'une société persistante concourent pour mouler la personnalité cultivée qui lui convient, car elle se montre capable de penser, de communiquer, d'évaluer et de juger.

Excursions pédagogiques

Le monde de l'éducation, tel que nous l'articulons par **l'analyse critique** du deuxième chapitre, se subdivise en trois branches principales selon qu'on **enseigne à un élève**, qu'on **instruise un individu** ou qu'on **éduque une personne**. Les différences sont énormes et l'ignorer invite la catastrophe pédagogique tout en dénotant un manque de professionnalisme.

La pensée critique utilisée dans ce chapitre donne sa raison d'être historique et conceptuelle à chacune de ces trois branches. Elle le fait en montrant le tronc idéologique qui les supporte; nommément le romantisme déjà décrit, le culturalisme ici présent et le progressivisme à venir. Mais, notre négligence quant à leur importance prépondérante serait trop évidente si l'on oubliait les nombreux fruits pédagogiques qu'elles soutiennent. Eu égard **au culturalisme** qui prône **l'individu instruit**, ces fruits s'appellent inculquer des connaissances, l'enseignement par objectifs, le façonnement des apprentissages, l'enseignement programmé, les applications pédagogiques des ordinateurs (APO); enfin, toute la panoplie technique du soutien systémique des enseignants. Révéler en quoi ils exemplifient les thèmes fondamentaux du culturalisme et, en quoi ils contrastent avec les pédagogies issues des autres idéologies, demeurent une pièce maîtresse du regard professionnel d'un enseignant.

Comment inculquer des connaissances ou «La leçon», d'après F. Herbart

Respectueux de la philosophie empiriste et de la psychologie scientifique, Herbart domina la scène scolaire pendant un siècle (Herbart, 1898). Ce respect l'engagea à formuler les dogmes d'une pédagogie très populaire soumise à l'idéologie culturaliste dominante. D'ailleurs, on la retrouve utilisée de nos jours à travers le monde dans la presque totalité des écoles normales. Herbart s'appuie sur une théorie de la connaissance, appelée aperception, qui intègre toute nouvelle expérience dans la masse organisée des anciennes. Le curriculum sera donc axé sur une succession d'objectifs s'intégrant les uns dans les autres. L'éducateur, quant à lui, examinera l'enfant pour déceler le niveau atteint afin de faire en sorte qu'il ait des atomes crochus avec les nouvelles connaissances. Rien de nouveau sous le soleil eu égard aux acquis préalables exigés par l'enseignement par objectifs contemporains (Ausubel, 1978). Par conséquent, les cinq étapes pédagogiques d'une leçon herbartienne, énumérées ci-dessous, iront de soi pourvu que l'élève *reçoive, retienne et utilise* la matière afin de s'inscrire dans **un contexte social:**

1. **Révision** des leçons passées afin de susciter l'intérêt.
   Cela signifie dans l'optique classique culturaliste qu'il faut réveiller les fibres humaines forgées lors de l'étude antérieure des grandes œuvres.
2. **Exposé** de la leçon prévue ayant des atomes crochus avec le passé.
   Cela autorise des questions, non pas pour critiquer, mais pour éclairer le message afin qu'il soit senti et pour s'assurer qu'il soit reçu fidèlement par la mémoire qui le prend en charge.
3. *Applications* à des problèmes pratiques.
   Il s'agit de situer l'élève au sein de sa société et d'indiquer le chemin progressif entamé au sein de la civilisation.
4. **Synthèse** et résumé des notions principales.
   On extrait les thèmes universels sous la forme de principes ou de morale à tirer.

L'enseignement par objectifs

Soucieux d'amener un individu à jouer son rôle social, ce système pédagogique formule dix règles qui lui permettent de promouvoir trois idées clefs **du culturalisme**, soit la performance appropriée, la mémoire et le modèle à imiter:

1. **L'instructeur** délimite le contenu des apprentissages.
2. **Le modèle** est imposé avec autorité.
3. **Les matières** se présentent de façon discontinue.
4. **La connaissance** instruite et apprise doit être exactement la même.
5. **L'instruction** prépare à un rôle postérieur.
6. **L'instructeur** doit réussir à faire apprendre.
7. **L'apprentissage** doit se faire.
8. **L'apprentissage** est dominé par la chose apprise.
9. **L'apprentissage** se révèle toujours par un objectif traduit en verbe d'action.
10. **L'instruction** est prioritairement d'ordre culturel.

Le message culturaliste se clarifie lorsque ces règles sont expliquées, ainsi:

La règle 1 brise le silence complice qui entoure le soi-disant «*enseignement par objectifs*». Il n'en est pas un sauf dans des conditions très spéciales. Première condition pour qu'il y ait un objectif: le choix de l'élève s'avère primordial afin d'assurer un cheminement personnalisé qui l'amène vers une réussite éventuelle. On ne parle donc pas de maîtrise et de succès tel que le requiert cette technique pédagogique. Deuxième condition précieuse pour qu'il y ait enseignement: l'objectif doit être préalablement compris et donc inséré dans un réseau d'autres notions qui l'éclairent. Tout au contraire, l'enseignement par objectifs s'exprime à l'aide de verbes d'action qui montrent sans plus le comportement à maîtriser avant de passer à une autre étape. Bien entendu, dans l'énorme majorité des cas, les deux conditions précitées ne sont pas remplies et donc il n'y a ni enseignement ni objectif. De plus, dans tout *enseignement par objectifs* une étape maîtrisée redémarre la séquence sans souci de continuité conceptuelle. Ce sont donc les conditions d'une instruction axée sur des buts préétablis qui sont respectées et non celles d'un enseignement visant des objectifs (pour plus de détails, voir le chapitre II).

La règle 2 force **le mimétisme** qui assure **la symbiose culturelle** de l'élève. L'utilisation des APO s'en trouve favorisée, car elles imposent des comportements très précis qui préviennent toute ambiguïté.

La règle 3 met en jeu les matières qui, une à une, forgent les traits de caractère et, ultimement, façonnent la personnalité.

La règle 4 garantit qu'il n'y aura pas de gradation entre l'instructeur et l'élève. Le danger d'élitisme pointe à l'horizon par la sélectivité dans les écoles qui assure que l'expertise ira de pair avec le talent. L'effet pygmalion peut jouer ici le jeu de la bourgeoisie. C'est pourquoi les notes et les prix d'excellence couronnent la reproduction, parfois parfaite, du modèle présenté.

La règle 5 régit le contexte culturel qui, plongé dans le passé, exclut une pédagogie hors-les-murs ou ouverte sur des expériences vivantes.

La règle 6 rappelle que l'objectif principal est de former des êtres humains et qu'il faut donc être efficace à l'aide d'une transmission assidue des connaissances.

La règle 7 exige que l'instruction se réalise et, donc, que la fin justifie les moyens. Les sévices, messages subliminaux ou endoctrinement, s'en trouvent parfois justifiés.

La règle 8 réitère simplement que le fond (contenu) importe plus que la forme (contenant).

La règle 9 assure une performance liée au verbe d'action qui traduit l'objectif visé.

La règle 10 insiste sur le consensus social obtenu par une culture commune créée sur la base d'un ensemble de matières traditionnelles.

Le façonnement des comportements: le béhaviorisme

Allié puissant de **l'idéologie culturaliste, le béhaviorisme** en profite pour y imprimer sa marque par ses nombreuses **applications**. Pour le meilleur et pour le pire, ce type de psychologie illustre tous les concepts qui la distinguent des deux autres idéologies. Ainsi, on y trouve le façonnement quasi total de l'individu par les forces sociales et culturelles. Il s'ensuit une prépondérance des comportements facilement observables aux dépens de la pensée reléguée au rôle d'adjuvant invisible. À ceci s'ajoute une confiance mystique dans le pouvoir descriptif d'une et d'une seule réalité par la méthode scientifique.

Pour expliquer comment on en est arrivé là, il faudrait des marqueurs jalonnant le chemin ambitieux menant à une explication de l'homme en termes purement scientifiques; du positivisme au béhaviorisme radical de Skinner.

Le béhaviorisme, ponton contemporain du cheminement, ramène l'analyse du psychisme humain et animal à une étude de ses manifestations observables, toujours le produit d'un apprentissage où le conditionnement joue un rôle clef. Skinner nous dit bien, «enseigner, c'est organiser les contingences de renforcement qui accélèrent l'apprentissage» (Skinner, 1969, p. 33).

À l'origine du béhaviorisme, psychologie qui se veut scientifique, campe l'idée anthroposophique, héritée de Goethe (1749-1832) et plus récemment de R. Steiner (1861-1925), d'une vie qui est fondamentalement activité. Sa spécificité individuelle, cependant, dépend du jeu de forces où des principes mécaniques, inspirés des lois de Newton, qui gouvernent la source physique de cette activité dont les reflets psychologiques se colorent en passion, haine, amour, élans de vie et de mort. À partir de ce souci pour la vitalité, propagée au travers des générations, se fait jour le dilemme d'attribution de l'inné et de l'acquis, propre à chaque individu. À savoir, si chaque individu doit passer ou non par toutes les phases évolutives subies par son espèce avant que de pouvoir vivre sa vie; une idée qui se ramasse dans la formule frappante, *l'ontogénie récapitule la philogénie.*

À travers ces quelques mots, se dessine l'influence sur **le béhaviorisme** des grands courants de pensée du XIXe siècle qui posent des regards particuliers sur l'être humain: il est le résultat d'une évolution physique (*darwinisme*); il s'observe et se décrit sans plus (*positivisme*); il est la résultante d'un jeu de forces physiques (*matérialisme*); il est soumis à des relations de cause à effet (*déterminisme*); il se comprend sur le plan des sensations (*phénoménalisme*); il s'explique en termes précis de réactions à des stimuli (*physicalisme*). En notant ainsi que le béhaviorisme s'inscrit dans l'évolution des mouvements culturels occidentaux, on prévient le préjugé défavorable selon lequel il représente une anomalie temporaire, née *ex nihilo*. Il s'avère donc important de tracer l'évolution des visions successives de l'être humain qui nous amènent jusqu'à aujourd'hui où domine le béhaviorisme (voir le diagramme chronologique ci-dessous).

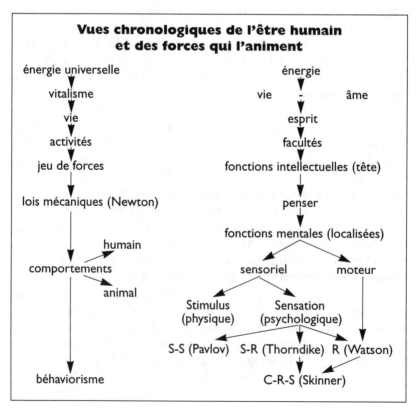

Vues chronologiques de l'être humain et des forces qui l'animent

énergie universelle → vitalisme → vie → activités → jeu de forces → lois mécaniques (Newton) → comportements (humain / animal) → béhaviorisme

énergie → vie - âme → esprit → facultés → fonctions intellectuelles (tête) → penser → fonctions mentales (localisées) → sensoriel / moteur → Stimulus (physique) / Sensation (psychologique) → S-S (Pavlov) · S-R (Thorndike) · R (Watson) → C-R-S (Skinner)

L'héritage positiviste ressort au sein **du béhaviorisme** par son insistance sur l'intersubjectivité toujours présente dans une discipline scientifique. Toute donnée sera soigneusement observée, mesurée, colligée pour enfin être corrélée. Sous-jacente à cette procédure s'immisce l'idée mécaniste que tout phénomène a une cause. La raison par l'absurde étant qu'aucune entité n'apparaît sans cause s'il lui faut obtenir un statut scientifique vérifié grâce à une procédure explicite reproductible. Seront ainsi évincés l'esprit, l'âme, la conscience, les attitudes; bref, toute vie psychique. Ce rejet élimine sans autre forme de procès toute distinction entre l'homme et l'animal. Cela évite aussi les lacunes d'un anthropomorphisme biaisé tendant à mettre à part le royaume humain, bien trop souvent écarté des investigations scientifiques.

Le béhaviorisme se penche sur **les apprentissages**, seuls phénomènes observables chez les hommes comme chez les animaux. Il s'intéressera peu aux soubassements physiologiques qui occupent le réflexologiste I. Pavlov, ou aux influences phylogéniques maintenues par l'éthologie objective de K. Lorenz ou de N. Tinberghen. Par contraste, il a un aperçu ontogénique où domine l'apprentissage qui se réduit à une acquisition de comportements par associations individuelles. Seuls quelques besoins innés opèrent pour garder le lien avec l'espèce. Purement expérimental, il s'oppose à toute approche développementale (Noelting, 1983, p. 15).

Baptisé «science du comportement», le béhaviorisme réagit contre la «magie intangible» d'une science de la conscience des psychophysiciens de la fin du XIXe siècle (Titchener, Fechner, Wundt) qui se reposaient sur les rapports introspectifs à la première personne. Pour eux, cette autoréflexion indiquait les relations structurales entre sensations engendrant concepts et perceptions.

Il s'oppose aussi à la superstition insondable d'une science de l'inconscient des psychanalystes Freud, Jung, Adler. De plus, pour réaliser cette science de l'homme, le béhavioriste élimine la sphère phénoménaliste **imprécise des sensations** en faveur du cadre physicaliste **précis des stimuli**. Ce point mérite qu'on s'y attarde, car il représente une révolution significative de la psychologie ayant enfin accès aux techniques scientifiques. Plus précisément, le physicaliste exprime une sensation en unités temporelles et spatiales de manière à la traduire dans le langage des stimuli. Elle s'insère ainsi dans une structure physique apte à se voir appliquer par isomorphisme des structures mathématiques engendrant sa quantification éventuelle.

L'avènement du béhaviorisme

Officiellement instaurée par le manifeste de John Watson (1878-1958), «la psychologie telle que le béhavioriste la voit» (*Psychological Review*, 1913), cette école de pensée prône un strict déterminisme environnemental pour tout ce qui touche l'être humain. Watson entend fonder une science de l'homme en appliquant le programme positiviste d'Auguste Comte (1798-1857). Celui-ci est d'avis que tout savoir doit passer le test scientifique des méthodes expérimentales, y compris tout ce qui touche les phénomènes humains. Seules seront admises les données publiquement observables, donc traduisibles dans un cadre spatio-temporel dont la reproduction sous des conditions uniformes est assurée. Il exclut toute référence à ce qui est inobservable et, en particulier, les états de conscience ou processus physiologiques internes. L'être mental se retrouve inaccessible et réduit à ce qui devint la métaphore de la «boîte noire».

Historiquement, **le béhaviorisme** prit racine au milieu du XIXe siècle lorsqu'une vision unifiée de l'être humain, siège monolithique de tous ses comportements, se substitua à l'image spirituelle d'un homme dispersé au gré du jeu de ses facultés (voir le diagramme ci-dessus). L'évolution est très nette: au lieu d'être indépendant de son environnement par cet esprit qui l'habite, l'être s'en fait l'allié puis l'esclave au fur et à mesure qu'il y soumet ses actions. Dans un premier temps, l'esprit composé de facultés offre une vision privilégiée des vérités opérant selon les dimensions de la raison, de la volonté, de la justice, de l'empathie ou de l'amour. Puis, le pragmatisme de William James (1842-1910) offre une alliance esprit-corps-monde au sein du courant de conscience qui se meuble de sens lors des activités. échappant à l'emprise d'un esprit tout puissant, les conduites pensées instinctivement seront associées à des comportements sélectivement gratifiés au cours des contacts réels.

Nous atteignons là une zone charnière où **les fonctions intellectuelles** attachées aux traits de caractère supplantent l'esprit composé de **facultés**. Les phrénologues (Gall, 1758-1828), déchirés entre les deux options, résolvent le dilemme en dressant une cartographie cérébrale sophistiquée du caractère d'ensemble des êtres humains (précurseur de la fameuse bosse des mathématiques). Apparaît alors l'idée d'une **Pensée**, locus des fonctions intellectuelles, qui autorise une vue d'ensemble de la réalité. À son tour, **la pensée** se subdivise en **fonctions mentales** selon le regard qu'elle doit poser sur cette réalité afin d'agir en fonction des tâches qui lui incombent. Dans un raccourci historique intéressant, **l'homme qui pense** se dispute la primauté avec **l'individu qui sait**, tandis que **l'acteur qui décide** attend dans les coulisses. Le premier est pris avec les fonctions intellectuelles, maîtresses en leur domaine privé. Le second utilise les fonctions mentales pour fouiner dans la boutique des choses mondaines. Quant au troisième, occupé par les fonctions cognitives, il s'active selon les demandes qui lui sont faites.

L'esclavagisme envers l'environnement peut enfin s'annoncer ouvertement lorsque le matérialisme des **fonctions mentales** localise dans le cerveau **les fonctions intellectuelles** encore trop diffuses. Dans ce lieu bien physique s'établit par des lois quasi mécaniques la dépendance de l'homme envers les milieux qui le contrôlent. Il y a là une réminiscence du mécanisme corporel cartésien avec, bien sûr, l'abandon de la sphère spirituelle. Jouant un rôle charnière entre l'ancienne vision d'un esprit habité par des facultés, la théorie plus moderne d'une pensée animée par des fonctions intellectuelles et, dernières venues, les fonctions mentales localisables par le physiologue, les premières lois gouvernant la pensée prirent la forme de principes neurophysiologiques (Brief, 1995, p. 19-36).

À la lueur de ces travaux sur le siège de la pensée s'établit la dichotomie probante entre les domaines sensoriels et moteurs. Les centres nerveux supérieurs y tracent une frontière amovible dont le rôle fluctue selon les modèles à la mode. La chronologie des écoles de pensée sur le sujet nous montre que la dimension sensorielle resta longtemps le domaine de prédilection pour retrouver la pensée chez les psychophysiciens. Puis, ses relations avec les centres moteurs prirent de l'ampleur dans le laboratoire des associationnistes tels que Pavlov et Thorndike. Ensuite, l'aspect comportemental mettant de l'avant les centres moteurs devient un souci primordial chez Watson et Skinner. Finalement, la boucle se referme sur le rôle relationnel joué par les zones corticales soit en tant qu'organisme pour les néo-béhavioristes, soit modélisé par des fonctions mentales pour les cognitivistes.

En résumé, «l'opposition traditionnelle d'un esprit face au monde, qui peut soit s'y soumettre, soit le dominer, est supplantée par une collaboration entretenue par l'être qui agit. Bien entendu, l'orientation imprimée à cette vue dynamique se subdivise selon que l'on regarde l'activité en tant que produit manifeste chez l'homme (le comportement) ou, au contraire, qu'on y recherche le mode de production qui l'amène à la surface du corps (l'action). Du premier, jaillit le mouvement béhavioriste, tandis que le second cheminement aboutit au cognitivisme contemporain» (Brief, 1995, p. 34-35).

À nouveau, il nous faut insister sur le fait que l'avènement contemporain de **Skinner** avec sa panoplie de retombées pédagogiques est l'aboutissement d'un long cheminement historique. Son passé est issu des **données sensorielles** (phénoménalisme), qui prirent la forme de **sensations** (lois psychophysiques) avant d'être traduites en **stimulations** (physicalisme). Celles-ci deviennent des **excitations** liées à des **réactions** (associationnisme) avant d'être des **réponses** aux **stimuli** (connectionnisme) qui, surprise moderne, sont réduites par le béhaviorisme à des **comportements**.

Le modèle S-O-C représente cette progression chronologique des écoles de pensée qui, telle une tapisserie à motifs, expliquent l'être humain en faisant ressortir successivement les bombardements Sensoriels, puis leur traitement Organique pour arriver aujourd'hui aux Comportements dominants:

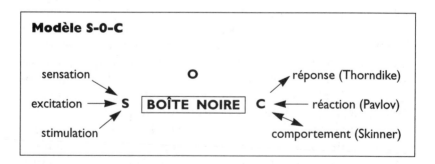

La **boîte noire**, fourre-tout de l'inobservable pour les positivistes, recèle un trésor d'idées explicatives pour tous les autres chercheurs qui admirent le démarquage original du phénomène humain. Ceux-ci supputeront avec brio **le traitement des données** qui se fait dans la **boîte noire** afin d'aboutir aux **agisse-**

ments de l'homme. Ainsi, certains auteurs prééminents montent en épingle avec ardeur: la personnalité (G. Allport), l'intelligence (J. Guilford), la perception (D. Hebb), la conceptualisation (J. Bruner), la compréhension (D. Ausubel), le langage (L. Vygotsky), la mémoire (D. Norman), l'intention (E. Tolman), l'attitude (C. Osgood), le besoin (A. Maslow), la motivation (C. Rogers), l'attention (J. Baldwin), l'intérêt (E. Claparède), l'identité (E. Erikson), l'habitude (J. Watson), l'imitation (P. Guillaume), l'habileté (E. Torrance).

En insistant sur l'introspection, source de connaissances privilégiées, un tournant psychologique sérieux s'est dessiné. D'un côté, un cadre spatio-temporel va servir de référent aux données sensorielles, éléments analytiques de toute réalité d'après le physicalisme d'E. Mach (1838-1916). De l'autre côté, émergent de la conscience enfouie dans ses expériences subjectives les actions possibles de l'être selon la phénoménologie (conscience des éléments psychiques) doublée de pragmatisme (conscience des conséquences de nos actes) de W. James (1842-1910). Pour la petite histoire, celui-ci se rebaptisa un pragmaticiste lorsqu'il se sentit trahi par son successeur, J. Dewey (1859-1952), qui voyait dans chaque acte un instrument utilisé par notre savoir (école instrumentaliste de Chicago).

L'influence prépondérante des travaux de Pavlov, Thorndike, Watson et Skinner sur les principes opérationnels qui gouvernent les apprentissages par modification des comportements (communément appelés Conditionnement) nous force à les voir en détails. Rappelons que ces mêmes principes guident les techniques d'instruction mentionnées ci-dessus: l'enseignement programmé, l'enseignement par objectifs et les applications pédagogiques de l'ordinateur.

Le diagramme ci-dessous aide à comprendre les principes opérationnels qui accordent une grande importance à l'environnement dans l'activité humaine.

Chronologie des vues sur le conditionnement

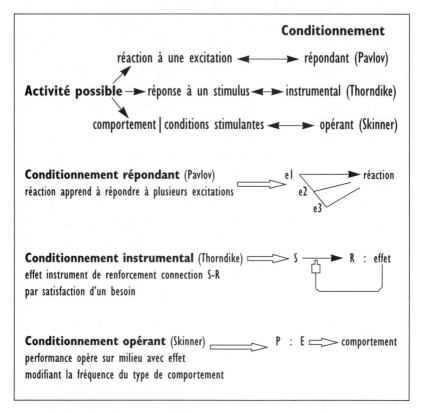

Chez **Yvan Pavlov** (1849-1936), le bagage physiologique initial se compose de chaînes réflexives liant les excitations à leurs réactions. La vie courante associe ces excitations initiales aux nouvelles données sensorielles. Pavlov y verra un apprentissage, car la nouvelle sensation provoque l'ancienne réaction en s'accouplant avec l'ensemble réflexif (Excitation-Réaction). L'apprentissage se poursuit ensuite en élargissant le nombre de sensations qui stimulent l'organisme sous forme d'excitations et provoquent leurs réactions. Mais pour ce faire, elles doivent être contiguës, selon une séquence plus ou moins ancienne, à l'excitation ayant provoqué une réaction réflexive innée. Le processus neurophysiologique sous-jacent est gouverné par l'influence mutuelle entre les réseaux neuronals et déterminent les conditions d'apprentissage. Celles-ci occupèrent Pavlov pendant cinquante ans et aboutirent au conditionnement classique ou répondant qui impose encore présentement ses règles opérationnelles de renforcement, de généralisation, de discrimination et d'extinction. Ses sujets d'expérimentation étaient des bergers allemands qu'il adorait à tel point qu'il manqua se noyer en les sauvant lors d'une inondation de son laboratoire de Saint-Pétersbourg.

Principes associatifs du conditionnement classique

1. Toute réaction s'initie par une excitation soit instinctive (inconditionnée), soit automatique (physiologique et inconditionnelle).
2. Un événement contigu (un son) à une excitation suivie (viande) d'une réaction (salive) peut donner lieu, après plusieurs présentations, à cette réaction qui devient alors conditionnée à l'événement devenu sa stimulation.
3. Toute association entre stimulations est tributaire d'une sensibilité et d'une attention préalables de l'organisme préparé par ses besoins.
4. L'intervalle optimal entre deux simulations s'associant est d'une demi-seconde. Pas étonnant que le programme d'enseignement par objectifs exige une réponse dans la demi-seconde qui suit la question.
5. Toute stimulation conditionnelle doit précéder l'excitation inconditionnelle, car elle prépare l'organisme à réagir de manière discriminatoire sans qu'il soit obnubilé par la réaction instinctive déjà installée en fonction d'un besoin vital.
6. Plusieurs présentations solidifient une association et la rendent plus apte à se reformer après extinction par manque d'usage. Cela signifie que la stimulation conditionnée ne se substitue pas à l'excitation inconditionnelle puisqu'elle doit être renforcée de temps en temps.
7. Le conditionnement obéit à un principe de généralisation car des stimulations semblables donnent lieu à une même réaction.

Comme beaucoup de chercheurs attelés à la tâche d'expliquer des phénomènes naturels, **Edward Thorndike (1874-1949)** introduit deux concepts théoriques de choix: le besoin et la récompense. En bon positiviste purifié, **Skinner** s'empressa de rejeter ces entités inobservables. Mais Thorndike en avait besoin pour justifier l'agitation initiale des êtres, la recherche de leur satisfaction et l'influence subséquente sur les connexions nerveuses entre les stimulations et leurs réponses. En d'autres mots, un besoin anime et occasionne ainsi par essais et erreurs des contacts plaisants ou déplaisants. Ensuite, ces contacts deviennent des stimuli dont les connexions avec leurs réponses sont renforcées. Par exemple, le chat s'agite par faim, pousse le levier par accident, ingurgite la nourriture par plaisir, associe le levier vu puis poussé par renforcements.

Ce modèle **Stimulus-Réponse** (S-R) domine depuis un demi-siècle la scène psychologique. À noter, la révolution effectuée ici par le changement subtil d'un discours phénoménaliste qui s'appuyait sur les sensations, en une expression physicaliste en termes de stimuli inscrits dans un cadre spatio-temporel quantitatif et intersubjectif.

Principes opérationnels du conditionnement instrumental

- La loi de l'usage impose une activité physique pour enregistrer par une trace cérébrale les évènements contigus.
- La loi de l'exercice demande une pratique répétée afin de renforcer les connexions.
- La loi de l'effet établit qu'un geste est connecté à une stimulation seulement lorsqu'il satisfait un besoin par ses effets.
- La loi de la généralisation instrumentale maintient que des gestes similaires liés aux mêmes effets peut s'associer à plusieurs situations stimulantes.
- La loi de la discrimination instrumentale contrôle les liens entre des stimuli donnés et des réponses spécifiques.

Burrhus Skinner: prépondérance du comportement

L'intérêt du **psychologue Skinner** (1904-1990) ne peut être minimisé par les culturalistes qui découvrent en lui un allié par le support théorique qu'il leur fournit. Atout principal faisant un peu effet de caricature, Skinner prône un individu à la patine socioculturelle ne recouvrant aucune essence interne personnelle. Tout en surface, cet individu reflète l'environnement par ses comportements acquis au cours de ses pérégrinations sociales. L'essence interne s'élimine d'office lorsque Skinner ne veut pas entendre parler de sentiments, de pensées ou d'autres phénomènes mentaux inobservables et incommensurables. Évidemment, ils sont rébarbatifs à un traitement scientifique.

Radical, il l'est par son rejet des besoins, récompenses, satisfactions qui font pivoter le modèle stimulus-réponse (S-R) dans le béhaviorisme orthodoxe. De là d'ailleurs, son titre d'un ouvrage qui le rendit fameux, *Par delà la liberté et la dignité*, où il ne déniait pas l'existence de ces qualités humaines, mais n'en voyait pas l'utilité dans une psychologie scientifique (Milhollan et Firosha, 1972, p. 27).

Le modèle skinnérien

Après ces rejets de ce qui pour le commun des mortels constitue l'essence de l'homme, quel substitut nous propose Skinner?

a. Il nous offre sur un plateau le bébé naissant avec tous ses comportements hérités ou innés. Un simple répertoire de ses agissements et de leur fréquence nous fait tout connaître sur lui.

b. Ensuite, des répertoires de comportements, reconstitués de temps en temps avec leur table de fréquence, donnent l'historique expérientielle des modifications imposées par l'environnement..

c. Il n'en faut pas plus, pour que de cette image sobre ressorte une théorie des apprentissages riche en rebondissements.

Une explication s'impose ici:

• Initialement, un comportement instinctif est **incité** sous certaines conditions environnementales privilégiées. Ainsi, agir d'une certaine façon n'a pas de cause précise provoquante, mais une condition générale **incitante**. Lorsque ce qui suit le comportement est bénéfique ou nocif, les trois évènements mis en cause s'associent et leur statut devient celui de conditions stimulantes, de comportement et de renforcement. Puisque ce qui suit le comportement détermine son futur et non une cause qui le provoque, l'idée qu'une conduite est opérante caractérise le conditionnement skinnérien.

• D'une façon générale, toute modification durable d'un individu constitue un apprentissage. Pour Skinner, l'apprentissage se réduit à modifier la probabilité de se reproduire d'un comportement. De là, l'idée qu'il s'agit d'un **conditionnement opérant** puisqu'une action sur l'environnement (opération) en modifie la probabilité de par ses résultats. L'augmentation ou la diminution observée de la fréquence d'un comportement révèle si ses conséquences sont positives, négatives, aversives ou inexistantes. Seul l'observateur, conscient des fluctuations ressortissant des tables de fréquence, peut établir ce qui constitue un renforcement. Il n'est aucunement astreint à une explication ou même capable d'une prédiction qui ne soit basée sur ses statistiques.

• **Le comportement** réunit un ensemble de performances similaires s'activant dans chaque situation spécifique en tant qu'exemplaires du comportement. Celui-ci se réduit donc à un type de performance. Par exemple, s'asseoir sera le comportement relatif à la performance de s'asseoir sur une chaise, un banc ou un tabouret qui en sont les exemplaires performatifs.

• Toute modification de fréquence d'une activité autorise par observation, corrélation et jugeotte d'isoler après coup un événement contigu qui fait office de **renforcement**. Ainsi, l'eau renforcera boire pour un animal qui en est privé depuis un certain temps. Notons qu'être assoiffé, aussi bien qu'avoir faim, s'ignore étant donné sa nature théorique et inobservable.

• Selon les modifications de fréquence d'un comportement on parlera:

• d'un **renforcement positif** eu égard à ce comportement lorsqu'un phénomène contigu augmente sa fréquence. Baptisé renforcateur après coup, le phénomène peut alors être jugé plaisant. Par exemple, pousser un levier plus souvent lorsque suivi de nourriture accorde à celle-ci le statut de renforcement.

• d'un **renforcement négatif** eu égard à ce comportement lorsqu'un évènement originellement contigu augmente sa fréquence quand il est éliminé. Cet évènement paraît à rebours déplaisant. Tel boucher ses oreilles afin d'éliminer un bruit strident.

• d'un **renforcement aversif** eu égard à ce comportement lorsqu'un évènement contigu diminue rapidement sa fréquence. Après coup, le phénomène sera jugé nocif. Ainsi, une nourriture infecte diminuera la tendance à pousser le levier qui la fait tomber. En supprimant un comportement, le renforcement aversif a le défaut de ne le remplacer par aucun autre et, pire encore, d'inciter à agir d'une façon erratique afin d'éviter les conséquences nocives. Dans les deux cas, le sujet concerné échappe à tout contrôle soit par sa passivité, soit par ses actions échappatoires. Ceci explique le rejet de la punition par Skinner.

- d'un **renforcement neutre** eu égard à ce comportement lorsqu'un évènement contigu diminue très lentement sa fréquence. Cela constitue l'outil idéal de conditionnement pour les béhavioristes enclins à prévenir les comportements incontrôlés ou désastreux suivant une punition.

Éclairages particuliers

1. Notons que l'élément qualitatif des besoins satisfaits du modèle S-R de Thorndike est supplanté chez Skinner par l'observation quantitative des fréquences de comportement.
2. Le psychologue, établissant une table de fréquence des comportements, n'a aucune raison d'expérimenter dans des conditions de contrôle artificiel.
3. Dans le labyrinthe de Thorndike, le rat affamé tâtonne par essais-erreurs le long du couloir pour enfin rentrer en contact avec le fromage et le dévorer. Après quelques tentatives, il se dirige directement jusqu'à ce qu'il voit le fromage et le grignote.

Tout autre, le rat de Skinner se meut dans sa boîte en fonction de son répertoire antérieur. Ayant par hasard heurté le levier et fait tomber la nourriture, il la mange car il n'a pas été nourri depuis quelques heures. On observe que ce heurt accidentel initial devient une poussée accélérée du levier faisant alors partie de son répertoire comportemental. Nul besoin de lui montrer le fromage puisque toutes les conditions environnementales réunies lui servent d'indices et incitent au comportement renforcé. Notons le contraste significatif entre le labyrinthe transparent de Thorndike et la boîte opaque de Skinner.

L'anecdote amusante de la danse du rat illustre cette vision des choses. Pour accélérer l'expérimentation, un plancher électrifié fut installé dans la cage afin d'activer le rat qui autrement pourrait se figer indéfiniment. L'attente ainsi raccourcie, on espère que l'animal heurtera le levier amenant la nourriture. Cet accident s'en trouvant renforcé, il devient un comportement inclus dans le répertoire. Mais surprise, il ne fut pas seul. Subséquemment, le rat se trémoussait avant d'appuyer sur le levier bien que le courant ait été coupé. Baptisé «*la danse du rat*», l'incident démontrait que tout phénomène entourant le renforcement devenait significatif au sein des conditions stimulantes incitant le comportement. La ressemblance avec l'humain est frappante lorsqu'il vitupère et, parfois, fusille un distributeur automatique récalcitrant.

Par contraste avec le modèle S-R, où un stimulus provoque une réponse selon la force des connexions nerveuses établies en fonction des récompenses, Skinner valorise les conditions globales entourant le comportement renforcé de manière à ce qu'elles le stimulent subséquemment en l'incitant selon la probabilité atteinte.

À partir du répertoire de comportements qui spécifie en tout temps le passé expérientiel d'un individu, on peut dire de Skinner:

- Il observe, collige et établit une table statistique des comportements;
- Il n'expérimente pas;
- Il ignore délibérément la conscience (psychophysique), l'inconscient (psychanalyse), les facultés de l'esprit (boîte noire) et les processus neurophysiologiques (associationnisme).

Les techniques d'apprentissage: sculpture et modulation

Le modèle skinnérien s'annonce, d'après les détails fournis ci-dessus, un appui pédagogique idéal à l'idéologie culturaliste. En effet, le façonnement du répertoire de comportements se soumet aux conditions environnementales et fait, telle qu'elle le demande, de l'individu l'héritier de ce que la société veut bien lui offrir. Il nous reste à voir quelles techniques d'apprentissage ce modèle suggère pour accomplir cette tâche. Remarque préliminaire essentielle, le travail s'effectue sur le répertoire de comportements et non sur les performances prônées par le modèle S-R. En l'occurrence, il s'agit de manipuler la tendance générale à aider les gens en détresse avant de renforcer la réaction spécifique à secourir quelqu'un qui appelle au secours.

Le renforcement conditionne non pas la performance précise l'ayant occasionné, mais le comportement ou type de performance dont elle est un exemplaire. En se basant sur cette idée contrastante, on peut sculpter le comportement à partir des performances qui le constituent et, aussi, on peut mouler un ensemble de comportements en utilisant leur ressemblance.

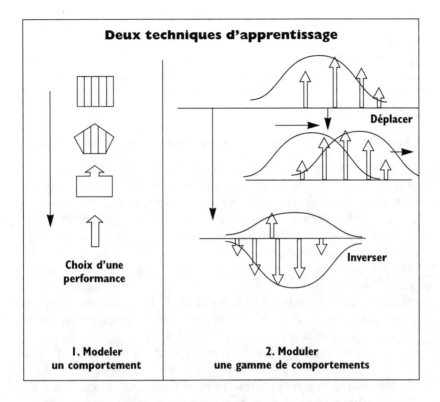

Deux techniques d'apprentissage

Choix d'une
performance

Déplacer

Inverser

1. Modeler
un comportement

2. Moduler
une gamme de comportements

La sculpture des comportements similaires

Il est possible de modeler le comportement en discriminant en son sein les exemplaires ou performances. Une condition stimulante incite un comportement ou type de performances similaires qui peuvent varier en intensité, durée, rythme, rapidité, forme, direction ou position Le béhavioriste opère sur toutes ces variables pour «sculpter» le comportement par spécification. Il choisit, en fonction d'un but final, la séquence de performances la plus efficace (celle qui est la plus rapide) et la plus efficiente (celle qui contient le moins d'erreurs). Ainsi, dans le comportement ou type de performance «s'asseoir», je peux sélectionner par mes renforcements la performance de «s'asseoir sur une chaise». Une fois devenue la conduite de prédilection, je peux spécifier une performance plus restreinte telle celle de «s'asseoir sur la chaise électrique», et ainsi de suite si le voltage n'est pas trop élevé.

Le jeu de la guenille brûlante ou du trésor caché illustre ces idées lorsque par ses renforcements de «tu brûles ou tu gèles», il modifie l'orientation des pas jusqu'à ce qu'une avance spécifique soit sélectionnée comme étant la performance de choix. La panoplie des comportements diminue jusqu'à ce que l'on étreigne le trésor.

Modulation de la gamme de comportements se ressemblant

• Première possibilité: puisque tout comportement renforcé voit la fréquence de son inverse diminuée d'autant, la courbe gaussienne et convexe des fréquences accompagnant une gamme de comportements se ressemblant dans un ordre décroissant se reflète dans une courbe concave donnant les fréquences inversées des comportements opposés (voir le diagramme). Il y a là une possibilité fort prisée par les béhavioristes de moduler la panoplie des conduites. Ainsi, en favorisant le comportement contraire de celui qui est désapprouvé, le béhavioriste renverse toute la courbe et crée un répertoire quasiment flambant neuf. Par exemple, en récompensant le silence du gamin bavard, on diminue ses interventions bruyantes tout en augmentant son attention. De même, les béhavioristes réussirent des guérisons de phobie en renforçant progressivement tenir une image, un modèle et, finalement, l'objet repoussant. Ils atténuèrent proportionnellement la fuite.

• Deuxième possibilité: en fonction du comportement désiré, on module les fréquences de comportements dans la bonne direction et en opérant sur les extrémités de la courbe normale dressée préalablement. Effectivement, on module la gamme de comportements par généralisation. De cette façon, les béhavioristes ont connu un certain succès auprès des catatoniques. Ils renforcent successivement les mouvements spontanés qui en entraînent d'autres plus rapprochés de l'état final à encourager. Spécifiquement, il s'agit de leur faire quitter leur chambre pour les amener jusqu'à une salle commune. Face aux mouvements aléatoires du catatonique, le psychologue reste aux aguets et récompense ceux qui se rapprochent le plus de la séquence par laquelle il va se lever, faire des pas vers la porte, la franchir, se diriger dans le couloir jusqu'à la salle commune. Une grande patience, un sac volumineux de bonbons et des fonds de recherche venant de leurs fabricants sont souhaitables.

Les formes d'apprentissage

Pour sculpter les types de performance et moduler les gammes de comportements, les béhavioristes jouent sur la possibilité de généraliser, discriminer et différencier les apprentissages aux trois niveaux des stimuli, renforcements et performances. La distinction se réduit à modeler par discrimination au sein d'une catégorie de performances ou de moduler par généralisation d'un ensemble de comportements.

• Renforcement généralisé

Certains évènements subséquents à des comportements totalement dissimilaires semblent capables d'en augmenter la fréquence. Cette propriété affectant des renforceurs dits secondaires, tels que l'argent, l'attention, l'affection ou l'encouragement, ainsi que ceux touchant aux besoins primaires en nourriture, boisson ou température, est utilisée pour favoriser une large panoplie de comportements. L'influence étendue de ces renforceurs secondaires leur accorde souvent par analogie le statut de besoin primaire. Cela devient utile pour des apprentissages rapides et efficaces. On le retrouve dans l'usage de la formule, *c'est bon*, au cours des enseignements programmés.

• Renforcement discriminé

En choisissant parmi les performances constituant un comportement celle qui sera renforcée, on augmente sa fréquence aux dépens de ses voisines. Cela équivaut à sculpter le comportement en la faisant ressortir tel le nez modelé sur un bloc de terre glaise. L'outil skinnérien favori dans ce cas passe par l'imitation, la seule fonction innée qu'il reconnaît et qui, comme par hasard, reste un des préalables fondamentaux du culturalisme voué au respect de l'héritage. En imitant un phénomène quelconque on s'assure fidélité et efficacité, surtout lorsqu'il s'agit d'apprendre un comportement dont la probabilité dans le répertoire naturel est très bas. Une fois produit par imitation, il peut être renforcé afin de faire partie du répertoire habituel.

• Stimulus généralisé

Toute stimulation ayant incité un comportement fait partie d'un ensemble constitué de phénomènes lui ressemblant et, donc, susceptibles d'entraîner ce même comportement ressorti en pointe. La ressemblance peut se fonder sur des propriétés similaires ou sur une contiguïté spatio-temporelle définissant une situation stimulante élargie. La généralisation à un ensemble ressemblant s'avère utile pour construire un vocabulaire, étendre l'application d'adjectifs et pour la survie. Dans ce dernier cas, l'enfant une fois brûlé se méfiera des objets rouges et l'adulte prévenu évitera toutes les cordes ondulantes comme une vipère. Le mot «chien» dénotera les lévriers, bassets ou Saint Bernard, mais sera inapplicable aux chevaux ou hiboux. L'adjectif «jaune» baptisera tous les objets jaunes et non les autres. D'un autre côté, ce genre de généralisation occasionne les erreurs d'identification lors d'apprentissages trop hâtivement étendus et transférés; se tromper sur l'identité des gens rencontrés lors de soirées dansantes ou appeler la mauvaise personne dans la rue.

• **Stimulus discriminé**

Il s'agit ici de renforcer un comportement en présence d'un seul stimulus soigneusement sélectionné tout en ignorant les autres, de le transformer progressivement en une véritable réaction. Ainsi, l'enfant apprendra à dire «chien» seulement en la présence de Fido ou Médor et distinguera la propriété jaunâtre pour la distinguer de rougeâtre. Cela signifie que la maîtrise d'un concept se réduit à un comportement verbal conditionné en présence d'une catégorie d'objets particuliers. Skinner accepte qu'un apprentissage se précise vers un modèle voisin de celui de Thorndike où un stimulus provoque une réponse, mais spontanément sans besoins à satisfaire pour renforcer la connexion. C'est d'ailleurs la raison qui explique la présence d'une cage opaque chez Skinner et d'une cage transparente pour Thorndike. Le comportement donne lieu à une performance liée à une réponse sans besoins à satisfaire. La cage est nécessaire pour Skinner afin de limiter les conditions stimulantes et, peut-être, afin d'enrayer une croissance démesurée du rat bien nourri (n'oublions pas que les poissons grandissent à la mesure de leur aquarium).

Il s'agit bien de sculpture puisqu'on apprend à réagir face à un stimulus tout en éteignant quelqu'autre comportement par manque de renforcement à son égard. Ainsi, on apprendra à dire «chien» en présence de chiens particuliers et non, comme les enfants, qui disent «toutou» face à tous les animaux poilus.

Point vital, cet ajustement engage Skinner vers son idéal moral centré autour de l'altruisme. En effet, à travers sa technique d'apprentissage par conditionnement opérant, une performance réagit à un stimulus discriminé sans que besoins ou récompenses soient impliqués. L'effet s'amenuise au fur et à mesure que la probabilité du comportement augmente face à une condition stimulante effilée. N'ayant plus à s'activer pour satisfaire à ses besoins, ce qui est foncièrement égoiste, l'individu agit sans intérêt privé dans un élan altruiste. Seul le béhaviorisme radical autorise une telle évolution bien intentionnée qui augure une société dont les citoyens se vouent au bien commun (Skinner, 1968).

• **Comportement généralisé**

Rappelons qu'un ensemble de performances similaires définit un comportement. Plus l'ensemble s'élargit, plus la similarité est imprécise et plus le comportement s'utilise dans des situations diversifiées. Ainsi, faire de la bicyclette prépare à monter à cheval ou, savoir lire sur un tableau noir permet de lire les journaux, les livres et les graffitis. On évite ainsi de réapprendre dans chaque nouvelle situation selon un *modus operandi* ressemblant fort à des transferts d'apprentissage par similarité. Un inconvénient se fait jour, cependant, lorsqu'à l'occasion de situations semblables des comportements valables pour l'une surgissent inopportuns dans l'autre. Ainsi, l'expression joyeuse appropriée lors d'un mariage encombré de fleurs paraît incongru durant la cérémonie funéraire où les fleurs abondent aussi. On songe aussi à socialisation uniformisée ou à la réponse standard d'un individu marqué par un comportement frappant.

• **Comportement différencié**

Pour Skinner, apprendre consiste à amener un comportement vers sa quasi-certitude sous des conditions pré-établies. Moduler la gamme de comportements illustre excellemment ce processus. Chaque gamme contient des comportements peu fréquents à ses extrémités. En les renforçant, on crée une nouvelle gamme dont ils forment le centre le plus fréquent. De proche en proche, les extrêmes judicieusement choisis et renforcés nous entraînent vers le comportement désiré. Un processus de modulation par renforcement sélectif est mis en branle pour modifier la conduite dans la direction voulue. Puisque chaque comportement dans une gamme déjà acquise a une probabilité plus ou moins grande d'être incitée dans une situation précise, il suffit de choisir celui qui ressemble le plus à l'objectif terminal et de le renforcer au moment opportun. L'idée centrale consiste à décaler graduellement les extrémités de la courbe jusqu'au contour différencié voulu. Le jeu enfantin du trésor caché exemplifie ce principe de différenciation par ajustement progressif vers un but fixé d'avance. Autre exemple intéressant, le travail avec les catatoniques qu'on renforce avec un caramel à chaque fois qu'ils font un geste dans la bonne direction pour les amener à manger en commun au cafétéria où ils clament leur bonheur à enfin recevoir de la purée de pomme de terre. Cette technique modulatrice crée aussi par différenciation les habiletés, les accents langagiers et toute la panoplie des nouveaux comportements.

• La solidité des comportements

Sculpter et moduler les comportements utilisent des techniques où la proportion et l'intervalle entre renforcements sont soigneusement dosés. Ainsi, la situation renforçante varie afin d'influencer le rythme d'apprentissage en apparaissant à chaque fois ou de temps en temps.

• Le renforcement à fréquence fixe consiste à récompenser un comportement choisi toutes les fois qu'il se produit ou toutes les n-fois. L'apprentissage sera rapide, mais l'extinction le sera aussi. tre payé à la pièce ou la pause-café quotidienne l'illustre avec leur conséquence désastreuse si interrompue.

• Le renforcement à fréquences variables permet une récompense à chaque fois suivi d'une sélection des comportements renforcés. L'acquisition et l'extinction sont modérées ainsi que le montrent les machines à sous.

• Le renforcement à intervalle fixe qui se produit toutes les minutes ou tous les mois occasionne un apprentissage lent, mais aussi une extinction lente. Curieusement, la fréquence des comportements renforcés augmente vers la fin du temps fixé. Ainsi, les becquées des pigeons s'accélèrent vers la fin du temps fixé et pour les étudiants, ils encombrent les bibliothèques à la fin des semestres.

• Le renforcement à intervalles variables, tels les examens surprises, encourage l'apprentissage lent et constant avec, aussi, une extinction très lente.

Pratique pédagogique

Le béhavioriste se vante de faire apprendre en façonnant les comportements et donc de changer la personnalité. Bref, on est ce qu'on fait. Il suffit d'arranger l'environnement pour récompenser au bon moment les agissements favorisés. Watson se vantait même de pouvoir socialiser sans problèmes et, à volonté, de conditionner des génies ou des criminels. Dans un élan lyrique culturaliste optimiste, il maintient que par l'apprentissage, on adapte l'individu à n'importe quel milieu.

Selon les procédures exposées ci-dessus, les pratiques pédagogiques se multiplient à l'infini.

Conseils généraux et enseignement programmé

• Toujours utiliser des formules d'encouragement pour renforcer un comportement.

• Abolir toute expression négative qui, prise comme une punition, n'instruit pas puisqu'elle n'installe aucun comportement et, de plus, risque de provoquer des comportements d'évitement tous azimuts.

• Faire suivre un comportement immédiatement par sa récompense par souci d'efficience ou de peur d'introduire des zones d'incompréhension, d'ambiguïtés ou d'erreurs. Rappelons les 30 secondes maximales expérimentées par Pavlov.

• Éviter comme la peste les erreurs qui ont tendance à ne pas s'effacer. L'explication skinnérienne, fort simple, montre que tout comportement émis s'installe avec tous ses surajouts environnementaux comme condition stimulante ultérieure. L'erreur ne déroge pas à ce principe et constitue dorénavant le comportement privilégié qui s'incite par les conditions qui l'ont accompagné la première fois. Dorénavant, l'erreur commise doit être ignorée et non punie pour qu'elle s'estompe progressivement.

• Basés sur le même principe du comportement appris et donc affecté par le milieu ambiant, se retrouvent les maniérismes, accents, postures, traits familiaux ou ethniques. En partant d'une imitation innée, le geste prendra dorénavant ses indices incitateurs parmi les conditions qui l'ont occasionné. Je ressemble à mes parents, non seulement de par mon hérédité, mais à cause du milieu qu'ils créent et qui favorise mes faits et gestes.

• Encore fondés sur le même principe du comportement incité par les conditions qui l'ont vu naître, se place l'apprentissage de la table de multiplication aidé par des comptines accompagnatrices. En effet, les sons ou mouvements de la mâchoire constituent autant de conditions stimulantes subséquentes.

• La mémoire peut se ramener principalement à ce principe d'acquisition de comportements baignés dorénavant dans les conditions de sa naissance. Toute condition semblable incite le comportement approprié à être émis.

• Le même principe encourage les enchaînements d'objectifs qui s'influencent par contiguïté.

• Le même principe favorise les petites étapes linéaires. Notons que cela explique la linéarité des enseignements par objectifs et programmés.

• Puisque les élèves font la même chose, ils apprennent nécessairement les mêmes choses.

• Technique de l'estompage

L'idée fondamentale consiste à installer par imitation renforcée un comportement qui, au fur et à mesure de l'augmentation de sa fréquence, s'incite par des conditions stimulantes vidées du comportement à imiter lui-même. La fameuse dictée trouée qui instruit l'orthographe en reste la meilleure démonstration. étant donné un mot présenté, on guide l'élève à le copier avec son épellation précise. Puis, en supprimant une lettre à la fois, on le lui fait recopier en suppléant aux lettres manquantes. Finalement, il peut écrire le mot sans une faute. L'estompage par trous à remplir indique la capacité à enlever certains éléments pour les recréer à l'aide des comportements émis et donc acquis par l'élève.

Une autre instruction intéressante demande à lacer les souliers ou à boutonner sa chemise. Pour réussir cette opération, on montre le soulier ou la chemise bien fermée, puis on défait une boucle ou un bouton qui doit être remis en place. D'étape en étapes, l'enfant acquiert l'habileté requise.

Notons que ces apprentissages débutent par la fin de la tâche à accomplir pour se terminer en une conduite de maîtrise globale. Bien entendu, cela favorise les petites étapes successives minimisant les erreurs, augmentant le nombre de réussites, car tout proche du but à atteindre, motivant par ces réussites multipliées. À noter aussi l'idée que l'on évolue d'une imitation globale vers un comportement à soi singulier et ceci en inverse proportion à un environnement qui s'amplifie. En d'autres mots, on s'ajuste chez **Skinner** du global au singulier; tout au contraire de **Piaget** (voir troisième section) qui voit l'adaptation allant du singulier au global ou du connu à l'inconnu.

• Apprentissage rapide et mémorisation durable

Des renforcements à proportion fixe et à intervalle variable, nous apprenons que pour apprendre rapidement et de façon durable il est bon de renforcer d'abord à chaque fois, puis ensuite de choisir des intervalles aléatoires. Cette idée appliquée aux petits bébés pleurnichards suggère de les conforter immédiatement au départ, puis soudainement ne plus les étreindre. En les saisissant sporadiquement, ils pleureront toute la nuit.

• Façonnement de la «compréhension»

Skinner favorise cette technique dans l'enseignement des sciences et des principes qui les gouvernent. Ainsi pour apprendre les mesures et leurs relations, il opérera de la façon suivante:

- Établir par la technique de la dictée trouée l'écriture des termes importants;
- Renforcer au sein de phrases formant des conditions stimulantes, la maîtrise de ces termes à recopier;
- Renforcer par des historiettes formant aussi des conditions stimulantes, l'usage approprié des termes;
- Renforcer les relations entre les termes: *il y a 1 000 grammes dans un «........»*;
- Renforcer la discrimination: «.....» grammes = **KILO** (utile par l'audio-visuel);
- Renforcer à chaque fois puis de temps en temps.
- On comprend mieux pourquoi 25 000 étapes sont nécessaires pour apprendre à écrire et, 52 000 étapes nous amènent à compter. De là, l'importance des ordinateurs qui, seuls, sont capables d'assez de patience et d'éviter les erreurs souvent fatales à l'apprentissage.

Bibliographie

Ausubel, D. (1978). *Educational Psychology: A Cognitive View*. N.Y.: Holt & Rinehart.

Bacon, F. (1968). *Works*. N.Y.: Garrett Pr.

Bibby, R. (1991). *The Mosaic Madness*. Toronto: Stoddart ed..

Bloom, A. (1987). *The Closing of the American Mind*. N.Y.: Simon & Schuster.

Bourdieu P. et Passeron, J.-C. (1970). *La reproduction: éléments pour une théorie du système d'enseignement*. Paris: éd. de Minuit.

Brief, J.-C. (1995). *Savoir, penser et agir*. Montréal: Logiques.

Charlot Bernard, (1976). *La mystification pédagogique*. Paris: Payot.

Chateau, J. (1979). *Les psychologies de l'enfant en langue française*. Toulouse: Privat.

Comenius (1952). *La grande didactique*. Paris: Piobetta.

Comte, A. (1975). *Cours de philosophie positive*. Paris: Hermann

Finkielkraut, A. (1988). *La défaite de la pensée*. Paris: Gallimard.

Gaarder, J. (1995). *Le monde de Sophie*. Paris: éd. du Seuil.

Habermas, J. (1978). *La technique et la science comme idéologie: la fin de la métaphysique*. Paris: Denoël-Gonthier.

Hamlyn, D.W. (1978). *Experience and the growth of understanding*. London: RKP.

Herbart, J.F. (1898). *Letters and Lectures on Education*. London: Sonnenschein.

Hilary Rose & al. (1977). *L'idéologie de la science*. Paris: éd. du Seuil.

Jacquart, A. (1989). *C'est quoi l'intelligence*. Paris: éd. du Seuil.

Kemeny, J. (1962). *Mathematical Models in the Social Sciences*. Boston: Ginn.

Kuhn, T. (1962). *The Structure of Scientific Revolution*. Chicago: Un. Chicago Pr.

Levy-Leblond, J.M. (1984). *L'esprit de sel*. Paris: éd. du Seuil.

Milhollan, F. & Firosha, B. (1972). *From Skinner to Rogers: Contrasting approaches to Education*. Lincoln, Nebr.: Professional educators publ.

Noelting, G. (1983). *Le développement cognitif et l'équilibration*. Chicoutimi: Morin.

Reboul, O. (1974). *L'éducation selon Alain.* Paris: Vrin.

Rotman, B. (1977). *Jean Piaget: Psychologist of the Real.* Hassocks, Sussex: Harvester.

Skinner, B. (1968). *The Technology of Teaching.* N.Y.: Appleton-Century-Crofts.

Skinner, B. (1969). *L'analyse expérimentale du comportement.* Paris: Dessart.

Skinner, B. (1971). *Beyond Freedom and Dignity.* N.Y.: A. Knopf.

Schön, D. (1983). *The Refletive Practioner: How Professionals Think in Action.* N.Y.: Basic Books.

Theilard de Chardin, P. (1955). *Le phénomème humain.* Paris: éd. du Seuil.

Thomas, R. (1979). *Comparing Theories of Child Development.* Wadworth: Belmont, CA.

Thuillier, P. (1980). *Le petit savant illustré.* Paris: éd. du Seuil.

Toffler, A. (1970). *Le choc du futur.* Paris: Denoël.

Paradigme progressiviste
ou la personne agit et interagit

Mots-clefs: vécu, action, fonctions, tâches, interaction, adaptation, développement, progrès, dialogue, savoir-agir, savoir-faire, savoir-devenir, pratique (diffère d'applique ou inspire), réforme (diffère de forme ou informe).

Dans les deux sections précédentes, **une pensée critique** nous a permis de cerner les tenants et aboutissants de deux thèses majeures qui dominent l'univers éducationnel. L'une met de l'avant l'être au naturel dont les élans spontanés asssurent l'épanouissement. L'autre prône l'individu qui devient humain grâce à l'héritage culturel qu'il fait sien. Les tenants de ces thèses, faisant figure de courants éducationnels fondamentaux, passaient par deux idéologies dont il fallait prouver qu'elles contenaient tous les ingrédients nécessaires pour les appuyer. Les aboutissants coulaient de source sous la forme d'endettements pédagogiques. Nous avons donc tracé le **romantisme** et le **culturalisme** comme étant les pôles extrêmes du panorama idéologique. Ils généraient, de par leurs réseaux notionnels, les deux courants éducationnels: le **naturalisme** et l'**environnementalisme**.

Pour les cerner et les distinguer en même temps, une présentation sous forme de **paradigme** s'est avérée efficace car, ne l'oublions pas, il éclaire tel un puits de lumière l'option à faire ressortir. Sans trop de finesse, le paradigme présente les choses selon un mode biaisé qui bloque temporairement la vision des autres interprétations; il installe des œillères. Bien entendu, les auteurs, adhérant à ces idéologies, sont dans leurs écrits beaucoup plus nuancés, car leur renommée d'écrivain exige qu'ils soient prolifiques. Dans les faits, ils ébauchent des arches qui s'élancent vers le pôle opposé à l'aide d'idées qui s'appuient sur des pontons intermédiaires. Dans ce cas précis opposant les naturalistes aux culturalistes, **l'idéologie progressiviste** constitue un tel ponton intermédiaire. Entre la nature interne jaillissante et la culture externe envahissante s'arc-boute la personne interactive rayonnante.

Les tenants: l'idéologie progressiviste

En plaçant toute sa confiance dans l'action motivée et son pouvoir d'améliorer les conditions d'existence d'un être humain, **l'idéologie progressiviste** valorise les tâches individuelles qu'il s'assigne. Par la même occasion, elle diminue d'autant l'importance du naturel spontané cher aux romantiques et des acquis hérités du passé vantés par les culturalistes. En réalisant avec succès ses tâches, l'individu s'approprie le milieu et le colore d'un cachet personnel sans se soumettre servilement aux pressions environnementales ou sans se figer dans le carcan de sa nature innée. Les besoins innés à satisfaire, auxquels on ne peut semble-t-il échapper, se métamorphosent alors en désirs personnalisés à réaliser. En bref, cette école de pensée se résume par l'idée qu'un être spontanément actif se développe en une personne délibérément agissante.

Les thèmes classiques hérités d'Aristote prennent ainsi une allure contemporaine mieux articulée au sein de l'être individuel. La cosmologie aristotélienne soumet la destinée de tout objet à une loi universelle «anisotrope» qui la régit en fonction de ses qualités intrinsèques. Simplement dit, cette loi maintient l'harmonie universelle en imprimant à tout objet une orientation qui lui est propre en vertu de ses propriétés innées initiales.

Le progressivisme contemporain, tout au contraire, dote chaque objet d'une **fonction** qui s'accomplit à l'aide d'interactions avec le monde environnant. Par exemple, selon le mode aristotélien, la lune était jadis prédisposée par sa lourdeur intrinsèque à se diriger vers son lieu naturel de prédilection. À l'heure présente, en accord avec la révolution opérée par la physique newtonienne, c'est la force gravitationnelle proportionnelle à sa distance de la terre qui lui accorde un poids, une place et une ellipse planétaire. Même raisonnement d'ailleurs pour «l'anisotropie» propre aux objets qui anciennement s'orientaient de par leurs propriétés vers un lieu naturel prédestiné au centre du globe terrestre et qui, à l'heure présente, tombent sous l'effet de la gravitation telle que postulée par les lois de Newton.

La dichotomie, qui sépare philosophiquement **les nativistes des fonctionnalistes**, s'accentue eu égard à l'être humain lorsqu'on oppose Thomas d'Aquin, héritier d'Aristote, et Jean-Jacques Rousseau, héritier de Platon, aux auteurs contemporains plus personnalistes. Ainsi que vu dans la première section traitant du romantisme, **le nativisme thomiste** introduit les propriétés de l'être arrivant immanquablement à maturité au sein d'une nature prédisposée. **Le naturalisme rousseauiste**, pour sa part, inscrit les qualités de cet être dans un corps disposé à s'épanouir et à connaître ainsi le bonheur dans l'harmonie. La primauté est accordée à l'être qui se forme à partir de sa nature immanente qu'il s'agit de faire croître vigoureuse. Bien entendu, il échappe ainsi à l'emprise imposée d'une culture qui l'imprègne d'un esprit humain bâti à travers les millénaires. On revient ici au **culturalisme** qui met de l'avant les connaissances collectives reçues façonnant un individu informé. Par contraste, **un fonctionnaliste** admire la personne transformée grâce au dynamisme provoqué par des interactions sociales qui lentement définissent une nature qui lui est propre (Lobrot, 1972). Bref, au lieu d'être *formé ou informé*, la personne *se transforme*; et certains diront même, se réforme.

Tout au long des tâches qu'il assume, **le fonctionnaliste** construit dans un perpétuel renouveau sa propre condition par une conscription de ses forces visant à apprivoiser le milieu ambiant. À l'aide de son intelligence, sa sensibilité et sa propension à agir, il peut envisager une solution aux problèmes les plus saugrenus, aussi bien que les plus anodins. Toujours engagé, il cherchera la meilleure formule sociale, politique ou morale. Une totale liberté d'action l'amène inexorablement vers un progrès, non seulement de son être, mais également visant la chose publique. En alliant ses intérêts, besoins, talents, aux facteurs sociaux, politiques, écologiques, une dynamique se crée qui amène la personne à se dépasser et à diriger son existence de manière délibérée, contextuelle et de plus en plus appropriée. Plongé dans un bain social, l'interlocuteur fonctionnaliste insuffle de significations communes l'expression qui lui sert à communiquer. Tout autre, l'être romantique imprégné d'un esprit aristotélien communie avec autrui dans un monde de vérités contemplées dont les messages paralinguistiques authentifient ses croyances et le révèlent moral avant qu'il ne soit amené à donner des informations dignes de confiance. L'authenticité est de rigueur et non la confiance communiquée.

Le fonctionnaliste maintient que, marquant chaque personne de son sceau indélébile, l'expérience d'une vie assure son insertion progressive dans la société. L'image d'un être s'améliorant au contact d'un monde étrange, apparemment hostile, s'impose lorsqu'on considère qu'il doit l'apprivoiser avant d'en prendre connaissance. Son expérience précède donc tout savoir par ses contacts multipliés qui en garantissent l'éventualité. De fait, chaque contact donne lieu à une **rétribution** devenue ensuite **contribution** lorsqu'est reconnu le produit de l'activité. À partir de là, **interagir** prend tout son sens, car il initie **des dialogues** qui se retrouvent assujettis au milieu ambiant devenu le répondant des questions posées par des contacts de plus en plus délibérés.

Par contraste, le naturaliste accorde sur ce point peu de mérite à l'être, car il voit l'influence sociale comme une pelure sans épaisseur et donc sans conséquences. Cela explique l'importance qu'il donne *au modèle* qui marque, s'inscrit, moule sans transformer et donc peut s'effacer sans revaloriser l'individu. D'où la pédagogie *par l'exemple* qui colle à l'être par répétition et imitation. Cette linéarité des expériences, qui colle mais n'affecte pas, risque de produire des êtres sans reliefs, donc sans caractère. On comprend alors pourquoi Rousseau va chercher du côté du bagage naturel implanté à la naissance toutes les qualités nécessaires à la réalisation d'un idéal calviniste. Le modèle cerné par des exemples fait germiner et fructifier ce qui existe déjà. Né potentiellement généreux, bon, juste ou discipliné, cet être risque de dévier d'une voie toute tracée si la société mêle les cartes. C'est ce que Rousseau voulait dire par son fameux dicton, «l'homme naît bon et la société le corrompt». D'où ce penchant religieux bien protestant à exiger que l'on se forme à la lumière de son inspiration personnelle.

Les aboutissants: le pragmatisme philosophique, le cognitivisme scientifique et le fonctionnalisme éducationnel

Cadre philosophique

Emprisonné sans son consentement par sa nature et la culture, l'être humain a dû se trouver une façon de se définir qui lui permettait de se reprendre en main. Il le découvrit en refusant de s'appuyer uniquement sur son passé biologique ou culturel. À la place, il vit l'occasion de construire son avenir à partir de son présent; et ce, tout simplement en se trouvant des fonctions à remplir. Celles-ci deviennent le moyen terme qu'il recherche entre sa nature qui interagit et l'environnement qu'il contrôle. Il s'offre ainsi une raison d'être valorisante sous la forme de l'idéologie **fonctionnaliste**.

Les détails montrent un être qui, pour fonctionner adéquatement, doit comprendre ce qui l'entoure. Pour ce faire, il se transforme en un inquisiteur qui s'attèle sans relâche à des tâches problématiques. Perpétuel investigateur, il agit après s'être posé des questions qui, une fois exprimées, le forcent à interagir. Par là, il échappe au rôle simpliste d'un policier qui questionne tous azimuts pour être informé. Son rôle l'insère plutôt dans l'expectative propre au détective. «Colombophile» itinérant, il interroge afin de se renseigner (métaphore empruntée au feuilleton télévisé américain «Columbo»).

Pour **le fonctionnaliste**, rien n'est donné d'avance, ni par sa société, ni par sa naissance. Tourné vers des problèmes à résoudre, il adopte des méthodes qui se pratiquent. Par contraste, **le culturaliste** aiguise ses traits psychologiques en les appliquant à des problèmes utilitaires.

Le philosophe américain John Dewey (1859-1952) exemplifie cette **philosophie pragmatique** et par la même occasion se joint à l'**idéologie fonctionnaliste** pour constituer les tenants du courant éducationnel développemental (Dewey, 1916, 1931, 1938). De plus, il s'annonce un précurseur important de la pensée critique appliquée à l'éducation.

À l'encontre du naturalisme penché sur l'être florissant ou du culturalisme fixé sur les individus modélisés, Dewey privilégie un fonctionnalisme attaché à une personne soucieuse d'accomplir ses tâches. Pour ce faire, celle-ci doit se rendre compte de quoi il s'agit, y réfléchir et juger des moyens à utiliser. Tout l'instrumentalisme et l'utilitarisme de Dewey se trouve là. Il plantera donc l'idée d'une reconnaissance préalable à toute pratique et, par là, donne toute son importance à *connaître et reconnaître*. Poser des questions balise le terrain où la personne doit œuvrer. Ce qui fait d'elle un enquêteur tourmenté par une réalité qu'il voit toujours problématique. Dewey se révèle avant l'heure un «colombophile» fervent.

Pour exemplifier cette procédure, prenons le cas d'une table dont la nature nous échappe. Elle pose un problème, car elle prend un sens selon les gestes posés sur elle. Elle peut se définir éventuellement comme une table à manger, un bureau, un escabeau, un accoudoir ou un havre de repos. L'imaginaire est la limite du monde à construire. Le geste pose la question, l'objet lui répond. Sans aucun doute, une enquête recueille tous les jugements réfléchis dans la mesure où les bonnes questions et les bonnes réponses en ont été complices.

Les étapes épistémologiques propres à ces investigations perpétuelles sont maintenant faciles à tracer avec, en sus, le potentiel pour une terminologie significative.

a. La personne doit agir de manière à tâter le terrain et voir où elle se situe.

b. Le terrain, une fois jalonné et délimité, devient terre connue dont le relief, sciemment interrogé, est sans cesse remis en question.

c. Les réponses vues comme des réactions aux questions se régularisent au travers d'interrogations. On pénètre dans le monde des dialogues où les actions évoluent vers des interactions. Une énorme richesse se capitalise autour de l'union d'un être avec le monde qu'il interroge et transforme en sa réalité.

d. Nous assistons là à une évolution au niveau d'échanges adaptés avec un environnement qui évolue en un milieu ambiant.

e. **Synthèse**
   - l'activité est primordiale car elle délimite le terrain pour en faire un milieu propice aux actions subséquentes et préparer les réalités à venir.
   - le périple dynamique indique qu'il y a eu adaptation, développement et donc progrès. L'idéologie sous-jacente s'annonce donc bien progressiviste.
   - vivre s'identifie à apprendre puisque s'activer amène un développement qui utilise le milieu ambiant pour se définir et s'actualiser.
   - le savoir-faire pratique s'annonce prépondérant.
   - la terminologie reflète, par sa précision, la progression épistémologique d'un être qui s'approprie le monde.

f. Les actions définissent la réalité de par leurs conséquences. Revenons à l'exemple de la table pour saisir la portée de cette idée centrale. Sur l'objet présenté, le geste posé lui donne une identité pourvu que l'objet veuille bien s'y prêter. Ainsi, monter dessus sans qu'il s'écroule en fait un escabeau potentiel. Pour le qualifier de bureau, il suffit d'y installer livres, ordinateurs, téléphone et photos d'enfants. Finalement, on pourrait même danser sur lui une gigue frénétique et le transformer en estrade.

Chaque geste se réfléchit par ses conséquences qui donnent un sens à l'objet. Autrement dit, l'action devient l'origine sémantique des objets. Ce que je fais me dira ce que l'objet représente pour moi. Sur le plan épistémologique, il s'ensuit que l'univers conceptuel prend le dessus sur le monde sensoriel.

g. L'agir diversifié enrichit l'objet de significations.

Le faisceau d'actions qui entoure un objet se réverbère en autant de propriétés potentielles qu'il peut supporter. Bien entendu, la multiplication de gestes propices accompagne toute notre vie et, par la même occasion, nous enrichit. L'arbre de la connaissance s'avère ici une métaphore appropriée. En effet, chaque action, qui résulte en une conséquence significative, forme une branche chargée de connaissances. Celles-ci peuvent donner naissance à d'autres actions, formant un branchage ramifié, dont les conséquences sont autant de connaissances supplémentaires. Pour Dewey, cet arbre de la connaissance résulte directement de notre soif de sens à donner au monde.

h. Équilibre et coordination font partie de l'univers conceptuel qui se construit à partir de l'arbre de la connaissance. De plus, les actions encouragent le développement intellectuel par leur continuité. Elles gagnent à être coordonnées afin d'éviter les obstacles qui risquent d'interrompre leur enchaînement.

i. À partir de la théorie de la connaissance pragmatiste exposée ci-dessus, nous pouvons cerner de multiples options intéressantes.

i1. Toute conséquence d'un acte justifie et supporte les raisons qui l'ont provoqué; d'où une problématique perpétuelle. En d'autres mots, l'enquête initiale part d'un problème posé par la nature exacte de l'objet confronté. Ayant agi sur lui avec des idées préconçues, la résultante nous confirme ou nous infirme dans nos opinions. Cependant, une brèche s'ouvre, car d'autres enquêtes s'initient à partir de cette résultante. Cela signifie que toute activité est le but de celle qui précède et le moyen de celle qui lui succède.

i2. Rien n'est gratuit, car tout est pensé en fonction des conséquences. Cette idée devient la base de l'instrumentalisme ou de l'utilitarisme si caractéristique de la société américaine qui se reconnaît dans cette philosophie deweyienne.

i3. La personne se réduit à un *esprit-enquêteur* attaché à un *corps-instrument*. Cela signifie que la réalité créée par nos actions se colore des traits corporels idiosyncratiques. Un être aux bras longs s'offrira une réalité plus étendue que celui aux membres courts. Cette idée s'élargit puisque les doigts, les yeux et, au fond, le corps tout entier s'engagent dans l'action avec tout le passé de la personne concernée. Il devient évident que le monde connu résulte d'une union holistique du corps, de la pensée et de la réalité.

i4. L'être pense donc à travers son corps, et non pas avec son cerveau ou au sein d'un pur esprit. Contrairement au réceptacle culturel soutenu par le culturalisme ou aux facultés révélatrices prônées par le romantisme, le progressivisme vante le rôle du corps qui conspire avec la pensée pour s'approprier la réalité. La personne charge les activités corporelles de la lourde tâche de fournir à la pensée tout son contenu sémantique.

Jean Piaget: prépondérance de l'action humaine cognitivisme

Piaget (1896-1980) a marqué la littérature contemporaine par ses idées et son vocabulaire en formant un pont entre l'idéologie, la philosophie et la psychologie (Piaget, 1928, 1964, 1968; Brief, 1983; Egan, 1983). Connu principalement pour son œuvre psychologique, **Piaget** fournit avec justesse la vignette illustrative qu'il nous faut pour la pédagogie constructiviste attachée au fonctionnalisme. Un simple tracé conceptuel sera suffisant afin de le raccrocher au **progressivisme**. Dans cette veine, il présente des vues originales grâce aux idées fructueuses qu'il a façonnées dans le creuset de sa culture humaniste. Inutile de faire un exposé exhaustif de sa théorie des stades ou de la conservation des invariants que lui-même déclara, vers la fin de sa vie, être bien plus propre à une classification méthodologique qu'à un reflet fidèle des structures mentales. De plus, cela nous évite le piège des applications pédagogiques d'une théorie psychologique (voir chapitre III, section «Éducation et psychologie»). Bien entendu, étant donnée l'immensité des écrits sur sa pensée et ses travaux, aussi bien par ses admirateurs que par ses détracteurs, il est vain d'en rajouter ou de les répéter (Brief, 1995; Danset, 1983; Elkind, 1974; Flavell, 1963; Furth, 1974; Siegel, 1978; Vuyk, 1981).

Dès l'âge de dix ans, Piaget observe, écrit et publie ses observations sur les coquillages incrustés dans les stratifications géologiques entourant le lac Léman près de Neuchâtel en Suisse. Leur lente évolution vers des formes oblongues adaptées au courant lacustre environnant l'amena à formuler ce qui deviendra vers ses dix-huit ans sa thèse doctorale: «le fonctionnement inné des êtres vivants occasionne des équilibres structuraux progressifs caractérisés à chaque étape par une organisation interne et une adaptation externe ajustées».

L'ensemble de la pensée piagétienne se trouve dans cette thèse et il suffit de la dévider pour obtenir ses idées les plus anodines mais aussi les plus surprenantes. Examinons cette thèse en quelques phrases succinctes de manière à montrer le progressivisme de Piaget à travers sa terminologie, ses concepts centraux et sa théorie développementale.

Éléments initiaux de l'épistémologie génétique piagétienne

1. Tout être s'active spontanément en une sorte d'élan vital car il est mû par une énergie universelle.
2. Les activités donnent lieu à des contacts corporels avec l'environnement.
3. Les contacts corporels provoquent une réaction qui progressivement prend les traits d'un échange.
4. L'élan vital d'origine interne se transforme alors en un fonctionnement vivant interactif.
5. L'accent biologique introduit révèle une propension innée de l'organisme à épouser les formes du milieu à l'aide des fonctions accommodatrice et assimilatrice.
6. Les ajustements progressifs assimilateurs et accomodateurs entraînent une meilleure organisation interne et adaptation externe de l'organisme. Celui-ci évolue vers un équilibre qui reste viable aussi longtemps que de nouveaux facteurs n'entrent pas en jeu tel la maturation ou un nouvel environnement.

7. **L'épistémologie génétique: réseaux conceptuels**

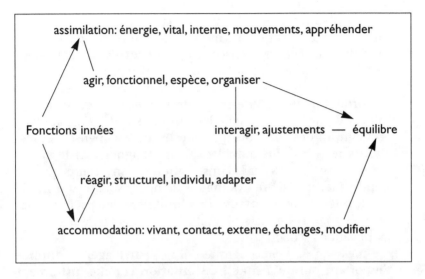

8. Notons deux idées épistémologiques intéressantes:
   a. **l'assimilation** appréhende en fonction de ce qui convient à l'espèce et donc est source d'une cognition qui rassemble ce qui se ressemble;
   b. **l'accommodation** permet de se modifier individuellement et à la pièce de manière à profiter au développement qui différencie ce qui se distingue.
9. Piaget divise l'assimilation en trois fonctions: l'une reconnaît, l'autre généralise et la troisième renforce les attaches avec la réalité.
10. Cette dernière ou **assimilation répétitive** reproduit une activité qui réussit à établir un contact. Ses conséquences sur la représentation mentale sont considérables, car cette forme d'assimilation génère les concepts et les relations entre eux. De plus, elle montre que la tendance de l'organisme à s'orienter vers le monde externe paye des dividendes dont le plus connu est le constructivisme. L'argument épistémologique, ainsi développé, justifie la présence des cinq sens à la surface du corps et la direction vers l'environnement qu'ils impriment sur lui. (Montagu, 1971; Serres, 1985).

11. **L'assimilation répétitive** cherche à re-contacter le monde afin d'en tester les modalités permanentes.

En d'autres mots, ce qui réapparaît à peu près dans les mêmes circonstances fait montre de résilience, de solidité, bref de vrai réel. Par conséquent, on peut s'y appuyer pour révéler le monde. N'étant ni fortuite ni fugace, la sensation ainsi recouverte gradue au rang de qualité substantielle. Sous la forme finalisée d'une propriété se constitue ainsi un des piliers d'une réalité graduellement construite. En parallèle, s'établit un des concepts qui réfléchit dans la pensée les éléments réels les plus durables. Nous atteignons ici le *modus operandi* des études sur la conservation des invariants qui ont rendu Piaget célèbre. Malheureusement, sous la forme de stades développementaux, ils obnubilent les psychopédagogues friands de tests de maturité intellectuelle avec leurs applications scolaires.

12. Le message épistémologique délivré par Piaget s'annonce important puisqu'il situe **l'assimilation** comme instrument central de la construction bilatérale de la réalité et de la pensée. À l'aide de la reproduction de nos actions, les promontoires fixes et solides du monde se révèlent, nos anticipations s'affermissent. Étant capables de prévoir, nous préparons notre survie. En même temps, nous rejoignons l'objectif central de toute science qui vise à prédire à l'aide d'hypothèses confirmées devenues lois.

Piaget satisfait ainsi ses ambitions de biologiste et son penchant pour une psychologie scientifique. Il peut affirmer qu'en tant qu'organisme biologiquement déterminé, notre intelligence se met au service de notre survie, et notre pensée y adhère en faisant oeuvre scientifique. Nous sommes donc prédestinés à une intelligence biologique appuyée par un esprit scientifique. Peu étonnant que Piaget consacra toute son oeuvre à investiguer les concepts scientifiques tels que les conservations de poids, longueur, volume, matière, nombre, densité, causalité, etc., tout en ignorant l'univers affectif trop éphémère et donc peu prévisible.

13. Grâce à **l'assimilation répétitive**, la reproduction des contacts sensoriels révèle les éléments constants et donc les qualités du monde rencontré. Au sein d'une théorie de la connaissance, cela qualifie ses propriétés fruits de la superposition des sensations. Ce processus quasi sérigraphique est présentement appuyé par les récentes recherches en neurophysiologie (Csikszenthmihalyi, 1990; Damasio, 1998; Greenspan, 1997; Kennedy, 1993; Nichols, 1996; Pinker, 1997). Celles-ci révèlent que les données sensorielles, une fois enregistrées ponctuellement dans les zones identifiées du cortex, occasionnent des signaux subséquents lorsqu'elles font montre d'éléments communs. Tel un filtre, le réseau permanent ainsi constitué travaille à rebours pour rejoindre le tronc commun d'autres faisceaux de données sensorielles comme si se fabriquent de cette manière un ensemble de propriétés définissant les objets. Cette conceptualisation progressive constitue le cœur du constructivisme piagétien.

Pratique pédagogique

Pour les fonctionnalistes tels que Piaget et Dewey, l'action sur l'environnement domine toute pédagogie. Ce souci assure à la réalité le statut éventuel de milieu ambiant propre aux activités personnalisées et, par conséquent, au développement. Bien entendu, il faut lire en filigrane leur épistémologie qui exige qu'un élargissement progressif de la sphère d'action entourant les objets s'opère au sein de la pensée conceptualisante et relationnelle. Toute la préparation à une pensée scientifique s'y trouve et la possibilité de construire les concepts y opérant.

Conséquences pédagogiques de l'épistémologie génétique piagétienne

a. **La pédagogie active** s'impose d'emblée puisque l'activité est liée à l'élan vital initial (Brief, 1995, sections 2.3 et 3.2.3.c).
b. **La pédagogie vivante** met en jeu le corps qui est source des contacts. Ceux-ci occasionnent des réactions, puis des interactions qui donnent naissance aux actions intentionnelles source de notre mainmise sur l'environnement.
c. **La pédagogie par manipulation d'objets** multiplie les contacts avec l'environnement qui, au travers des actions subséquentes, assure qu'il devienne notre milieu ambiant. De plus, en insistant sur des contacts avec les objets, on favorise l'orientation des sens vers l'environnement externe et donc une diminution de l'égocentrisme initial.
d. **La pédagogie interrogative** assure que c'est l'étudiant qui pose les questions et non l'enseignant. L'argument explicatif comprend trois volets:

1. L'activisme naturel de l'être initie tout contact, y compris celui sophistiqué et nouveau occasionné par une question.

2. Tout contact initial ramène à soi sous des formes appropriées la chose contactée de manière à pouvoir se l'approprier. Nous mettons en cause ici la fonction innée d'assimilation, chère à Piaget.

3. L'étudiant assimile dans sa réalité en posant la question sous une forme qui lui sied avant qu'on la lui pose de façon peut-être incompréhensible. Ensuite, sa question, interprétée par l'enseignant plus expérimenté, prendra lentement la route de l'idée qui doit lui être transmise selon le format qu'il a révélé par sa question.

e. **La pédagogie de la reproduction gestuelle** établit par la constance des résultats obtenus les conditions nécessaires à la familiarité, à la confiance et à l'anticipation.

f. **La pédagogie du jeu** est vitale, car en répétant maintes fois les mêmes gestes, on construit les propriétés du monde sur lequel ils se posent. Un enfant qui joue est un enfant qui construit le monde en tant que milieu ambiant générant sa réalité.

1. S'il répète le même geste dans des situations différentes, il met de l'avant comme constance son Moi à l'origine commune de sa gestuelle. Le jeu de rôle occupe idéalement cette fonction en faisant découvrir ce qui nous est personnellement approprié. Cela peut servir à corriger un extroverti aux soucis sociaux exagérés en retournant ses intérêts sur lui-même.

2. S'il entoure un objet de sa gestuelle diversifiée, il solidifie l'existence constante de cet objet en tant que locus permanent au sein de ses actions. Le jeu théâtral exemplifie bien cette idée puisqu'il suggère une situation à l'aide d'une multitude de gestes l'entourant. À employer dans le cas d'un introverti replié sur lui-même, qui se trouve par cette technique dirigé vers l'extérieur.

g. **Une pédagogie du développement** s'appuie sur le principe selon lequel «il faut envelopper pour développer». Pour soutenir cette pédagogie, l'argument suivant en montre les étapes:

1. Toute chose offre un sentiment de stabilité et de sécurité en révélant ses éléments constants qui devenus ses propriétés au niveau conceptuel nous permettent ensuite d'anticiper et de prévoir.

2. Pour ce faire, il faut l'entourer ou l'envelopper de notre gestuelle (voir 5 et 6).

3. Toute action est sujette à des surprises causées par des obstacles, des dénis, des conflits, etc.

4. L'action avec son résultat dénié se divise dans l'imaginaire en alternatives du ça et du pas ça. La réalité présente le côté positif, l'imaginaire se charge de la négation. Par exemple: le vert est donné tandis que le «pas vert» est pensé.

5. L'enveloppe gestuelle initiale ayant créé la réalité positive, s'élargit pour inclure les alternatives qui transgressent les limites antérieures. On va donc du général au singulier ou, selon un cliché familier, on évolue du connu à l'inconnu. Cette position contraste avec celle du béhaviorisme skinnérien, qui progresse au niveau comportemental du singulier au général (voir la section «Le façonnement des comportements»).

6. Développer signifie, dans ce cas, élargir les limites de l'enveloppe initiale afin de construire une réalité diversifiée qui, en même temps, se raffine et se précise. Une thérapie contemporaine envers les enfants hyperactifs destructeurs consiste à les envelopper en les serrant très fort dans nos bras pour ensuite desserrer l'étau afin de développer le sens des limites à transgres-ser. De même, il est bon de limiter le territoire des enfants arrivant dans un parc de jeu avant que leur accorder une certaine liberté d'agir.

7. Une pédagogie par des cadres disciplinaires favorise le développement et l'initiative. En effet, pour développer, il est bon de créer des limites à transgresser ultérieurement. Ainsi, la discipline est nécessaire au développement contrôlé et harmonieux. Une pédagogie du laisser-faire semble inopportune, car elle n'encadre pas l'enfant avant de le laisser se développer librement.

Métaphore intéressante, le jeu interactif entre l'eau enveloppée par son lit fluvial déterminera en fonction des obstacles le développement d'un torrent en ruisselet, ruisseau, rivière, fleuve et finalement estuaire.

h. La pédagogie de l'imprévu ou du pessimisme s'inspire des arguments précédents pour interpeller, contredire, trahir à l'aide d'interactions sociales afin de douter puis de renouveler l'ensemble des croyances. Pour Piaget, c'est le rôle fondamental du langage qui favorise le développement par l'examen d'autres points de vue. La pédagogie du laisser-faire se trouve, encore une fois, sérieusement contre-indiquée.

i. **Une pédagogie progressiviste** utilise les phases progressives de l'intelligence afin d'organiser les activités scolaires. Cela signifie qu'il est important d'axer un programme successivement sur les sensations, les perceptions, les conceptions et les relations. En gros, cela veut dire que l'on passe du désordonné au coordonné, puis de la comparaison entre objets à la correspondance entre situations (Brief, 1995, p. 153-156).

j. **Une pédagogie du développement supplante celle axée sur les apprentissages.**
   1. Chaque contact produit une sensation retenue en tant qu'image mémorisée ou apprise qui *a priori* n'est pas reliée aux autres.
   2. Plusieurs contacts ou images répétées se relient au niveau de leurs éléments communs. Ceux-ci se qualifient ainsi en tant que qualités qui deviennent les propriétés conceptualisées d'une réalité qui se construit au fur et à mesure.
   3. Ceci explique que l'on voit l'image avec les yeux, mais que l'on regarde la propriété avec la pensée. En effet, «voir» requiert que l'on voie quelque chose, mais on peut regarder ce qu'on ne voit pas et, à la limite, ne pas regarder ce qu'on voit. D'ailleurs, il est plausible d'arguer que les aveugles regardent sans voir. Pédagogiquement, il est bon de se souvenir que l'enfant voit avant de regarder.
   4. La propriété construite au niveau conceptuel légitimise ce qui est constant et, donc, forme la base de notre réalité lentement élaborée.
   5. La réalité est donc progressivement développée à partir des éléments initiaux imagés et appris. En d'autres mots, ce qui est statique et discontinu au niveau sensoriel se trouve une signification dynamique et suivie au niveau conceptuel. Tout apprentissage trouve son sens dans le développement.

John Dewey: prépondérance de la fonction

Une idée centrale gouverne l'épistémologie pragmatiste: l'arbre de la connaissance déploie ses branches au fur et à mesure des gestes qui le fleurissent de significations. Cette prolifération se poursuit au cours d'une existence qui, par là, justifie l'adage que l'on *apprend toute sa vie*. Un monde éducationnel riche en conseils développementaux découle de cette idéologie fonctionnaliste.

a. **La pédagogie des intérêts** démarque nettement le courant fonctionnaliste. La multiplicité des activités diversifie les questions à poser, les réponses à recevoir et les problèmes à résoudre. Le panorama des intérêts s'enrichit d'autant sans compter l'investigation des sujets à éclairer. Le curriculum reflète cette richesse par un style *cafétéria* avec des sujets d'intérêts multipliés à l'infini. Rappelons que le naturalisme sélectionne sept disciplines adaptées aux sept facultés et que le culturalisme choisit quinze matières appropriées aux quinze traits de caractère. Rien de plus facile pour découvrir l'allégeance idéologique d'un système pédagogique que de compter le nombre d'activités scolaires requises pour obtenir son diplôme.

b. **La formation continue** met à l'honneur la poursuite des études qui profite de l'arbre de la connaissance afin de cumuler les leçons à tirer d'expériences sélectionnées.

c. **L'éducation permanente** se base sur ce même arbre de la connaissance grandissant sans cesse pour encourager le progrès personnel qui domine notre société contemporaine. Il est évident que l'on doit réaliser plutôt que se réaliser tel que promu par le naturalisme.

d. **Une pédagogie active** s'impose d'emblée lorsque la richesse des significations évolue proportionnellement aux activités. On ne s'étonnera pas trop si les programmes successifs sont bâtis selon cette directive; ainsi, on passera des fleurs du jardin, à celles pour maman, aux fleurs fanées, aux plantes, à l'horticulture, à la botanique et aux sciences naturelles avec les différents règnes minéral, végétal, animal et humain.

e. **Une pédagogie vivante** repose sur l'importance de la vie pour diversifier à l'infini les embranchements significatifs. De là l'insistance à œuvrer dans le monde contemporain à l'aide des ressources médiatisées (Internet, téléviseurs, journaux) ou à s'impliquer dans la société au sein des écoles hors des murs. On vit pour apprendre plutôt qu'apprendre à vivre.

f. **Une pédagogie interactive** valorise le dialogue qui, initié par la problématique que pose la nature des objets rencontrés, prend la forme d'une séquence de questions et réponses. L'objectif visé est bien entendu de découvrir le sens à donner à ces objets. L'action qui est le mode favorisé pour les interrogations, dénie aux applications pédagogiques des ordinateurs (APO) un usage extensif. Dans cet esprit, n'oublions pas l'obsession à s'engager dans une problématique perpétuelle afin d'enrichir l'univers sémantique. Il faut trouver des intérêts et même les provoquer en recherchant des confrontations.

g. **L'intégration sociale** est favorisée car elle multiplie les occasions d'interactions et donc d'enrichissement. Les applications de ce principe se réalisent par l'insertion assez nouvelle des formations professionnelles et artistiques dans l'enceinte collégiale ou universitaire. Cette révolution, aux accents américains prononcés, commence à peine en Europe où les académies de beaux-arts demeurent fidèles au poste à l'extérieur des universités.

h. **La pédagogie de résolution de problèmes** idéalise l'ambition du pragmatiste de tout vouloir problématiser. Il recherche avant tout d'instituer un cheminement riche en actions qui déterminera la sémantique des objets. Rien ne doit être donné d'avance, tout est gagné à travers des solutions partielles qui s'ajustent en fonction des réponses données par le phénomène interrogé.

i. **La pédagogie par projets** coule de source puisqu'elle implique l'individu dans des solutions à rechercher, des activités à poursuivre et la coopération à favoriser. Cela forme sans contredit l'essence du fonctionnalisme.

j. **La pédagogie de la démocratie** assure l'interaction maximale entre les diverses couches sociales et, par conséquent, favorise l'enrichissement mutuel des participants. L'élitisme s'avérant déficient à cet égard, les écoles privées seront bannies. Cette approche pédagogique s'appuie sur un support épistémologique qui supplante les arguments moraux ou politiques habituellement avancés.

k. **Une éducation sans objectifs** se dessine lorsque les tâches et les projets supplantent les comportements spécifiques à mouler des modèles de l'enseignement par objectifs. L'enseignant n'est plus le maître classique qui inculque des connaissances à l'élève, mais l'animateur oeuvrant de concert avec une personne qui s'implique dans des activités chargées de valeurs. Une éducation sans objectifs utilisera donc des formules pédagogiques très spéciales:
   • **activités** à choix multiples qui amènent des conséquences variées; on y retrouve les sujets d'intérêt qui motivent particulièrement les élèves;

- **jouer** des rôles actifs qui permettent de découvrir les talents propres à chacun de nous. Ainsi, se révèlent les traits particuliers aux activités d'un journaliste, d'un policier ou d'un acteur;
- **enquêter** sur des applications d'idées telles que la beauté, la vérité, l'intégrité, la justice;
- **vérifier** des hypothèses relatives à des problématiques réelles et concrètes tout en évitant les cas historiques, virtuels ou figés;
- **étudier des sujets** contemporains importants telles la pollution, la guerre, la mondialisation;
- **provoquer des interactions** liées à la vie telles que toucher, examiner ou discuter, tout en évitant le commerce avec des choses inertes telles que regarder des images, lire des contes ou copier des modèles;
- **choisir de poursuivre des fins multiples** sans objectifs précis telles qu'imaginer, faire des randonnées ou participer à des classes vertes;
- **transférer** des actions déjà connues dans des contextes différents;
- **analyser des idées tendancieuses** telles que la religion, le profit, le sexe, la nature d'un nazi, d'un hypocrite ou d'un salaud;
- **s'engager** dans des activités risquées telles que le jeu ou l'alpinisme;
- **choisir** des activités qualitativement perfectibles telles que critiquer ou écrire;
- **trouver** des activités gouvernées par des règles, des standards telles que débattre;
- **entreprendre** des activités à responsabilités partagées telles que publier un journal ou fonder une coopérative.

Conséquences pédagogiques diversifiées:
- **la mixité des sexes** élargit l'univers dans lequel le genre masculin ou féminin fut traditionnellement enfermé. L'enrichissement mutuel défie les limites de l'imagination;
- **le mélange des classes sociales** encourage le partage des valeurs, coutumes et autres différences socio-économiques avec les avantages interactionnels qui en découlent;
- **la fluidité environnementale**, qui encourage la diversité expériencielle, suggère un remue-ménage perpétuel dans la distribution des meubles, des cloisons, de l'usage des pièces

ou des bâtiments scolaires. Cette influence se retrouve dans la vie écourtée des livres scolaires curieusement périmés chaque année ou presque;

• **l'élève** remplace le maître ou le savoir comme pôle idéologique dominant. C'est en vertu de cette centration pédagogique sur l'élève qu'il est amené à diriger sa scolarité selon ses sujets d'intérêts. On retrouve souvent dans les écoles élémentaires américaines les enfants occupés *à faire des recherches*;

• **l'abolition des barrières scolaires** enrichit les relations potentielles entre les élèves de niveaux différents. Une économie s'ensuit au niveau de la distribution des ressources;

• **la suppression des notes** semble normale pour une péda-gogie qui ne recherche ni la maîtrise d'objectifs précis, ni la maximalité de résultats délimités, ni la comparaison à partir d'une évaluation quantitative, ni la récompense pour des travaux imposés;

• **l'évaluation formative** remplace l'évaluation sommative au sein d'une pédagogie axée sur la progression personnelle d'un élève vu prioritairement comme une personne. Cette influence se sent avec l'engouement pour l'usage de portfolio personnel;

• **la progression permanente** veut dire que les élèves graduent normalement sans retard ni accélération. Ce principe pédagogique s'explique eu égard à une épistémolo-gie progressiviste qui valorise par-dessus tout les relations entre personnes. Les enfants d'âges différents communiquent plus aisément sur le plan affectif et au niveau de leurs intérêts. Les différences intellectuelles traduites en connais-sances se compensent beaucoup plus facilement que les trau-mas émotionnels et, donc, ceux-ci doivent être évités.

Bibliographie

Brief, J.-C. (1983). *Beyond Piaget: A Philosophical Psychologie*. N.Y.: TCP.

Brief, J.-C. (1995). *Savoir, Penser et Agir*. Montréal: Logiques.

Bringuier, J.C. (1977). *Conversations libres avec Piaget*. Paris: Laffont.

Csikszentmihalyi, M. (1990). *Flow; The psychology of optimal expérience*. N.Y: Harper.

Damasio, A. (1998). *Descartes' error*. N.Y.: Avon.

Danset, A. (1983). *Éléments de psychologie du développement*. Paris: A. Colin.

Dewey, J. (1916). *Democracy and Education*. N.Y.: Macmillan.

Dewey, J. (1931). *Mon crédo pédagogique*. Paris: Les Presses modernes.

Dewey, J. (1938). *Experience and Education*. N.Y.: Collier.

Egan, K. (1983). *Psychology and Education*. N.Y.: TCP.

Elkind, D. (1974). *Children and Adolescents*. London: Oxford U. Pr.

Flavell, J. (1963). *The developmental psychology of Jean Piaget*. N.Y.: Van Nostrand.

Foreman, G. (1977). *The Child's Construction of Knowledge*. Belmont, CA: Wadsworth

Furth, H. (1974). *Thinking goes to School*. N.Y.: Oxford U. Pr.

Greenspan, S. (1997). *The Growth of the Mind*. Reading, Mass.: Perseus Books.

Hartwell, Y.(1973).«Comment l'esprit vient aux enfants»; *Le Monde, 180*.

Kennedy, H. (1993). «Le développement du cortex cérébral»; *La Recherche, 251*.

Lobrot, M. (1972). *La pédagogie institutionnelle*. Paris: Gauthier-Villars.

Montagu, A. (1971). *La peau et le toucher*. Paris: Seuil.

Nichols, M. (1996). «Secrets of the Brain»; *Maclean's, 109-4*.

Piaget, J. (1928). *La représentation du monde chez l'enfant*. Genève: Delachaux

Piaget, J. (1964). *Sagesse et illusions de la philosophie.* Paris: PUF.

Piaget, J. (1968). *Mémoire et intelligence.* Paris: PUF.

Pinker, S. (1997). *How the Mind Works.* N.Y.: Norton.

Serres, M. (1985). *Les cinq sens.* Paris: Grasset.

Siegel, L. et Brainerd, C. (1978). *Alternatives to Piaget.* N.Y.: Academic Pr.

Vuyk, R. (1981). *Piaget's genetic epistemology 1965-1980.* N.Y.: Academic Pr.

CHAPITRE II
Analyse critique: l'architecture de l'éducation

L'analyse critique articule le discours de l'éducation en répondant à trois questions: que recouvre-t-il?; quelles thèses vise-il?; quelle défense choisit-il? Bref, elle s'adresse au **quoi, pour quoi** et **comment** de l'univers éducationnel.

Questions que se pose un enseignant

L'introduction du premier chapitre vante les mérites d'une éducation. À la fois objectif, produit ou processus, elle demeure pour tous un bien précieux dont on ne doit et, de fait, on ne peut se départir. Collée à la peau, elle recouvre d'une patine opportune nos défauts et même nos tares. Dans son sens le plus opulent, l'éducation se montre toujours bénéfique, car elle nous octroie le **statut d'une personne** engagée qui assume sa destinée (Maritain, 1962; Schwartz, 1973; Whitehead, 1929). Idée simple qui pourtant se problématise aussitôt qu'elle est révélée. En effet, on lui alloue sans trop y penser l'ambition plausible que cette destinée va se gérer seule. Ici le bât blesse puisqu'une gestion personnelle est remise en question par les nombreuses **idéologies** qui y opposent, entre autres, l'inconscient collectif (Fourastié, 1972; Gursdorf, 1963). Ces divergences, qui campent l'un contre l'autre les puissants **paradigmes**, dominent **la vie humaine** profondément impliquée par l'éducation. Cette vie se reflète de siècle en siècle dans les idéologies à la mode (Bonboir, 1974; Faure, 1972). C'est pourquoi nous retraçons, dans le tableau I qui suit, les paradigmes éducationnels qui la recouvrent sur les plans idéologique, philosophique et psychologique.

Tableau I Paradigmes éducationnels

Idéologie (option)	Philosophie (position)	Psychologie * (champ)	Éducation (courant)
romantisme	nativisme	maturationnisme	naturalisme
culturalisme	empirisme	béhaviorisme	environnementalisme
progressivisme	pragmatisme	cognitivisme	fonctionnalisme

* Les allégeances des pédagogues envers certaines théories psychologiques soulèvent des controverses qui trouvent leur place naturelle au chapitre III (esprit critique).

Ces trois idéologies s'expriment souvent selon une pensée multiforme nuancée par leurs adhérents et auteurs les plus renommés. Notre exposé, cependant, s'est plié aux accents un peu caricaturaux imposés par leurs paradigmes sous-jacents. Quelques qualificatifs les valorisent en leur donnant des coloris différents selon que l'on adopte l'une ou l'autre des trois tangentes prises par la destinée humaine au sein de ces idéologies (matrice A):

Matrice A Éclairages des paradigmes idéologiques

ROMANTISME	CULTURALISME	PROGRESSIVISME
être	individu	personne
inspirer	appliquer	pratiquer
exprimer	écouter	communiquer
former	informer	transformer
univers	environnement	milieu

Cette matrice nous montre que chaque idéologie brosse un panorama global qui nous permet de situer l'être humain. Elle nous démontre aussi qu'une fois établi à partir de nos convictions les plus intimes, le choix d'une des idéologies engage nos stratégies éducationnelles selon le paradigme qui en découle et qui la cerne par les qualificatifs exprimés dans la matrice. Ainsi, voir en face de soi un être spontané ou un individu imbu de savoir ou encore une personne qui agit en connaissance de cause, c'est déjà choisir les moyens pédagogiques à mettre en œuvre (Hassenforder, 1970).

Par exemple, le choix **du romantisme** indique une foi dans la valeur intrinsèque d'un être vivant en symbiose avec un univers qui peut être d'origine divine ou naturelle. Partant de cette conviction, il est évident que le rôle de pédagogue réduit à celui d'animateur sera de favoriser chez cet être unique l'expression spontanée de ses inspirations en ne les bloquant ni ne les endiguant, mais en s'assurant qu'elles jaillissent fortes et bien formées (Grandmaison, 1976).

Celui qui place toute sa confiance dans un être bien éduqué et civilisé optera pour le **culturalisme**. Pour lui, devenir humain passe par l'assimilation des coutumes, traditions et connaissances accumulées à travers les siècles. Sa stratégie pédagogique s'en trouve alors toute tracée. Il cultivera l'individu capable d'écouter et d'appliquer les informations reçues de l'environnement.

Certains enseignants voient dans la coopération et le travail en commun des sources idéales de développement et de valorisation propre au **progressivisme**. De nouveau, ils s'engagent à respecter une formule pédagogique précise regroupant les qualificatifs énumérés dans la matrice. Ainsi, au sein du groupe réalisant un projet en commun qui définit le milieu opérationnel, chacun trouve sa place par une pratique qui s'ajuste et le transforme. Il se doit de communiquer pour établir son rôle et devenir une personne reconnue. À cet égard, l'usage des portfolios autorise la personne à introduire des documents qui ont du sens pour elle. Ils restent un bon moyen pour l'éducateur de faire connaissance avec la personne et de découvrir ses talents et ses compétences.

Insistons sur la prémisse commune à ces trois options. Qu'on le veuille ou non, lors de nos rencontres sociales, nous interagissons en fonction de ce que notre intuition perçoit des gens. Celui qui passe outre se fait traiter de rustre asocial. Les enseignants n'en sont pas exempts à la différence que leur intuition, fixée sur leurs élèves, s'alourdit d'aspects moraux liés à la charge d'âmes qu'ils assument. Responsables de leur destinée, la lecture qu'ils font est lourde de conséquences et doit donc s'appuyer sur un socle autrement plus solide qu'une simple devinette caractérielle. L'assise bien ancrée dont ils ont besoin unit leur sagesse ancestrale intuitive aux images des êtres humains colportées par la culture. Un appel évident se forge ainsi envers les idéologies qui fusent en une conviction intime le penchant naturel et les savoirs acquis. L'enseignant avoue et découvre son **romantisme, culturalisme ou progressivisme** par les valeurs qu'il encourage spontanément chez et à travers ses élèves. Il reste à dire que cette conscience demande à être précisée pour que les stratégies pédagogiques y trouvent leur raison d'être et leur cohérence (Kohlberg, 1972).

Une formule passe-partout peut nous aider à entrevoir comment jaillit cette conscience. Tout enseignant sait que face aux élèves, sa fonction essentielle est d'amener chacun d'eux à passer de *l'enfant* qu'il est au départ à *l'adulte* qu'il doit devenir. Il s'agit donc de montrer en quoi **savoir, penser, sentir et agir**, qui jouent un rôle essentiel dans le cheminement allant de l'enfance à l'état d'adulte, s'appuient sur des connaissances *techniques, psychologiques, interactives et génétiques*. Pour ce faire, les deux pôles formés par l'enfant et l'adulte doivent être dressés avec tous leurs attributs sur le terrain délimité par trois questions: qu'est-ce qu'un enfant? Qu'est-ce qu'un adulte? Comment acheminer l'un vers l'autre? (Maier, 1969).

Sans chercher trop loin, l'enseignant saisit à bras le corps les deux pôles lorsqu'il réalise que toute son œuvre se cristallise autour du désir de former ses élèves. Tout le reste n'est que vétilles. Les programmes, objectifs, discipline, intégration sociale, instruction civique, jeux, tous pris au hasard, lui indiquent comment informer, transformer ou performer. Il se soumet au besoin de former tout en évitant de déformer s'il est bien pensant.

D'autre part, l'enseignant est perpétuellement interpellé par sa pratique. En dépit des théories psychologiques et des myriades de recettes pédagogiques qui en découlent, peu de décisions opportunes sont proposées aux problèmes ponctuels qui forment la majeure partie de son quotidien. L'étape initiale pour y remédier est de bien cerner l'univers particulier dans lequel il opère et non de l'emmitoufler dans ces théories à la mode ou ces recettes sloganisées (Gauquelin, 1971).

Dans notre société fortement industrialisée, les moyens techniques abondent et, même on peut le dire, sont fortement encouragés pour des raisons administratives. Des *comment* lui sont donc fournis à foison sans que pourtant il n'y trouve réponse *au quoi former et pourquoi*. Sans raisons pertinentes, l'enseignant est pris au dépourvu vis-à-vis des connaissances techniques pour lesquelles il cherche des usages. Dilemme classique du chef cuisinier féru de recettes dont, en l'absence d'occasions festives, il ne sait que faire. De même, l'enseignant fait face aux cas difficiles, armé de sa panoplie de *comment*, sans trop savoir où il veut en venir si ce n'est qu'ils vont se développer: idée passe-partout qui clôt le débat sur tout ce qui se passe.

On commence à deviner où se situe sa problématique. Elle doit répondre à trois questions: *pour quoi* signifiant où veux-je en venir? *pourquoi* ou quelles sont mes raisons? et enfin, *comment* indiquant quels moyens vais-je utiliser? Cela place dans l'ordre *l'objectif* à atteindre, les *présuppositions* derrière le question-nement et *la stratégie* pour réussir. En sachant ce que je veux, il me faut en articuler la genèse en échappant aux solutions toutes faites offertes par les théories psychologiques ou sociologiques du mois. Par exemple, je veux prouver que «les enfants vont à l'école pour s'instruire». Il me faut, dans un premier temps, démontrer l'importance de cette question en arguant que les trois notions, «*enfant, école, instruire*», dominent nos projets de société. Puis, à partir d'une analyse poussée de celles-ci, montrer leur rôle conceptuel dans un certain nombre de stratégies péda-gogiques amenant la réalisation possible et opportune de la thèse adoptée (voir la synthèse de la section «Les formes de connais-sance» ci-dessous).

Pour le moment, l'enseignant pose ces trois questions eu égard à son univers éducationnel. Il est saisi d'un problème de conscience ultra-simplifié: l'enfant évoluera de toute façon, avec ou sans lui! Une certaine conception de l'être humain devrait alors diriger ses actions. C'est là que la conscience des idéologies exposées dans le premier chapitre joue son rôle prééminent.

Toutefois, une situation beaucoup plus immédiate et con-crète requiert son attention. Il faut qu'il rentre dans le jeu qui, telle une danse carrée québécoise, l'invite à vivre au rythme des enfants plongés dans le monde scolaire. N'oublions pas que c'est l'effroi angoissant des premiers contacts qui constitue le pro-blème primordial de départ. Plongé dans la zone du vécu, il est appelé à se questionner sur le plan de ses convictions et de ses sentiments. Cela est un bienfait puisque mettre en jeu le vécu assure à son projet de vie une certaine dose d'engagement ent-housiaste. Assez désemparé et quasi enfantin lui-même puisqu'il est interpellé par des situations inattendues, ses questions spon-tanées vont fuser et parmi elles: comment vais-je remplir ma fonction face à ces petits minois ébahis qui attendent de moi une réponse à tout? Attentisme en suspens qui suggère déjà une réponse à la première question du **pour quoi** touchant au *où veux-je en venir?*; «je veux entamer correctement le long processus amenant cet enfant à son état d'adulte ultérieur!».

Le pourquoi cherche les raisons d'être de la problématique posée par l'objectif d'un adulte à former. Un panorama étendu peut alors être dessiné: fonctions du monde scolaire, projet de société, confiance familiale, enjeux socio-économiques, rôle de l'enseignant ou obligations de l'élève.

Le comment vient ensuite avec l'expertise, le professionnalisme, la conscience morale et les engagements pratiques à saveur déontologique.

Bien entendu, la trame tissant ces trois moments reste l'obligation d'entretenir le chemin menant de l'enfance à l'état d'adulte. Cette thèse spécifie le **pour quoi**, soumis au choix d'une idéologie qui détermine les types d'enfants et d'adultes privilégiés au départ. Une fois le choix imposé par l'enseignant, il doit lui donner de la substance grâce aux deux autres moments du *pourquoi* explicatif et du **comment** stratégique, qui se remplissent de contenus ponctuels liés au vécu et au savoir pratique. C'est là que se pose clairement le dilemme classique confrontant l'enseignant. Il a beau idéaliser l'objectif visant un être humain à former, il est toujours ramené sur terre lorsqu'il doit l'expliquer et le réaliser. Évidemment, l'idéal du pour quoi et la pratique du pourquoi ainsi que du comment doivent se rejoindre quelque part!

Une solution sagace s'offre à nous sous la forme d'une *analyse sémantique* des concepts-clefs contenus dans la problématique posée. Dans notre cas précis, la thèse proposée, «mon rôle d'enseignant est d'amener un enfant à devenir un adulte» sera éclairée et, encore plus prenant, sera justifiée par une analyse conceptuelle des notions, «*enfant, adulte, enseignant*». Bien entendu, l'idée «*d'amener*» prendra des couleurs différentes selon le sens donné aux trois autres concepts. L'originalité du point de vue ici adopté réside dans le fait que l'on enrichisse la sémantique usuelle des quatre mots-clefs par des qualificatifs en provenance des *idiotismes, proverbes, citations ou phrases courantes* parsemant la vie professionnelle, le vécu et les expériences de l'enseignant qui effectue l'analyse. Ayant posé sa thèse, l'enseignant l'assoit sur une base idéologique en exposant ses convictions révélées par le sens qu'il donne à chaque mot-clef. Le

pour quoi lié à la problématique que *je veux faire valoir* tire sa raison d'être du **pourquoi** qui explique les raisons du choix personnel. C'est un jeu d'enfant alors d'argumenter, de justifier et de modifier le cas échéant la thèse proposée. L'enseignant détermine les moyens appropriés pour concrétiser et lier chaque choix de qualificatifs influencé par son idéologie.

Faisons l'exercice dans le cas qui nous concerne en analysant les notions: *enfant, adulte, enseignant, amener.* Bien entendu, il reste à voir si l'enseignement amène un enfant à devenir un adulte? Rien n'est réussi d'avance dans ce qui peut paraître maintenant un cliché incontestable et incontesté.

Un *enfant* est habituellement vu comme fragile, dépendant et effervescent, par contraste avec un *adulte* qui paraît mature, indépendant et organisé. Tout est-il dit? Non! puisqu'un enseignant traite et aussi ambitionne de traiter beaucoup plus. Il se retrouve aux prises avec une arborescence d'autres adjectifs qu'il ne peut élaguer s'il veut toucher la réalité de près. L'analyse conceptuelle ci-après illustre la richesse qui l'attend s'il prend la peine de la rechercher:

Matrice B   Enfant et adulte: une analyse sémantique

ENFANT ⟶ ADULTE			
idiotismes	qualificatifs	idiotismes	qualificatifs
ne fais pas l'enfant	simpliste, insouciant,	le tribunal pour adulte	saverti, responsable,
c'est un jeu d'enfant	ingénu, irréfléchi,		contrôlé, réfléchi,
après tout,	irresponsable, naïf,	un adulte consentant	éclairé, prévoyant,
il n'est qu'un enfant			
la vérité sort	inexpérimenté,		confiant, solide,
de la bouche des enfants	spontané, ignorant.	voir un film pour adulte	autonome, engagé.

Armé de ces sens variés, l'enseignant choisit ceux qui, selon **son idéologie**, constituent des points idéaux de départ et d'arrivée jalonnant le développement des êtres dont il a la charge. Les moyens à utiliser pour réaliser le cheminement sont d'ordre *pratico-pratique* et déterminent ses stratégies pédagogiques.

Plus spécifiquement, il est facile alors pour l'enseignant de sélectionner des qualificatifs communs, essentiels et culturellement primordiaux. Son vécu, sa pratique, ses convictions, son savoir-faire professionnel, le contexte dans lequel il opère l'entraînent vers certains choix. Ils formeront des thèses dont le rôle principal sera de lui permettre de façonner des cheminements judicieux pour l'enfant destiné à devenir un adulte; quitte ensuite à bâtir des stratégies appropriées à l'enfant et au contexte (dont la teneur nous occupera tout au long de ce chapitre et sera synthétisée dans la section «Les discours parallèles en éducation»).

Par exemple, en choisissant parmi les qualificatifs énumérés ci-dessus, l'enseignant peut opter pour l'une des trois idéologies présentées. **L'option culturaliste** l'amène à faire cheminer l'enfant, considéré comme un être inculte et soumis, vers un état d'adulte éclairé et capable de décider. Fort différent, **le choix romantique** accepte l'enfant tel quel avec ses préférences spontanées et imprévisibles, tout en gardant l'espoir de l'amener à devenir un être aux engagements réfléchis. Quant au **penchant progressiviste**, il façonne l'enfant au départ égocentrique en une personne au jugement responsable. Il suffit de nous référer aux conséquences pédagogiques de ces trois idéologies exposées dans le premier chapitre pour y transposer de nombreux exemples concrets.

Ainsi, les qualificatifs trouvés ci-dessus ouvrent la voie vers des cheminements adaptés aux idéologies choisies et, de plus, cernent les paradigmes qui en découlent. Cela vérifie l'adage *«diviser pour mieux régner»*. En effet, il est plus facile d'envisager une stratégie dans des cas spécifiques que lorsqu'on s'attarde au milieu de généralités. Par exemple, préparer au jugement délibéré quelqu'un habitué à agir spontanément constitue un cheminement plus facile à réaliser qu'escompter transformer globalement un enfant diffus en un adulte imprécis. Cette tâche difficile reste à réaliser puisqu'il faut tracer les stratégies propres à la formation d'un être; mais, quel être? Cela nous amène, en respectant l'argumentation annoncée ci-dessus, à spécifier le sens et le rôle d'**enseigner** eu égard au cheminement de l'enfant vers l'état d'adulte. Le chemin est malheureusement tortueux puisqu'il doit emprunter le dédale d'un relief éducationnel au passé souvent bouleversé (voir la synthèse dans la section «Les discours parallèles en éducation»).

Les champs conceptuels

L'enfant et l'adulte se qualifient à l'aide d'adjectifs qui inspirent et parfois surprennent (Chateau, 1979; Faure, 1972; Goguelin, 1970; Vial, 1975). La plupart ne surgiraient jamais spontanément à l'esprit sans l'analyse réflexive appuyée par ces idiotismes ou proverbes qui se choisissent en fonction du contexte des discussions. Cette approche sémantique colore parallèlement les sentiers propres aux quatre formes de connaissance **technique, psychologique, interactive et génétique** (voir la section «Les formes de connaissance»). Elle éclaire également le panorama des dimensions humaines: **savoir, penser, sentir et agir** (voir section «Les dimensions humaines»).

De surcroît, l'analyse sémantique révèle les partitions implicites, relevées précédemment, divisant l'être qui se réalise. Celles-ci délimitent des champs conceptuels auxquels il faut soumettre l'être humain que l'on veut comprendre (Peters, 1967; Reboul, 1971). Dans la préface et l'introduction, nous insistions sur sa richesse, qui ressort particulièrement durant l'œuvre éducative et qui fait que nous ne pouvons le définir, mais seulement espérer le comprendre. De là, l'usage de paradigmes et de matrices visant à cerner tous ses contours. En tant qu'enseignant, nous nous devons de voir cet être humain à l'aide des éclairages diversifiés de **la science, de l'épistémologie, de l'idéologie et de l'éducation**. Bien entendu, nous verrons dans la section suivante que l'enfant, sujet à des statuts différents, est pris en charge, non pas par un seul et unique enseignant, mais par **un intervenant, un instructeur, un enseignant, un formateur ou un éducateur**. Leur rôle respectif s'avère distinct non seulement en fonction du statut accordé à l'être auquel ils s'adressent, mais aussi par rapport aux objectifs visés. Ceux-ci vont des classiques domaines des apprentissages et du développement aux soucis plus contemporains que constituent l'autonomisation et l'intelligence émotionnelle.

À nous de justifier ces divisions apparemment hybrides par une analyse conceptuelle plus poussée. Ainsi, une vision selon laquelle l'enfant est petit, irréfléchi, naïf et insouciant, tandis que l'adulte est conçu comme grand, éclairé, confiant et soucieux, se rattache aux **quatre champs conceptuels** identifiés ci-dessus. Un réseau sémantique représenté par une matrice nous fait mieux saisir les tresses qui les tissent dans un ensemble compréhensif au sein de l'œuvre éducative (Kohlberg, 1972; Maier, 1969).

Matrice C Terminologie des champs conceptuels

CHAMP SCIENTIFIQUE	CHAMP PHILOSOPHIQUE	CHAMP IDÉOLOGIQUE	CHAMP ÉDUCATIONNEL
1.* enfant petit	enfant irréfléchi	enfant naïf	enfant irresponsable
2. adulte grand	adulte éclairé	adulte confiant	tadulte soucieux
3. biologie	épistémologie	morale	vécu
4. observé	analysé	jugé	pratiqué
5. fait	concept	valeur	décision
6. factuel	rationnel	culturel	personnel
7. vérifiable	vraisemblable	valorisable	désirable
8. discontinu	réseaux	hiérarchie	contexte
9. vrai/faux	valide/invalide	apprécier/déprécier	voulu/rejeté**
10. probable	possible	virtuel	praxis
11. saurait être	pourrait être	devrait être	voudrait être
12. opérationnel	stratégique (tactique)	normatif	fonctionnel
13. prédire	circonscrire	choisir	prescrire
14. relation causale	rel. sémantique	rel. socioculturelle	rel. humaine

*la numérotation sert d'aide-mémoire dans le texte explicatif ci-dessous;
**aussi valable;
champ idéologique: juste/injuste, bon/mauvais, beau/laid;
champ éducationnel : désirable/nocif, authentique/trompeur, engagé/désengagé.

Un coup d'œil sur la matrice fait ressortir deux avantages évidents. D'un côté, les approches scientifique, philosophique, idéologique et éducationnelle sont clairement délimitées par **les rangées différenciatrices**. De l'autre, **les colonnes spécifient** par un test sémantique et terminologique l'allégeance de tout discours éducatif envers l'un ou l'autre des quatre champs conceptuels. Ces atouts sont loin d'être négligeables pour un professionnel de l'éducation qui doit maîtriser son domaine ainsi que le vocabulaire dont il se sert pour le décrire. D'une manière générale, les colonnes et rangées forment des discours qui, telle une carotte forageante, minent les couches explicatives qui stratifient notre compréhension de la réalité. Mais, comme on le verra ci-dessous, elles nous permettent aussi de déceler les contradictions et incohérences dans les discours éducationnels, ainsi qu'elles nous permettent de les éviter dans notre propre pratique pédagogique et ceci constitue un apport non négligeable.

Toutefois, bien que le réseau conceptuel soit globalement plausible, le choix spécifique des notions, soumis au désir de rester éclectique, donne lieu à des différences d'opinion parfaitement légitimes. Dans ce cas, il est bon de se rappeler une maxime citée dans la préface: «il est souvent préférable de prendre position à partir d'un doute initial, plutôt que de semer la confusion au sein de vérités apparentes». Il nous reste toujours le loisir de corriger et de modifier nos opinions à la lumière d'expériences subséquentes.

Les rangées matricielles s'adressent particulièrement au premier avantage qui vise **la différenciation** des quatre façons de considérer la réalité. Pour chaque domaine, les rangées présentent les termes différenciateurs essentiels:

- Les rangées 1, 2 et 4 exemplifient les discours utilisés dans chaque domaine et la manière utilisée pour les analyser. Ainsi s'illustrent les idées selon lesquelles un petit enfant, ça s'observe (approche scientifique), un enfant irréfléchi, ça se comprend (approche philosophique), un enfant naïf, ça se juge (approche idéologique) et un enfant irresponsable, ça se pratique (approche éducationnelle).
- la rangée 3 offre des exemplaires caractéristiques;
- la rangée 5 sélectionne les éléments moléculaires;
- la rangée 6 présente l'approche privilégiée;
- la rangée 7 fait allusion aux jugements posés;
- la rangée 8 décrit la structure;
- la rangée 9 révèle l'aspect logique;
- les rangées 10 et 11 évaluent le statut prédictif;
- la rangée 12 considère les cheminements;
- la rangée 13 rend compte des rôles respectifs;
- la rangée 14 explore la fabrique relationnelle des domaines.

Cette dernière rangée (14) mérite qu'on s'y attarde, car il semble utile d'expliquer la différence entre les aspects causal et sémantique cités dans la matrice. Très simplement, l'un relie des faits et l'autre des concepts. Par exemple, le compétiteur olympique démarre sa course avec la ferme intention de la gagner, contrairement à l'adage peu réaliste, à l'heure actuelle, que l'important c'est de participer. Par conséquent, «*courir implique gagner*» est causalement souvent faux, mais sémantiquement toujours vrai. Les mêmes conclusions accompagnent l'analyse de «*chercher implique trouver*». En effet, il est improbable que chercher entraîne causalement des retrouvailles avec un objet perdu. Cependant, il serait illogique sémantiquement pour une personne sensée de chercher sans aucun espoir de trouver. Il suffit pour s'en convaincre d'être surpris par un individu qui, la tête en l'air, nous avoue chercher quelque chose dont il ne connaît pas la nature. De même, un individu que nous aidons en vain à retrouver ses clés nous surprendra s'il nous avoue qu'en fait il les a perdues à trois cent mètres de là dans une ruelle obscure, mais qu'il cherche ici car il y a un lampadaire qui éclaire le sol.

La rangée 12 pointe vers les cheminements particuliers qui caractérisent chacun des quatre champs. Quelques éclaircissements paraissent appropriés, car les conséquences pédagogiques abondent comme on le verra ci-dessous:

- *opérationnel* signifie qu'un but objectif et socialisé sera atteint par divers moyens dont des techniques et des tactiques soumises à des critères scientifiques;
- *stratégie* indique ce qui pourrait être imaginé lors d'une planification suivie vers un objectif conceptualisé et donc personnalisé;
- *normatif* dénote ce qui devrait être jugé en accord avec une valorisation;
- *fonctionnel* montre ce que l'on voudrait décider et mettre en pratique.

Chaque colonne spécifie dans son champ respectif un ensemble conceptuel cohérent et surtout consistant. En d'autres termes, elle nous habilite à décider si ce qui se dit avec ces mots a du sens et évite les contradictions. Ainsi, elle caractérise le champ considéré (science, philosophie, idéologie et éducation) sur le plan sémantique afin de tester les emplois terminologiques appropriés et ce, en accord avec le second avantage mentionné ci-dessus. Par exemple, la colonne scientifique nous permet de dire des choses sensées si nous choisissons avec soin les mots qu'elle contient. Plus spécifiquement, grâce à cette colonne, il est légitime de se saisir du *fait* à *observer* afin de *vérifier* à l'aide *d'opérations physiques* la taille de l'enfant. L'assertion qu'il est petit devient alors *vraie ou fausse* sans aucun lien avec son ouïe ou son haleine, mais *probablement* dans une *relation causale prévisible* avec d'autres phénomènes *biologiques.* Mais il serait illégitime de vouloir *factuellement observer la naïveté* de cet enfant afin de *prescrire* ses *relations socioculturelles.* Rien de vraiment cohérent là-dedans bien qu'avec un gros effort dialectique, du sens peut y être inséré. Quant à la colonne philosophique, elle cherche à comprendre ce que signifie un *enfant irréfléchi.* Pour ce faire, elle suggère une *analyse rationnelle* de sa *validité* en examinant la *relation sémantique vraisemblable* entre les *concepts* «enfant» et «irréfléchi» qui composent cette assertion. Les exemples peuvent être multipliés à l'infini, mais le message est donné: en tant qu'enseignant, nous avons entre nos mains un outil identificateur qui nous permet de communiquer avec le moins d'ambiguïtés possible nos opinions idéologiques, scientifiques et philosophiques.

Rôles et fonctions pédagogiques

Grâce au travail préparatoire effectué jusqu'à présent, nous sommes prêts à considérer le quoi et le comment de la problématique initiale exemplifiée par «enseigner amène un enfant vers l'état d'adulte». Lentement mais sûrement, les matrices successives dégagent un terrain propice aux activités pédagogiques solidement fondées. Au départ, les idéologies présentées dans la matrice A annoncent le type d'enfant ou d'adulte auquel nous avons affaire (être, individu ou personne). Ensuite, la matrice B donne de la substance au quoi de ce type d'enfant et d'adulte en regardant de près leurs propriétés. Nous sommes alors contraints de choisir un des quatre modes descriptifs associés aux qualificatifs préférés. La matrice C les différencie selon qu'il s'agit d'objets traités scientifiquement, de concepts analysés philosophiquement, de valeurs jugées idéologiquement et ou de décideurs assujettis à une pratique éducationnelle. Point significatif, la préférence qualitative exprimée envers l'enfant entraîne celle de l'adulte qu'il deviendra. Par exemple, un enfant effervescent a besoin d'un enseignant qui l'organise pour assurer sa maturité et non qui l'éclaire, ce qui serait plutôt lié à son ignorance. Le rapport est mis en vigueur par le traitement méthodologique qui les lie au sein du même champ conceptuel. À nouveau se fait jour l'usage fructueux de ces matrices en tant que test critérié mesurant la cohérence et la consistance d'énoncés pédagogiques éventuels. Par conséquent, nous dépassons l'éclairage conceptuel en offrant un instrument pratique qui protège la pureté logique du discours professionnel d'un enseignant.

Autre point significatif, les quatre modes descriptifs, explicatifs et méthodologiques offerts par les champs conceptuels enferment le pédagogue dans un rôle particulier. Ainsi, l'éclairage conceptuel concentré sur l'*enfant* détermine si l'enseignant est la personne la plus adéquate pour l'amener à l'état d'*adulte*. Toutefois, qui dit rôle dit fonction, avec pour conséquence le besoin de voir si l'enseignement s'avère être l'acte éducatif approprié et si *amener* est la stratégie requise. Évidemment, il est important de mentionner que le rôle et la fonction sont liés parce que, souvent, la littérature ignore que l'instructeur instruit et non enseigne. (Freiberg, 1980; Green, 1971; Kapunan, 1975).

Trois fonctions classiques sont revendiquées par les pédagogues: instruire, enseigner et éduquer. On les retrouve communément représentées par l'instruction militaire, l'enseignement religieux et l'éducation morale. Trop souvent, malheureusement, seules l'intuition et l'expérience guident le choix des objectifs dans les programmes soumis à ces trois fonctions. Diriger l'action des enseignants exige une compréhension rationnelle et éclairée que fournit l'analyse conceptuelle (Frankena, 1965; Green, 1971; Hirst et Peters, 1970; Peters, 1967; Reboul, 1971; Scheffler, 1960, 1973; Soltis, 1968) .

L'œuvre éducative impose au pédagogue un certain respect des dimensions humaines révélées par ses élèves. Par conséquent, il se doit d'élargir ses trois fonctions classiques, indiquées ci-dessus, à la mesure de ces dimensions. Il s'ouvrira donc à des rôles éventuels qui incluent ceux **d'intervenant, d'instructeur, d'enseignant, de formateur ou d'éducateur.**

En nous armant de la même technique d'analyse sémantique utilisée plus tôt, nous sommes à même d'éclairer le sens de ces six fonctions soumises aux dimensions humaines qui les élargissent. Dans un premier temps, l'analyse recouvre les propriétés fonctionnelles que peuvent nous donner les usages quotidiens et les dictionnaires. Ensuite, les sens cachés et plus originaux se révèlent à même les idiotismes, proverbes, citations communes et expressions professionnelles.

- **Analyse sémantique des six fonctions du pédagogue**

- «**Intervenir**» signifie dans son sens usuel: influencer, modifier, changer, stimuler.

  À partir d'expressions sélectionnées telles que «l'intervention chirurgicale fut une réussite» ou «pourquoi n'es-tu pas intervenu?» ressortent des interventions qui soutiennent ou aident, exigent des techniques, s'utilisent à des moments critiques qui solutionnent en ouvrant et fermant relativement à un arrêt des besoins vitaux.

- «**Instruire**» connote habituellement les actions suivantes: montrer, exposer, transmettre, informer.

  Par ailleurs, «les instructions exemplifient le mode d'emploi» ou «l'instruction militaire est rigide» indiquent d'autres composantes telles que diriger, imiter, obéir, ordonner, imposer ou être fidèle.

- «**Enseigner**» a pour sens usuel: expliquer, démontrer, prouver, faire comprendre.

  En sus, nous découvrons, grâce à «l'enseignement religieux sert de guide» ou «le corps enseignant se mobilise» ou «il est logé à bonne enseigne», une panoplie plus riche incluant reconnaître, outiller, révéler, rassurer, guider, accompagner, confronter.

- «**Former**» souligne les idées de modeler, structurer, construire, constituer.

  Grâce aux expressions: «il a la forme», «son idée a pris forme, «la formation sportive est rigoureuse», «il s'intéresse à la formation continue», il s'y ajoute: se dépasser, s'exprimer, s'émanciper, vivifier, dynamiser, particulariser.

- «**Éduquer**» pointe vers: améliorer, valoriser, engager, responsabiliser, s'intégrer.

  Cependant, les usages intéressants tels que «il obtient une bonne éducation», «il est bien éduqué», «elle s'intéresse à l'éducation permanente et à l'éducation spécialisée», élargissent le débat vers: savoir-vivre, praxis, être soucieux, se sensibiliser.

Il ressort de ces analyses fonctionnelles ainsi que de la synthèse présentée ci-après qu'un argument plausible peut être défendu qui lie plus étroitement les apprentissages aux rôles d'intervenant et d'instructeur qu'à ceux d'enseignant, de formateur et d'éducateur mieux approprié au développement (voir aussi la section «Croître, apprendre et développer»).

Tableau 2 Synthèse des fonctions pédagogiques

fonctions	usages	sémantiques
intervenir	a) communs ⟶	stimuler, influencer, modifier
	b) choisis: *es-tu intervenu?*	soutien, aide, arrêt, solution,
	la force d'intervention est arrivée ⟶	besoin, vital, moment critique,
	l'intervention chirurgicale a lieu	technique, ouvrir, fermer, spécial
instruire	a) communs ⟶	montrer, transmettre, informer
	b) choisis: voir les instructions du mode d'emploi	guider, imiter, diriger, fidélité,
	l'instruction militaire est rigide	obéir, imposer, ordonner.
enseigner	a) communs ⟶	expliquer, démontrer, prouver
	b) choisis: le corps enseignant se mobilise	faire comprendre, confronter,
	l'enseignement religieux guide	révéler, signifier, outiller,
	il est logé à la bonne enseigne	rassurer, accompagner.
former	a) communs ⟶	structurer, construire, constituer
	b) choisis: il a la forme	dynamiser, vivifier, se dépasser,
	son idée a pris forme	transcender, s'exprimer, agir,
	la formation continue l'intéresse	particulariser, s'émanciper
éduquer	a) communs ⟶	améliorer, valoriser, savoir-vivre
	b) choisis: il est bien éduqué	s'intégrer, soucieux, s'engager
	l'éducation permanente la motive	praxis, savoir-devenir,
	il obtient une bonne éducation	responsabiliser, sensibiliser,

À partir de ces analyses sémantiques, une matrice plus compréhensive peut être dressée. L'objectif est bien entendu d'offrir le choix de chemins pédagogiques conceptuellement cohérents qui respectent les rôles qu'un pédagogue désire adopter. Nous limitons le réseau matriciel aux trois concepts «**instruire, enseigner, éduquer**», de loin les plus courants dans la littérature (Bertrand, 1998; Cambon *et al.*, 1974; Green, 1971; Guérin, 1998; Lerbert, 1980).

Matrice D Analyse conceptuelle des rôles et fonctions

Instruire	Enseigner	Éduquer
instruction militaire	enseignement religieux	éducation morale
information	principe	décision
opinion	certitude	doute
croire *	savoir	décider
percevoir	raisonner	évaluer
apprendre *	croître	se développer
but	objectif	finalité
imiter	critiquer	assumer
performance	compétence	conscience
comportement	action	conduite
opérationnel	fonctionnel	contextuel
efficace	solide	sensé
individu	élève	personne
devant	derrière	à côté
sorcier **	artiste	sage

* Questions épistémologiques à élucider en pensant aux effets pédagogiques éventuels;

** Cette rangée éclaire les différents rôles liés aux fonctions: *le sorcier* maîtrise les techniques; *l'artiste* œuvre dans l'imaginaire; *le sage* reflète le souci et l'engagement.

La richesse sémantique suggérée par cette grille engendre une multitude de questions exigeant des justifications. Pour maintenir la fluidité du discours, il semble préférable d'y répondre à l'aide d'un esprit critique mis à l'œuvre dans le chapitre III. Nous aborderons alors les paradoxes et ambiguïtés ainsi que les distinctions pédagogiques à tirer des rangées matricielles marquées par une astérique (*); référence est faite spécifiquement aux sections «Croire et savoir» et «Croître, apprendre et développer».

Toutefois, une distinction intéressante peut déjà être tirée du réseau matriciel. En effet, l'instructeur qui se fait imiter s'oblige à imposer; s'il devient un enseignant qui autorise la critique, il s'astreint à supposer; en progressant vers le rôle d'éducateur qui amène à assumer sa position, il va proposer des options. Pour enfermer ceci dans une formule mnémonique un tantinet répétitif, on dira que, **l'instructeur impose, l'enseignant suppose et l'éducateur propose.**

Nous sommes maintenant en mesure de distinguer les fonctions essentielles, mais distinctes qu'un enseignant peut remplir auprès de ses élèves. À partir de ces distinctions, les liens avec les formes de connaissance et les domaines éducatifs peuvent être tressés pour servir de fil d'Ariane aux éducateurs avides de trouver leur chemin dans le dédale des courants pédagogiques contemporains (Bertrand, 1998; Guérin, 1998). Cependant, d'autres nœuds doivent être serrés auparavant.

Le choix proposé entre intervenir, instruire, enseigner, former et éduquer s'appuie sur la matière à impartir, sur les finalités considérées et, encore plus subtile car inconsciente, sur l'image dominante que l'on se fait d'un être humain. En effet, nos actions sont gouvernées par la manière d'être des interlocuteurs en présence. Celle-ci est peinte sur l'arrière-fond des coloris idéologiques que nous lui attribuons.

Ce n'est pas par hasard que nous préférons intervenir auprès de nos élèves en les suppliant d'écouter la voix de la raison, de se soumettre aux données des sens, de suivre leur goût esthétique ou de respecter la sagesse de l'expérience. (Eisner, 1982; Scheffler, 1973). Ces guides assez subjectifs nous incitent selon une chimie mystérieuse à fixer notre foi sur les certitudes rationnelles trouvées en logique ou en mathématiques, sur les vérités confirmées offertes par les sciences, sur les contacts authentiques fournis par les arts ou sur la sensibilité non dénaturante ressentie au travers du vécu. Chacun de nous a un penchant naturel quasi incontrôlable vers l'une de ces quatre formes de convictions ouvrant l'accès direct à la réalité pleine et entière. Il est bon de se rappeler que nos convictions, qui cristallisent notre expérience et notre culture, déterminent le pourtour de nos interventions.

On entend ici les échos du discours un peu trop commun qui relève du vocabulaire lié **au savoir, au savoir-être, au savoir-**

faire et tout dernièrement **au savoir-devenir** (Bonboir, 1974; Faure, 1972). En ne les séparant pas au sein de réseaux sémantiques comme nous venons de le faire, les imbroglios abondent provoqués par les clichés ou les slogans.

Trop souvent, la banalisation de ce vocabulaire est le fait d'une récupération politique arc-boutée sur des fondations sociologiques biaisées. Ainsi, ceux qui utilisent ces quatre façons d'être s'enorgueillissent de promouvoir une pédagogie ouverte ou progressive. Dans un même souffle, ils vont s'inspirer pêle-mêle de Montessori, Froebel, Decroly, Freinet et Dewey. Pourtant, la progression d'un être est conçue fort différemment selon ces pédagogues qui, dans l'ordre, y voient: l'éveil organisé des sens, l'épanouissement naturel, la création vivante au contact des objets, l'intégration sociale au sein du travail communautaire et l'enquête interactive adaptée.

Les exercices pédagogiques qui en découlent risquent fort l'incohérence au sein d'univers de référence différents et avec la confusion la plus totale créée dans les programmes ou chez les élèves. N'a-t-on pas souvent senti un malaise face à un enseignement par objectifs qui se targue de développer ou d'épanouir l'enfant. Il y a contradiction lorsque l'enseignement doit se finaliser sur un module maîtrisé et que le processus de développement s'allonge indéfiniment. Objectif et finalité se différencient nettement au sein des activités pédagogiques.

Cheminements éducatifs

Nous sommes tous enclins à avoir des intuitions incontournables sur la nature profonde des êtres humains. L'enseignant n'est pas exempté de ce biais lorsqu'il voit devant lui *un être, un élève ou une personne*. Cette prédisposition sélective se colore des qualités adhérant aux idéologies correspondantes (*romantisme, culturalisme, progressivisme*). Ensuite, il découvre les couches successives recouvrant son interlocuteur de propriétés qui le rendent de plus en plus humain. C'est-à-dire, il amplifie sa vision initiale grâce à ce qui peut être *observé, compris, jugé et pratiqué* au sein d'une *science, philosophie, idéologie et éducation* (voir matrice E dans la section «Les discours parallèles en éducation» du chapitre 2). On atteint donc avec l'éducation, le niveau le plus riche et donc le plus complexe caractérisant la plénitude de l'être humain. Peu étonnant qu'elle ait la réputation de dépasser le statut de profession en se posant comme un art.

L'enseignant s'aperçoit que chaque couche enrichissante exige de lui une façon de penser et de décider différente. Il œuvre en fonction du rôle imposé par la sphère d'action sélectionnée en devenant progressivement *un instructeur, un enseignant, un formateur et un éducateur.* Irrémédiablement, les options successives qui découlent de sa vision intuitive du début l'entraînent vers une façon d'agir. Ainsi, s'impose à lui le besoin de distinguer les différents cheminements pédagogiques.

À cet égard, les familles sémantiques construites dans les sections antérieures nous indiquent comment emprunter les chemins pédagogiques axés sur l'intervention, l'instruction, l'enseignement, la formation ou l'éducation (voir par exemple le réseau matriciel D). Comme nous l'avons vu, ils se distinguent nettement par les réseaux conceptuels qui les soutiennent. L'enchaînement vertical des colonnes est consistant car il ne génère pas de contradictions et, par ailleurs, les délimitations horizontales des rangées sont cohérentes en permettant aux quatre univers de cœexister en autant que les objectifs d'enrichissement progressif diffèrent. Par exemple, instruire à l'aide de techniques d'apprentissage se fait sans contradiction et, en même temps, éduquer en décidant de l'importance à accorder à certaines connaissances est aussi parfaitement consistant (Green, 1971; Scheffler, 1973). Dans ce dernier cas, les quatre univers du savoir, de la réflexion, des choix et de l'action cœxistent harmonieusement tout en se distinguant sur le plan des demandes enrichies faites à l'être humain. Cette cœexistence est beaucoup plus difficile à justifier par un instructeur qui endoctrine en contrôlant la pensée et, donc, le développement de son élève.

L'examen des familles sémantiques tracées ci-dessus et leurs priorités tracent la voie aux cheminements éducatifs suivants:

Matrice E Les cheminements éducatifs

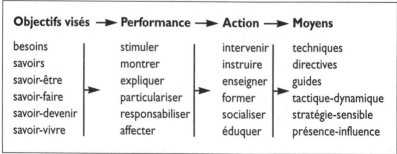

Objectifs visés ➤	Performance ➤	Action ➤	Moyens
besoins	stimuler	intervenir	techniques
savoirs	montrer	instruire	directives
savoir-être	expliquer	enseigner	guides
savoir-faire	particulariser	former	tactique-dynamique
savoir-devenir	responsabiliser	socialiser	stratégie-sensible
savoir-vivre	affecter	éduquer	présence-influence

Explication de la matrice E

Notons que les six cheminements éducatifs, distingués verticalement, partent de nos croyances subjectives sur la nature profonde de l'être humain. Elles se traduisent en thèses édifiantes qui expriment *les finalités* que nous voulons respecter: *besoins, savoirs, savoir-être, savoir-faire, savoir-devenir et savoir-vivre*. Ces objectifs visés sont réalisés par des performances guidées par nos actions intentionnelles qui utilisent des moyens appropriés. Le processus prend alors la forme des fonctions pédagogiques qui vont **d'intervenir**, à **instruire**, à **enseigner**, à **former** et à **éduquer** dans une progression menant à un enrichissement graduel de la personne humaine (Reboul, 1971).

De prime abord, une certaine pratique professionnelle peut être discernée dans la matrice E, car un sentier concret se dégage facilement d'une colonne à l'autre. Ainsi, l'un des six objectifs se réalisera par l'une des performances ajustées dans la mesure où elle est réfléchie par une action éducative correspondante qui utilise le moyen adéquat. En scrutant les rangées, la cinquième nous indique qu'un **éducateur** qui vise la finalité du savoir-devenir utilisera des performances de responsabilisation où les actions sont sociales et les moyens sont des stratégies de sensibilisation. Tout autre, la deuxième rangée indique que **l'instructeur** soumis au but d'acquisition d'un savoir le montrera par une instruction ordonnée selon des directives.

Afin de bien saisir la valeur heuristique de ces cheminements pédagogiques, la tresse de fils distincts peut être détaillée à partir de la multiplicité de qualificatifs révélés dans les différents tableaux déjà exposés. Par exemple, cinq des fils tracés dans la matrice E illustrent ci-dessous les possibilités ainsi ouvertes.

a. Une conviction **naturaliste** avantage les besoins. Il nous faut alors stimuler afin d'intervenir à partir de techniques.

b. Les écoles traditionnelles **culturalistes** prônent le savoir. Indéniablement, cela se montre par de l'instruction qui suit des directives.

c. Un courant **romantique** à la mode vante le savoir-être. Rien de sorcier à vouloir alors expliquer par un enseignement qui guide l'esprit tout au long des idées à comprendre.

d. L'empire américain **fonctionnaliste** favorise le savoir-faire. Il faut alors particulariser par une formation spécialisée au sein d'une activité dynamique.

e. Le penchant contemporain **progressiviste** va vers une préparation au monde futur passant par le savoir-devenir. Ceci se
justifie par un engagement vis-à-vis de la collectivité en tant
que citoyen responsable. Il s'agit alors de faire sentir les
responsabilités qui nous incombent par des stratégies éducatives axées sur des interactions sociales (Phillips, 1981;
Toffler, 1970).

f. Tout récemment se fait jour la prépondérance du savoir-
vivre. Mais, cette idée prend une nouvelle tournure lorsqu'est
mise en jeu la personne intégrale unissant sa pensée, son
affectivité et son corps. Éduquer devient alors une tâche
complexe où la présence idiosyncrasique de l'éducateur
affecte la personnalité de l'élève.

Grâce à la matrice E, nous semblons enfin capables de répondre à la **problématique initiale**, soit «l'enseignement amène un
enfant à devenir un adulte». Il est maintenant évident que les
mots contenus dans cette phrase prennent six couleurs différentes selon le choix des paradigmes idéologiques. Pour être
précis, «l'enseignement» se divise en six modes d'action ou fonctions; de même pour «amener» sur le plan des performances
ainsi que des moyens et, «enfant» plus «adulte» eu égard aux
objectifs visés. Pour ce faire, il me faut adopter un **pour quoi**
représenté par une des trois idéologies subdivisées dans les six
options nuancées par la matrice E. Ensuite, l'importance respective fait ressortir le **pourquoi** grâce aux matrices A (éclairages des
paradigmes idéologiques), matrice B (enfant et adulte, une
analyse sémantique), matrice C (terminologie des champs conceptuels) et matrice D (analyse conceptuelle des rôles et fonctions). Finalement, **les moyens** ou **comment** se résument par la
matrice E à l'aide des quelques explications ci-dessus.
Spécifiquement, le choix de ce qu'est un enfant détermine la
sphère dans laquelle l'adulte opérera (matrice B et C). Puis, ce
choix impose l'idéologie et donc le rôle joué par l'enseignant
(matrice D). Il en découle le moyen à utiliser (matrice E), qui
donne son sens spécifique au mot «amener» mentionné dans la
problématique de départ. Afin d'être plus précis, on peut avancer
que l'enfant, être naturel, deviendra un adulte épanoui lorsqu'il
comprendra sa raison d'être grâce à l'enseignant qui le guide
sans l'entraver. Mais, on peut aussi dire que l'enfant, vu comme
un individu normal, est destiné à devenir un adulte cultivé à

l'aide d'un instructeur qui montre et dirige avec autorité. Le reste est à l'avenant des matrices mentionnées et peut faire l'objet d'exercices pratiques.

Éduquer : qu'est-ce à dire ?

Jusqu'à présent, nous avons établi qu'éduquer se plaçait à la fine pointe enrichissante des activités pédagogiques d'intervenir, d'instruire, d'enseigner et de former. Il semble important maintenant de découvrir les dimensions de cette richesse. Le chapitre I nous a permis, à travers l'exposé des idéologies, de dégrossir l'épaisseur atemporelle que prend chaque élève observé par l'enseignant. En effet, ce dernier se gonfle des idéaux poursuivis de siècle en siècle par les pédagogues. De fait, ils sont deux intervenants dont les ambitions testent les limites de l'univers éducationnel qu'ils arrivent ainsi à polariser. D'une certaine façon, on peut dire qu'ils sont plus grands que nature. Tout au long, nous tenions pour acquis que des visions préconçues enracinées dans nos cultures accordent à chaque participant une stature démesurée dès leur entrée en classe. Bref, l'enseignant, gouverné par des paradigmes, jauge l'élève à la lumière de systèmes de valeurs et d'idées. Alternativement, il prônera l'être naturel, culturel et personnel selon ses allégeances envers les mouvements romantique, culturaliste et progressiviste. Prise en charge par l'enseignant, chaque idéologie drape l'élève dans des formes qui déterminent un régime pédagogique (Eisner, 1982; Green M., 1984). C'est sur ce point que nous allons nous pencher après avoir délimité dans ce chapitre les formes structurelles que prenait l'univers éducatif. Il nous incombe d'organiser les éléments disparates qui composent l'être humain et qui, habituellement, échappe de par leur richesse aux sciences de l'éducation. Le travail est plein d'embûches et de risques car nous défrichons un terrain encore vierge, mais que pourtant il nous faut emprunter pour arrimer la nature humaine au domaine de l'éducation.

Pour commencer, il est crucial de camper ces deux intervenants. Face l'un à l'autre, ils amenuisent la distance qui les sépare en bâtissant un pont fait d'**attachements**. Ce pont marque la double influence de **l'affectivité** et de **l'interaction** dans l'acte d'éduquer. En fait, discourir devant un auditoire passif fait figure d'instruction et passe rarement pour de l'éducation. Pour communiquer, il faut ajouter des conditions minimales telles que l'attention ou les contacts avec leurs préalables. Sans contredit, une communication effective aussi bien qu'une influence à long terme exigent une **présence empathique interactive** qui attache les interlocuteurs. N'oublions pas que la parole constitue 10 % de la conduite humaine tandis que le langage non verbal en forme 90 %.

Des ancrages corporels et culturels au sein du milieu environnant sont essentiels à l'envol d'un être destiné à se prendre en main. En d'autres termes, il doit s'attacher pour devenir un jour autonome. Par conséquent, **s'attacher précède et prépare se détacher.** L'enveloppe de l'être, qui telle une bulle indique les limites de nos actions, s'élargit au fur et à mesure de la conscientisation des objets. Cela est rendu possible par l'opposition qu'ils manifestent aux routines passées. On ne devient conscient d'un objet que lorsqu'il se dérobe face à nos espérances. Par exemple, la mine d'un crayon apparaît soudainement très présente lorsqu'elle se brise; auparavant, elle se fondait dans le crayon. À partir de son absence s'imagine sa présence éventuelle. Ainsi se créent des alternatives et s'amplifie la bulle initiale que l'être crée par sa pensée. Nous soulignons ici une piste pédagogique intéressante qui se fraye un chemin prospectif à l'aide d'oppositions, obstacles et conflits. Bref, se fait jour ainsi l'adage paradoxal «**il faut envelopper afin de développer**» (voir Morin et Brief, 1995). Cette idée empreinte d'affectivité enrobe le développement intégral de la personne que, métaphoriquement, nous comparions ci-dessus à une bulle. Aux prises avec un environnement commun à tout organisme, une lente progression amène la personne à se définir dans un milieu ambiant qui la singularise. En effet, pour nous, la genèse de la pensée est indissociable de la sensibilité qui plonge la personne dans un contact quotidien avec son milieu. Petit à petit, une vision conceptualisée permet de se distancier des objets contactés. Ainsi, l'approche que nous privilégions supplante la psychopédagogie par une **épistémopédagogie** qu'il nous faut bâtir (voir Morin et Brief, 1995). La thèse avancée par ce néologisme pose sur l'avant-scène du théâtre éducationnel une réflexion sur la genèse des connaissances préalable à toute considération psychologique (Royce et Rozeboom, 1972). Pour ce faire, nous commencerons par analyser l'armature épistémologique qui découle des idéologies adoptées.

Qu'est-ce qu'un étudiant à éduquer?

La mise en scène dressée jusqu'à présent situe l'élève au sein du panorama idéologique; il s'agit, évidemment, du personnage central du théâtre scolaire. Le régisseur l'introduit souvent avec un dicton familier, «enseigner les mathématiques à Claude exige non seulement bien connaître les mathématiques, mais aussi connaître Claude» (Meljac, 1979). Ainsi se lève le rideau sur les limites contemporaines du discours pédagogique qui se veut respectueux des idées à la mode ou politiquement correct (Vinette, 1948; Reboul, 1971, 1975). En effet, pour un pédagogue aguerri, la maîtrise d'une matière donnée s'associe à sa connaissance de la nature des élèves qui sont sensés l'assimiler. Cette nature est, le plus souvent, présentée par l'entremise de théories psychologiques qui couvrent à la fois l'apprentissage et le développement (Bruner, 1966; Danset, 1983; De Corte, 1979; Hebb, 1958; Lagache, 1968; Maier, 1969; Piaget, 1970).

Cela ne découvre qu'une partie du casse-tête confrontant l'enseignant. En effet, la vue théorique partielle offerte par les sciences de l'éducation encadre l'individu normalisé sans ouvrir les horizons plus vastes de la personne singularisée. L'enseignant est contraint ainsi à appliquer des techniques sans se sentir obligé de donner des raisons particulières pour ses choix. Traiter le sujet «Claude» dit *normal* permet d'ignorer les débordements du vrai Claude agité par ses émotions et emporté par son imagination. Curieusement, c'est en laissant de côté les présupposés théoriques et en plongeant tête première dans la mer agitée des interactions avec Claude que l'on peut résoudre une partie du casse-tête. Ainsi se fait jour une piste nouvelle. Pour révéler l'être authentique, il est impératif de se prévaloir du privilège non seulement de connaître Claude afin de lui enseigner, mais bien plus prenant, de lui avoir enseigné afin de le connaître réellement. Cette extension de la relation entre les protagonistes éducatifs amène à l'avant-scène la communication qui, dans ce cas, sous-tend un **dialogue interactif** visant la personne *identitaire* tout en évitant le piège des techniques qui encadrent «monsieur tout le monde». Avec une touche d'ironie, on peut avancer que l'enseignant est un *chrono-maître* qui s'ajuste afin de faire avancer l'heure de l'entrée en matière personnalisée du savoir. Connaître les mathématiques, oui! Connaître Claude, bien sûr! Mais encore plus se reconnaître mutuellement!

Rien ne fait mieux ressortir les exigences interactives d'une classe que la première rencontre ponctuée par deux questions significatives: Que faites-vous ici et que ressentez-vous? La première interpelle l'élève et l'enseignant. L'élève répondra entre autres qu'elle veut apprendre ou obtenir un diplôme et l'enseignant prétendra qu'il veut enseigner ou amener une intégration sociale. La deuxième question suscitera des confessions communes telles que «je suis angoissée» ou «un peu désorientée». Deux univers s'ouvrent par ces interpellations; celui où l'aspect cognitif ressort et celui qui touche la dimension affective. D'un côté, nous pensons porter un jugement sur notre rôle tandis que, dans le second cas, nous allons être portés à prendre une décision en fonction de ce que nous ressentons. C'est une version moderne du vieux proverbe qui affirme que «le cœur a des raisons que la raison ne connaît pas» (Taylor, 1989).

De toute évidence, il s'avère crucial, dès les premiers contacts, que l'on se découvre et se révèle mutuellement. Toutefois, encore plus pénétrant, nous sentons qu'un processus se met en marche en se nourrissant de compromis, de négociation, d'équilibre, d'adaptation, de progression, d'amélioration et d'engagement. Tout le vocabulaire de l'intelligence émotionnelle est ainsi mis en branle. Celle-ci se reflète par les demandes imposées par l'interaction immédiate et contextuelle. On sent aussi le besoin d'une explication génétique de ce processus, qui devrait mener à l'idéal d'un être éduqué. Pour ce faire, on se doit d'analyser les phases qui ponctuent le cheminement éducatif. Alors, entre en jeu l'aptitude à gérer sa propre destinée à travers l'autonomie progressive.

Il ressort donc qu'enseigner à quelqu'un afin de le connaître demeure un aspect essentiel de l'acte éducatif (Meljac, 1979). Il introduit toute la dimension génétique du processus d'autonomisation qui est vital pour les interactions humaines. En effet, des contacts initiaux plein d'imprévus et de renouveaux forcent la mise en marche de ce processus vers la prise en charge des situations (Morin et Brief, 1995).

Cette vision ouvre des horizons intéressants. En effet, pour établir ces premiers contacts, **le corps** s'avère indispensable. Il entame les contacts, poursuit l'action, met à jour les intentions; bref, colore toute la pensée qui se bâtit de ses modalités (Garnier, 1989). Le corps se place donc à l'origine du progrès vers l'autonomie par la distance relationnelle qu'il établit avec la réalité.

Placer le corps au cœur de nos connaissances et de nos conceptions du monde devient capital. Soudainement, on est loin d'un
esprit détaché d'un corps quelconque qui se permet de contempler l'univers dans une béatitude libérée de toute émotion. Si
l'on considère que le statut secondaire de la femme, tel que nous
l'avons exposé avec insistance dans la section «L'être humain: la
femme et l'homme» du chapitre 1, lui fut traditionnellement
octroyé de par sa dépendance envers son corps et donc ses émotions, qui la rendent irrationnelle et peu fiable, ce nouveau
traitement épistémologique, avec ses conséquences éducationnelles, apparaît sérieusement révolutionnaire; d'où l'introduction du néologisme «**épistémopédagogie**» (Brief, 1995).

Enseigne-t-on à un élève ou à Claude? Là est l'essence de la
problématique éducationnelle qui justifie l'objet de notre propos. Afin d'éviter de trop se formaliser avec *l'étudiant* au sein
d'idéologies ou de théories psychologiques, l'approche *épisté-
mopédagogique* donne accès à un *Claude* plus singularisé. Ceci
explique le dicton familier axé sur *Claude* qui démarrait cette section (Meljac, 1989). Bien entendu, *Claude* est un prénom fictif,
qui évite un biais sexiste en étant politiquement correct, car il
fait allusion aux genres féminin et masculin en ne pointant pas
du doigt les androgynes.

Face à ce Claude multiforme, l'enseignant peut légitimement
se sentir démuni. Il se réfugie, selon une image brossée par les
pamphlets scolaires, face au tableau noir, l'échine courbée sous le
regard moqueur des élèves. Peu surprenant que les comédies le
montrent l'objet d'attaques par des boulettes en papier mâché
lancées, avec force quolibets, derrière son dos ignorant les petits
génies créateurs à jamais méconnus. Son refuge solitaire, paré de
sa plus belle écriture, est muré par ce savoir savamment dosé
qu'il est supposé infliger. Grâce aux formules désincarnées par les
objectifs de la programmation, il se veut maître de la situation,
des traditions et de l'intégration sociale.

Bien entendu, cet épouvantail caricatural disparaît du monde
occidental contemporain et, à l'ère de la communication, fait
place à l'orateur et à l'acteur prêt à séduire son auditoire.
Attention, la fixation sur cette forme médiatique évince la leçon
trop vite oubliée de l'acteur ignare qui, remplaçant le maître-
expert, reçoit de bien meilleures évaluations estudiantines. Nous
sommes alors coincés entre l'arbre et l'écorce car vouloir séduire
sans rien offrir ne vaut pas mieux que ce sempiternel professeur

caricatural survivant encore avec ses jouxtes démagogiques qui assènent comme par le passé l'érudition et la rhétorique. L'univers scolaire reste quand même, à tort ou à travers, l'institution conservatrice par excellence puisqu'il reste le gardien inamovible de notre culture. Quelle meilleure preuve de cette protection que le vocabulaire étendu qu'il essaye de transmettre aux élèves. Souvent, sa maîtrise devient le garant de la stratification sociale. Tout mouvement progressiste qui veut briser le conservatisme culturaliste va s'attaquer à ce critère d'appartenance sociale. C'est ainsi que l'on vit dans les années 70, un effort d'intégration sociale par le *busing* (transport par autobus) d'enfants des ghettos vers des écoles huppées. L'échec était prévisible puisque ces enfants, maîtrisant environ 2 000 mots, ne purent compétitionner avec les 12 000 adjectifs compris par ceux venus des milieux aisés et, pire encore, ils furent éberlués par les 25 000 qualificatifs utilisés par leurs enseignants issus de la classe moyenne.

Les dimensions humaines

Pour communiquer avec Claude, il faut être capable de le percevoir, de le contacter, de l'écouter, de l'interpréter et de le sentir. Sans ces préalables, on risque fort de manquer le coche. Quelques composantes psychologiques ou sociologiques, égrenées çà et là comme autant de recettes servant à établir des pistes de reconnaissance vers un site bien connu, ne suffisent pas pour vraiment le connaître. Évidemment, établir un contact qui est le préalable nécessaire à toute action subséquente exige de sentir ses idiosyncrasies. Leur perception est bien plus fructueuse et utile que toutes les théories. Se reposer sur les traditions, les représentations sociales, les facteurs psychologiques, l'accumulation de savoir pyramidal nous permettent tout juste de l'amalgamer aux autres élèves et de lui accorder un certain degré de normalité.

L'univers personnel que Claude s'est progressivement construit est tissé de ses émotions, de sa réalité, de son identité et ainsi de suite. Y avoir accès, c'est s'engager sur la voie d'une écoute compréhensive. Pour éviter tout malentendu ou simplement être entendu, les interrogations doivent venir de Claude; ensuite, les réponses savamment ajustées de l'enseignant y font écho. Il doit interpréter la piste entrouverte par Claude afin d'espérer s'immiscer dans sa bulle tout en sachant que la réciproque est plutôt hasardeuse. Raison évidente pour assurer une solide culture à nos enseignants qui, au-delà d'en imprégner leurs étudiants, doivent s'en servir pour les comprendre. Ils se doivent d'imaginer une flopée de mondes virtuels afin d'entrer de plain-pied dans celui habité temporairement par chacun de leurs élèves. À ce prix, les interactions évitent de se transformer en dialogues de sourds ou pire d'être l'occasion d'incompréhensions accusatrices ou de conflits pernicieux. Parenthèse nécessaire, le dialogue n'impose pas exclusivement la compréhension des informations, mais encore plus crucial il implique que l'on s'engage à se croire mutuellement. Pour ce faire, le dialogue passera par le langage du corps aussi bien que par le choix opportun des mots (Bennett, 1971). La lecture, ou l'écoute, est donc bien plus que cognitive, car elle fait appel à toutes les autres dimensions de l'être humain. N'oublions pas à cet égard que les 90 % de la conduite humaine constitués par langage corporel interactif supplantent les 10 % formés par la communication orale.

Bien des auteurs s'acharnent à indiquer la direction à prendre pour étoffer nos programmes de manière à se rendre complice de Claude (Eisner, 1982; Greene, 1984). Leurs voix sont étouffées par le silence qui les accueille. Il faut se joindre à eux en espérant circonscrire la zone *d'où vient ce silence*. Sans réponse à l'appel de ceux qui proclament l'importance de *la sensibilité des personnes que sont les élèves*, les pédagogues qui habitent cette zone s'ébruitent pour ne point les écouter en orchestrant des programmes classiques. Tels ceux qui sont axés sur l'acquisition simultanée des savoirs, savoir-être, savoir-faire auxquels sont ajoutés dernièrement le développement cognitif ou celui des compétences. Les sections précédentes tentaient justement de montrer que chacune de ses acquisitions se sériaient selon une progression enrichissante. Ils s'inséraient donc dans des programmes différents et, par là, évitaient de fomenter une cacophonie pédagogique. Claude y prend les formes successives d'un être à instruire, à enseigner, à former, à socialiser et à éduquer. Rien de bien sorcier, il faut savoir garder chaque chose pédagogique bien à sa place sans vouloir tout réaliser en même temps. Toutefois, il est crucial de saisir que Claude, la personne, réalise la plénitude intégrale de ce périple éducatif. Il ne peut être sectionné selon les objectifs programmés que rejettent sa sensibilité et son autonomisation en devenir.

Dans un premier temps, accéder à la complexité de Claude requiert une dissection descriptive des fibres qui le meuvent. Le corps central brossé jusqu'ici distingue quatre dimensions humaines essentielles: **le savoir** qui ramasse toutes les connaissances accumulées; **la pensée** qui s'astreint à réfléchir et comprendre ce qui lui donné; **le sentir** qui se destine à accorder une l'importance préférentielle aux idées; **l'agir** qui est limité par les situations exigeant une décision. En tant qu'enseignant, s'occuper de Claude exige d'intervenir auprès de ces quatre dimensions. Pour ce faire, une vue panoramique striée de tout l'univers éducatif se révèle appropriée (tableau 3).

Les formes de connaissance

Chaque acte éducatif interpelle Claude à travers ses quatre dimensions humaines: **savoir, penser, sentir et agir**. Pour s'ingérer dans cet univers complexe, il s'avère important de passer par les **quatre formes de connaissance suivantes: technique, psychologique, interactive et génétique**. C'est-à-dire que l'enseignant emploiera des techniques pour inculquer des connaissances, s'inspirera de théories psychologiques pour former la pensée, s'appuiera sur des interactions pour développer la sensibilité et aidera la genèse progressive des agissements délibérés. Par contraste, il semble inopportun ou inefficace, selon les analyses présentées dans les sections précédentes, de rechercher des techniques pour bâtir chez l'enfant une personnalité sensible ou active. Dans ce cas, le danger d'artificialisme, de superficialité ou pire d'endoctrination accompagne ces approches pédagogiques. Par ailleurs, étant inauthentiques, ces interventions risquent fort de provoquer le décrochage.

L'expertise dans les matières enseignées et dans les théories d'apprentissage et de développement appuient les exigences **techniques et psychologiques**. Par ailleurs, l'accès aux dimensions affectives de l'être exige des **interactions** qui autorisent une lecture circonstanciée des interlocuteurs. Bien entendu, devenir un bon lecteur demande une conscience aiguisée, un sens de *la présence* des êtres devant lesquels on se trouve en présence; en d'autres termes, l'épanouissement d'une certaine forme d'**intelligence émotionnelle** (Brief, 1995). Quant à la quatrième porte d'accès, elle s'ouvre sur **la genèse** des traits personnalisés afin de comprendre les motivations et intentions qui appuient les actes ponctuels. On entre alors de plain-pied dans **le processus d'autonomisation** (Morin et Brief, 1995).

Les deux dernières formes du développement humain s'avèrent constituer des instruments indispensables donnant accès au contact privilégié avec Claude. Alors que le premier excise les composantes émotivo-affectives qui surgissent dans le feu de l'action, le second met à jour les actions enduites d'un engagement progressif. Orientée vers le dynamisme progressif d'une personne, l'analyse génétique offre un mode explicatif moins statique que la description interactionnelle.

Dès lors, l'insaisissable commence à se maîtriser lorsqu'engagés dans la compréhension multiforme à l'aide des analyses génétique et interactionnelle, nous pouvons espérer cheminer en symbiose avec Claude. En fonction des idées émises jusqu'à présent, deux sentiers se dessinent. Le premier est déjà défriché et partiellement cimenté par des psychologues qui opèrent, au sein de leurs théories, avec des sujets s'activant dans des conditions normales. Le second doit être dégagé par des éducateurs enchevêtrés dans la broussaille des rencontres ponctuelles. Pour ces derniers, chaque contact avec Claude s'encombre d'une multitude de réseaux interactifs dont la gestion déclenche un processus d'acclimatation qui, s'il est bien mené, devrait conduire tous les partis concernés à s'adapter. Il s'agit évidemment de découvrir les qualifications requises à l'arrivée en regard de celles considérées au départ. Dans ce cas, les questions à poser sont: *où est-on? Où va-t-on?* De nouveau, les signes avant-coureurs envisagés dans les remarques préliminaires nous servent de guide. Lors de la première rencontre, les protagonistes éducatifs souhaitent certaines choses tout en ne sachant pas exactement où ils se situent eu égard à ces espérances. L'enseignant désemparé, tel un apprenti sorcier pressé par le rôle technique qui lui est dévolu, se sent incapable d'augurer les conséquences pratiques de ce qui ressemble à des incantations auprès d'un être idiosyncrasique qui lui échappe. L'intelligence émotionnelle et le processus d'autonomisation sont de force appelés à la rescousse pour éclairer les aspects interactifs et génétiques de ces rencontres initiales (Morin et Brief, 1995).

Les domaines éducationnels

Il nous faut garder en tête que les quatre champs conceptuels, distingués par leur colonne respective dans la matrice C, s'ensemencent de dimensions humaines mises en jeu lors de la découverte de Claude. Évidemment, la découverte réciproque s'organise aussi autour de la vision évolutive que se fait Claude de son interlocuteur, qui souvent surgit sous la forme d'un enseignant flambant neuf. Ici, nous faisons allusion à la rencontre initiale des deux inconnus qui, lors de ce processus éducatif, doivent devenir des partenaires après avoir façonné les atomes crochus nécessaires pour sentir leur présence mutuelle riche de bienveillance et d'authenticité.

Mettre de l'avant les dimensions humaines reflète la complexité de cet être qui s'enrichit au fur et à mesure de ses modes d'existence et, comme des pelures d'oignons, les superposent progressivement les uns après les autres. Au bout de ce processus d'autonomisation se réalise, on l'espère, **son autonomie intégrale** (Morin et Brief, 1995). Cette richesse imposée par l'être qui se développe transcende de loin les exigences liées au simple apprentissage régulièrement défendu par une pédagogie traditionnelle trop restrictive. Ryner l'exprimait poétiquement dans La tour des peuples (1946), cité par Claire Meljac (1979, p. 220): «Tu ne peux rien compter. Tu es une menteuse si tu oses compter même jusqu'à deux. La datte que je mange n'a pas le même goût que la datte que tu manges. Elle est plus petite et elle est plus m°re. L'une était lisse, l'autre ridée. Leur couleur différait et aussi leur parfum. Compter des êtres et des choses qui ne se ressemblent pas, c'est dire qu'ils se ressemblent. Compter même jusqu'à deux, c'est me rendre sourd et aveugle, c'est fermer tous mes sens.»

Les allusions ainsi faites font ressortir le besoin d'adapter chaque apprentissage aux conditions particulières d'existence des êtres qui le subissent. Il est indéniable que le savoir universel est pris en charge par des formats standardisés d'apprentissage issus de théories psychologiques. Le principe sacro-saint de l'intégration sociale l'exige. Cependant, comme nous l'avons vu précédemment, la marque d'une éducation n'est pas de se comporter comme un animal bien dressé, mais d'agir avec souplesse, à bon escient et délibérément. Pour le démontrer, les deux dattes, une fois comptées, reprennent leurs particularités plus propres à des agissements circonstanciés. Dénombrer les fruits équivaut à les dénaturer, les calcifier, les empêcher d'être savourés à leur juste valeur individuelle et d'être l'objet d'offrande aux inconnus pour les amadouer. Ce défaut empire lorsque l'école stratifie les personnages et les sites historiques ainsi que les points géographiques. Leur valeur existentielle et esthétique qui donne le goût de les revisiter est évacuée. Une victime de marque est l'éducation sexuelle qui, sous l'emprise des théories physiologiques ou biologiques, perd tout espoir de susciter la sensibilité et, même, la sensualité. Ces remarques rejoignent et élargissent celles réunies lors des discussions sur les différences à noter entre intervenir, instruire, enseigner, former, socialiser et éduquer (matrice D).

L'aspect notoire qui ressort de ces remarques pointe vers les entrées cachées que l'enseignant emprunte afin d'intervenir personnellement auprès de ses interlocuteurs. Nous poursuivons ainsi la discussion entamée par l'analyse sémantique des statuts de l'enfant et de l'adulte (matrice B). L'effet structurel imposé par la problématique initiale du **pour quoi, pourquoi et comment** peut maintenant se dynamiser dans un esprit plus naturel grâce aux dimensions humaines enrichies mises en jeu ci-dessus. Premier élément de marque, lors des premiers contacts, *Claude l'enfant* n'a pas qu'un statut officiel généralement affublé de traits uniformisés tels qu'il est petit, effervescent ou irresponsable. Il provoque l'interrogation et, parfois la surprise, comme tout être rencontré pour la première fois sous la forme d'un adolescent, étudiant, chômeur, client ou patient. À partir de ce point originel qui engage deux personnes à se connaître, l'inconnu est bien plus qu'un individu qui sera aiguillé sur la voie de l'adulte, du professionnel, de l'employé, du malade guéri ou de l'acheteur satisfait.

Il prend les formes personnalisées appropriées à un cheminement de concert avec celui qui est supposé l'aider. De désemparé qu'il est au départ, il est évident qu'il s'attend à devenir éclairé et plus maître qu'avant des situations qu'il est appelé à vivre. En langage commun, cela veut dire que la sophistication supplante la nouveauté. De fait, cela trahit le processus d'autonomisation qui l'amène par vagues successives de l'initiation, à l'intégration, à la réalisation et, finalement, à l'autonomie intégrale; mais, point crucial, eu égard à chaque situation dans laquelle il est plongé. Le processus redémarre pour chaque situation nouvelle qui requiert une adaptation circonstanciée (Morin et Brief, 1995). Bien entendu, ce processus prend les couleurs particulières aux catégories de gens mentionnés précédemment. Un enfant destiné à devenir adulte ne se qualifie pas comme un chômeur qui un jour sera employé. Ainsi, l'enfant est effervescent; le chômeur est désorienté et leur accoutumance respective se plie aux conditions de leur existence différenciée.

Dans le même esprit de renouveau perpétuel qui impose un effort d'autonomisation sans cesse renouvelé, l'accent mis sur les ambitions professionnelles d'un enseignant révèle des zones opérationnelles qu'il lui faut contrôler. Il est bien sûr attaché en vertu de ses idéologies à épouser les six cheminements éducatifs identifiés dans la matrice E; mais il lui faut maintenant les adopter et les adapter en fonction des personnes rencontrées. C'est ce qui se délimite et se donne des couleurs personnalisées au sein des **domaines éducatifs** axés sur **les matières, le développement, l'intelligence émotionnelle** et **l'autonomisation.**

Sans aucun doute, il s'agit en premier lieu d'impartir, de générer, d'interagir et de libérer grâce à ces cinq domaines. En effet, mener à bien une tâche d'enseignant qui, dans ce cas est éducative, impose le souci d'impartir des connaissances qui s'ajustent non seulement au développement généré de la personne concernée, mais aussi au contexte interactif dans lequel elles sont interprétées. Ces éléments relèvent d'un souci herméneutique auquel s'ajoute une manière propice de s'engager à l'aide d'heuristiques dans la genèse identitaire libératrice de l'être confié (Morin et Brief, 1995). L'ère est révolue des ordres péremptoires tels que «mange ta soupe» ou «mémorise ce poème». Le code déontologique d'un professionnel de l'enseignement l'enjoint d'interagir non plus avec un individu normalisé, mais avec une personne à part entière à laquelle il présente des raisons intéressantes pour agir. L'accent mis par *raisons intéressantes* survient du fait que l'enseignant se plie aux intérêts accrochés au passé de son partenaire, qui se détache grâce à son autonomie enfin développée.

Les discours parallèles en éducation

Les étapes empruntées par les **champs conceptuels** et toute leur panoplie de concepts identifiés dans le corps du texte montrent bien que, pour comprendre *l'acte éducatif*, il ne faut jamais le prendre isolément (matrice A et C). **Les cheminements éducatifs** (matrice D et E) donnent à cet *acte éducatif* des couleurs personnalisées lorsqu'«**éduquer**» et l'«**élève**» sont contextualisés.

Cela est rendu possible grâce aux **dimensions humaines, formes de connaissance** et **domaines éducatifs** exposés ci-dessus dans leurs sections respectives.

Pour être plus précis, notons que le fait réel est effectivement isolé et qu'il ne s'associe à d'autres phénomènes que lorsqu'il est enregistré. Ceci signifie qu'il s'inscrit comme concept dans un réseau compréhensif, pour être ensuite comparé et hiérarchisé par des préférences personnelles qui le valorisent. Finalement, la praxis quotidienne l'inscrit dans la riche toile d'un contexte qui engage vers une décision. Tout ce périple se renouvelle per-pétuellement lors de rencontres inattendues avec des réalités suc-cessives formant la spirale de développement du connu personnellement construit. Une synthèse des univers progres-sivement maîtrisés peut ainsi être présentée.

Tableau 3 Synthèse des discours parallèles

	CHAMPS	POSITIONS	OPTIONS	COURANTS
Dimensions humaines	Savoir	Penser	Sentir	Agir
Formes de connaissance	Technique	Psychologique	Interactive	Génétique
Champs conceptuels	Science	Philosophie	Idéologie	Éducation
Domaines éducatifs	Matières	Développement	[Intelligence émotionnelle	Autonomisation
Moyens pédagogiques	{ Intervenir Instruire	Enseigner	Former	Éduquer
Convictions préférentielles	Sciences	Logique	Art	Vécu
Choix décisionnels	Savoirs	Savoir-être	Savoir-faire	Savoir-devenir

Point notable, les en-têtes du tableau 3 se distinguent suivant les quatre formes de plus en plus complexes que prend le discours eu égard à la riche réalité éducationnelle. En effet, un être humain va d'abord établir ce qu'il connaît (champs), puis il va essayer de le justifier (positions) avant de montrer ses préférences (options), pour ensuite décider quoi faire (courants éducatifs). Évidemment, ces quatre façons d'envisager le monde s'inscrivent dans des discours différents qu'exemplifient les colonnes.

Le mot **Champs** démarque les contenus quasi cartographiques propres aux connaissances diverses qu'il nous faut à un moment donné maîtriser.

Position note l'effort à déployer pour s'ancrer et se situer par rapport à nos conceptualisations cohérentes qui peuvent cœxister et qui soutiennent nos discours consistants, donc sans contradictions.

Option qualifie les choix à faire dans la myriade de systèmes axiologiques légués par notre milieu socioculturel. D'ailleurs, face à des choix obligatoires à faire, on dit souvent que l'idéologie est de la colle dont on ne peut se dépêtrer.

Courant entraîne le flot de nos décisions praxiques dans le lit creusé par les écoles de pensée à saveur pédagogique.

Spécifiquement, la première rangée illustre ces différences en notant que les dimensions humaines se départagent en quatre univers différents. Le savoir est une cheville essentielle qui se divise en champs de connaissance. Toutefois, il faut y penser avant d'établir une position qui dépend essentiellement de la crédibilité eu égard au degré de vérité et de validité des assertions qui l'appuient en tant que savoir. Quant à l'option choisie, elle s'opère selon les préférences comparatives accordées aux connaissances considérées. La dernière colonne de cette première rangée mise sur la décision d'agir qui sera prise en fonction du courant éducatif et de la place curriculaire décernée à ce savoir eu égard à son utilité pratique éventuelle.

Il est aisé de reconnaître les alliances possibles qui se forment le long des colonnes. Par exemple, les savoirs ou connaissances aux contenus divers tout en haut de la première colonne mettent en jeu certains éléments que l'on retrouve verticalement. Spécifiquement, le savoir s'appuie sur des matières qui forment le corpus d'une instruction lorsque leur fiabilité est consolidée grâce à des techniques aux méthodologies donnant au savoir une crédibilité scientifique. On peut aussi construire des discours plausibles en suivant les rangées telle la quatrième qui maintient que le contenu (matières) exige un format (développement) qui prend de l'importance valorisante (intelligence émotionnelle) lorsque la personne l'assume par ses décisions (autonomie).

Respecter les discours parallèles demeure une priorité si nous voulons faire avancer nos points de vue et défendre des projets sans engendrer de contradictions. En effet, les réseaux de concepts présentés par les colonnes cernent avec **consistance** (sans contradictions) les arguments éventuels. Dans un autre registre, le tableau 3 indique que les univers indiqués par les rangées forment une progression **cohérente** exemplifiée par la cœxistence pacifique des univers considérés (tableau 3, rangées 2, 3, 6 et 7).

Bibliographie

Bennet, J. (1971). *Rationality*. N.Y.: Humanities Pr.

Bertrand, Y. (1998). *Théories contemporaines de l'éducation*. Montréal: éd. Nouvelles.

Bonboir, A. (1974). *Une pédagogie pour demain*. Paris: PUF.

Brief, J.C. (1995). *Savoir penser et agir*. Montréal: Logiques.

Bruner, J. (1960). *Process of Education*. Cambridge, Mass: Harvard U. Pr.

Bruner, J. (1966). *Toward a Theory of Instruction*. Cambridge, Mass.: Harvard U. Pr.

Cambon et al., (1974). *Anthologie des pédagogues français*. Paris: PUF.

Chateau, J. (1979). *Les psychologies de l'enfant dans l'école française*. Paris: Privat.

Danset, A. (1983). *Psychologie du développement*. Paris: A. Colin.

De Corte, E. (1979). *Les fonctions de l'action didactique*. Bruxelles: Boeck.

Eisner, E. (1982). *Cognition and Curriculum*. N.Y.: Longman.

Faure, E. (1972). *Apprendre à être*. Paris: Fayard.

Fourastié, J. (1972). *Faillite de l'université?* Paris: Gallimard.

Frankena, N. (1965). *Philosophy of Education*. N.Y.: MacMillan.

Freiberg, P. (1980). «Teacher Intentions and Teaching Decisions». dans *Educational Theory* 30.1, p. 39-45.

Garnier, C. (1991). *Le corps rassemblé*. Montréal: éd. agence d'Arc.

Gauquelin, M. (1971). *La psychologie moderne de a à z*. Paris: Centre d'étude de lecture.

Goguelin, P. (1970). *La formation continue des adultes*. Paris: PUF.

Grandmaison, J. (1976). *Pour une pédagogie sociale d'auto-développement en éducation*. Montréal: Stanké.

Greene, M. (1984). *Landscapes of Learning*. N.Y.: TCP.

Green, T. ((1971). *The Activies of Teaching*. N.Y.: McGraw Hill.

Guérin, M. (1998). *Dictionnaire des penseurs pédagogiques.* Montréal: Guérin.

Gursdorf, G. (1963). *Pourquoi des professeurs.* Paris: Payot.

Hassenforder, J. (1970). *L'innovation dans l'innovation.* Paris: PUF.

Hebb, D. (1958). *Psycho-Physiologie du comportement.* Paris: PUF.

Hirst, P. et Peters, R. (1970). *The Logic of Education.* London: Routledge.

Kapunan, S. (1975). «Teaching implies Learning» dans *Educational Theory* 25,4.

Kohlberg, L. (1972). «Development as the Aim of Education» in *Harvard Educational Review,* 42.

Lagache, D. (1968). *Unité de la Psychologie.* Paris: PUF.

Lerbert, C. (1980). «Archéo-pédagogie» dans *Revue française de pédagogie,* 53.

Maier, H. (1969). *Three Theories of Development.* N.Y.: Harper.

Maritain, J. (1962). *The Education of Man.* Garden City NJ.: Doubleday.

Meljac, C. (1979). *Décrire, agir et compter.* Paris: PUF.

Morin, J. et Brief, J.-C. (1995). *L'autonomie humaine.* Montréal: PUQ.

Peters, R. (1967). *The Concept of Education.* London: Routledge.

Phillips, D. (1981). «Perspectives on Teaching as an Intentional Act» in *The Australian Journal of Education,* 25,2.

Piaget, J. (1970). *Épistémologie génétique.* Paris: PUF.

Reboul, O. (1971). *La philosophie de l'éducation.* Paris: PUF.

Reboul, O. (1975). *Le slogan.* Paris: PUF.

Rorty, A. (1966). *Pragmatic Philosophy.* N.Y.: Doubleday.

Royce, J. et Rozeboom, W. (1972). *The Psychology of Knowing.* N.Y.: Gordon-Breach.

Scheffler, I. (1960). *The Language of Education.* Springfield, Ill.: C. Thomas.

Scheffler, I. (1973). *Reason and Teaching*. London: Routledge.

Schwartz, B. (1973). *Apprendre demain*. Paris: Aubin-Montaigne.

Soltis, J. (1968). *An Introduction to the Analysis of Educational Concepts*. Menlo Park, CA: Addison-Wesley.

Taylor, C. (1989). *Sources of The Self; The Making of the Modern Identity*. Cambridge, Mass.: Harvard Un. Pr.

Toffler, A. (1970). *Le choc du futur*. Paris: Denoël.

Vial, J. (1975). *Vers une pédagogie de la personne*. Paris: PUF.

Vinette, R. (1948). *Pédagogie générale*. Montréal: Centre de psychologie et de pédagogie.

Whitehead, A. (1929). *Process and Reality*. N.Y.: Free Press.

CHAPITRE III
L'esprit critique: oui mais!
Un œil critique posé
sur les paradoxes éducationnels

Remarques préliminaires

Les cinq moments de la réflexion critique sur l'éducation délimitent le quoi, le pour quoi, le pourquoi, le comment et le oui, mais!

Dans ce chapitre, nous ouvrons le panier de crabes du *oui mais!* Il contient les cas difficiles, controverses, ambiguïtés, paradoxes et, bien entendu, les laissés-pour-compte qui ne veulent pas se tenir cois, car ils remontent toujours à la surface en défrayant les chroniques.

L'un d'eux et non l'un des moindres touche au partenariat que l'éducation maintient avec la presque totalité des autres disciplines (De Landsheere, 1979). Le danger vient de la facilité à confondre partenaires égaux et héritière subalterne. Dans le second cas, l'éducation se retrouve tributaire d'une multitude de disciplines disparates. Cette remarque, apparemment triviale, débouche sur des conséquences qui le sont beaucoup moins. En effet, les alliances multidisciplinaires, entérinées par un vocabulaire partagé, se muent souvent en une dépendance où l'éducation perd de son innocence. En empruntant aux autres terminologies, elle n'exprime plus la réalité qui la fait vivre. Signée alors dans un langage multiforme, ses thèses entraînent dans leur sillage contradictions et malentendus. Une sorte de plagiat contre-nature ternit la pureté de son discours et gâte l'héritage jusqu'à provoquer une crise d'identité. La pédagogie se soumet alors aux thèses biologiques, ethnologiques ou psychologiques imposées par la simple transposition de leurs théories. Ce qui aurait dû être inspiration devient servitude où le pédagogue perd toute volonté à produire un discours qui sied à la réalité très particulière qu'il est supposé s'approprier. Celle-ci se qualifie par une richesse sémiotique incomparable où se reflète la complexité de l'agent humain. Les mots empruntés à toutes les disciplines produisent un langage également complexe, mais étant donné qu'il est mis à toutes les sauces liées à leurs origines diversifiées, on finit par ne plus savoir de quoi on parle (Levinson, 1985). Ce mélange crée des effets vaporeux, incertains et confus. Dans ce cas, qui dit *vaporeux* songe à interprétations diversifiées peu dégagées; qui dit *incertains*, suggère significations multiples jetées pêle-mêle dans un même argument; qui dit *confus*, parle de conséquences peu définies et de décisions à contre-courant. C'est, d'ailleurs, l'interprétation que nous choisirions pour concourir à *l'insoutenable légèreté de la pédagogie* (Gauthier, 1993, p. 116-118).

L'usage intempestif d'expressions où les mots non seulement cohabitent, mais s'intervertissent dans l'anarchie la plus totale, gêne l'éducateur consciencieux. Sa pratique linguistique guidée par le bon sens est un atout notable dont il devrait amplement se servir pour donner accès aux singularités sémantiques de son domaine (Coudray, 1973; Legendre, 1988). Le scientifique doit en être écarté car il se complaît dans l'universalisme de ses définitions terminologiques. Malheureusement, le pédagogue perpétue le malaise en ne séparant pas nettement une sémantique propre à l'éducation de celles imposées par les stipulations propres à d'autres champs (Gauthier, 1993, p. 19-26). De plus, il court-circuite son droit le plus absolu à professionnaliser son discours. Pour donner un aperçu du genre de nettoyage conceptuel à effectuer, nous allons essayer d'approfondir et de distinguer l'originalité du discours de l'éducation et la spécificité du monde éducationnel. En s'alignant du côté d'une terminologie scientifique propre aux sciences de l'éducation, ce sont les méthodes quantitatives et qualitatives qui sont mises en jeu. Tout au contraire, la sémantique contextuelle de l'éducation ne peut être cernée que par une **analyse réflexive**. Cela veut dont dire que les chercheurs sont tentés d'utiliser, en général, une méthode quantitative et se réservent l'approche qualitative pour les cas marginaux d'analyse d'autobiographie, de journal de bord ou d'examen clinique minutieux de deux ou trois sujets. Virant plus vers la contextualisation nécessitée par l'éducation, l'usage de l'analyse réflexive devient impératif selon les qualificatifs distinctifs que l'on peut dresser.

CONCEPTS REPRÉSENTATIFS	
méthode quantitative	**analyse qualitative/réflexive**
sciences	éducation
théorie	pratique
individu	personne
normal	singulier
général	unicité
universel	personnel
contrôle	écoute
clarté	richesse
certitude	plausibilité
validité	crédibilité
prévision	interprétation
similarité	singularité
théorie	enquête
modèle	contexte
laboratoire	situation

Problématique et analyse réflexive

La réalité éducationnelle recouvre tous les efforts mis en jeu pour aider un être humain à se développer. Comme nous l'avons vu précédemment, cela peut aussi bien vouloir dire l'encourager à croître que l'amener à s'enrichir ou l'inciter à s'améliorer. Ceci reflète en éducation trois formes différentes du développement soutenues par des idéologies particulières dont les autres disciplines n'ont cure; raison importante pour ne pas en être trop fidèlement tributaire. En regard de ce développement multiforme, l'acte éducatif devra situer l'être humain en cours de route ou parfois même au départ. Ensuite, il l'accompagnera dans son cheminement en escomptant des lendemains progressifs. Dans cet esprit peut se relire la préface dont la pensée initiale était: *éduquer, c'est se voir aujourd'hui et se dire à demain.*

Toutefois, après le périple effectué jusqu'à présent, on s'aperçoit que la banalité polie de cette phrase recouvre la complexité et l'originalité de l'œuvre éducative. En effet, elle ne ressemble à aucune autre entreprise, car par le trûchement du développement d'un être humain elle en recouvre l'intégralité. Seul un discours solidement articulé peut en exprimer la richesse. Pour ce faire, les quatre moments d'une problématique, d'une thèse, d'une analyse conceptuelle et d'une analyse réflexive s'avèrent nécessaire. En effet, l'expression de ses problématiques à l'aide de thèses expose la spécificité de sa réalité et une analyse sémantique complétée par une analyse réflexive révèle les particularités de son discours.

La problématique

Un thème donné paraît problématique lorsqu'il nous provoque. Ensuite, on se sent obligé d'exprimer ce qui semble questionnable ou, plus personnellement, ce qui nous chiffonne.

Dans un premier temps, apparaît problématique *ce qui se dit*, puis *ce qui se fait* et, enfin, *ce qu'il y a à faire*.

Ce qui se dit a été maintes fois dénoncé dans ce texte et ailleurs lorsque cela prend la forme de slogans et de clichés ou s'exprime dans une langue de bois sans relief (Gauthier, 1993; Reboul, 1984). On reproche alors au thème sa banalité, son manque de courage face à un *non* péremptoire et, plus grave encore, les contradictions et incohérences qui le bousculent. Notre approche tout au long de ce travail consiste à blâmer la confusion terminologique due aux origines disciplinaires diversifiées. Notre solution a été de clarifier les mots en leur trouvant un sens spécifique à l'éducation. C'est ce que nous poursuivons dans ce troisième chapitre en faisant ample usage de l'analyse sémantique expliquée ci-dessous.

En creusant plus avant ce qui chiffonne dans une problématique, nous découvrons cinq causes relativement précises du malaise créé par *ce qui se dit*.

Premièrement: les descriptions tendent à être floues et ambiguës car elles sont exprimées en des mots inappropriés qui ne cernent pas bien la situation éducationnelle envisagée. Un exemple flagrant nous est fourni par le mot *développement*, relevé plus haut, dont les acceptions multiformes autorisent des actions pédagogiques incohérentes ou à contre-courant; on développera aussi bien *le naturel* que *la culture* par des modules d'objectifs. *La matrice B* s'avère d'une utilité certaine à cet égard puisqu'elle réunit autour de thèmes fixes des notions qui nous permettent de **décrire** précisément une des facettes de la situation présentée.

Deuxièmement: ce qui est dit semble sortir tout droit d'une *intuition* qui n'exige aucune raison justificatrice (ceci est d'ailleurs la définition kantienne d'*intuition*). En d'autres mots, personne ne semble vouloir **s'expliquer** et cela nous laisse sur notre faim. Si enseigner est, au premier chef, expliquer de quoi il s'agit, on a failli à sa mission. Plus précisément, si la proposition avancée ne s'insère pas dans une argumentation serrée, l'évènement qui lui correspond ne fait partie d'aucune réalité. Le *comment* a été totalement évacué. D'où l'importance des colonnes de la *matrice C* qui nous offrent l'occasion de bâtir des arguments consistants (sans contradiction) lorsqu'il faut nous **expliquer.**

Troisièmement: ce qui est dit suscite un *pourquoi* interrogateur par lequel nous espérons saisir la raison d'être du fait rapporté. Si la fonction qu'il devrait remplir au sein d'un ensemble factuel élargi n'est pas expliquée, nous n'arriverons pas à **comprendre** de quoi il s'agit. Très souvent, il faut subsumer le fait présenté sous des principes qui le gouvernent ou décrire la procédure qui l'a fait ressortir pour le comprendre. Le tableau 2 et la matrice D gagnent ici un droit de parole fructueux par le fait qu'ils lient les fonctions aux tâches précises à pratiquer et par là nous aident à **comprendre** les faits isolés.

Quatrièmement: les affirmations semblent peu plausibles car elles ne correspondent pas aux faits présentés. Qu'elles soient des thèses ou des hypothèses, leur confirmation reste improbable. Nous n'arrivons donc pas à **interpréter** ce qui est dit, car nulle réalité précise nous aide à le comprendre. En d'autres mots, nous ne pouvons être les interprètes des paroles prononcées du fait que la situation décrite reste ténébreuse. Le chemin allant de ce qui est affirmé à une réalité quelconque est bloqué. En se référant à *la matrice A*, des **interprétations** plus claires sont possibles puisqu'on découvre que les thèses avancées en fonction d'idéologies se réalisent aisément dans le monde respectif de certains types d'êtres humains et de leurs façons d'agir.

Cinquièmement: dans ce cas, les objets ou propriétés présentés sont difficilement identifiables à l'aide des mots prononcés. Nous avons du mal à nous **représenter** ce qui est dit, car le vocabulaire est trop imprécis. Le chemin nous dirigeant d'un fait donné jusqu'aux mots appropriés pour le représenter est obscurci par leurs imprécisions. Il est bon de réaliser que les faits n'entrent pas dans les arguments tels quels. En effet, étant riches, ambigus, contextuels, ils doivent être représentés au sein de catégories pour les conceptualiser. Par conséquent, un argument évoluera d'un concept vers un autre concept grâce aux propositions qui les contiennent en se soumettant aux propriétés communes à plusieurs faits du même type. Un appel aux tableaux 2 et 3 du chapitre II montre l'évolution des éléments concrets facilement réalisables aux rôles conceptualisés et souligne l'effort à accomplir pour **représenter** les réalités éducatives en termes qui se tiennent.

En conclusion, être confronté à une problématique survient lorsque je suis incapable de **décrire**, de **comprendre**, d'**expliquer**, de **représenter** et d'**interpréter** ce qui m'est dit. Il me faut, dans un premier temps, le clarifier en lui donnant du sens et en cernant la réalité qui lui correspond. Idéalement, cela signifie que j'identifierai les objets et leurs propriétés avant de les lier au sein d'évènements. Bref, la représentation précède l'interprétation. C'est-à-dire, il me faut définir les mots qui identifient les objets afin de les conceptualiser et les insérer dans un modèle représentatif. Ensuite, il m'est possible d'interpréter par des hypothèses explicatives les évènements auxquels je fais face.

Les *matrices* distinguées par l'analyse critique accomplissent ce travail en insérant ce qui est dit dans des réseaux conceptuels. Ceux-ci, soutenus par des visions idéologiques et des pistes pédagogiques, ouvrent des fenêtres sur des réalités éducatives éventuelles. Elles créent donc des passerelles entre les faits ponctuels et les mots qui les qualifient. Ainsi se forment des représentations cohérentes qui relient les affirmations à des évènements afin d'établir des interprétations consistantes..

La tournure imposée par cette façon de voir les problématiques montre bien l'importance primordiale des relations à établir entre le discours et la réalité. Les formats et les contenus restent des pistes d'investigation à privilégier. D'autant plus qu'en éducation, les attentes de toute une société dirigent en filigrane les lignes de conduite qui dépendent intimement du discours saisissant les réalités. Par les cheminements éducatifs tracés dans la *matrice E* nous tentons de répondre à ces attentes. L'enquête à mener suite à la provocation suscitée par les discours confus doit faire front, à l'aide de cette matrice E, aux moyens à utiliser aussi bien qu'aux cheminements des étapes éducatives.

Traditionnellement, la grande richesse de l'univers et des objets qui le composent suscite l'usage simplificateur de représentations dans des réseaux conceptuels qui en cernent l'essence relationnelle. Le monde de l'éducation, exemplaire privilégié de cette opulence, gagne à être saisi dans les mailles de ces réseaux; de là, l'effort prodigué à construire *les matrices*.

Poussé à son paroxysme, ce besoin simplificateur est satisfait par une approche scientifique qui supplante le diffus et l'ambiguïté par la précision et la clarté. D'où la tendance populaire à bâtir que l'on remarque dans les sciences de l'éducation. Mais le dilemme apparemment irréconciliable entre les ambitions scientifiques de sobriété et le souci réaliste d'affluence peut se dénouer par un choix séquentiel de la richesse puis de la clarté qui passe du vécu à la science.

Les sections «Éducation et psychologie» et «Croire et savoir» ci-dessous cernont les limites afin d'éviter le dessèchement provoqué par les modèles systémiques qui, justement, introduisent de **la clarté** aux dépens de **la richesse** du réel. On recherche par-dessus tout à garder un peu de la fraîcheur adhérant à la réalité éducationnelle.

En accord avec ce qui vient d'être exposé, il semble utile de faire ressortir les aspects formel, explicatif, axiologique et praxique de la problématique proposée. En d'autres termes, il s'agit de formellement identifier les notions-clefs, la structure et les types logiques d'argument; d'expliciter les conclusions et/ou la thèse ainsi que les propositions y amenant; d'examiner les valeurs introduites par les prémisses explicites et implicites; de découvrir les réalisations pratiques éventuelles. Par conséquent, l'analyse formelle, plus proche de **l'analyse réflexive**, gagnera à être développée selon sept étapes désignées par l'acronyme CIDFREC (Scriven, 1976):

- Clarifier les mots-clefs par des définitions ou des règles d'usage afin d'éliminer les ambiguïtés;
- Identifier les conclusions évidentes ou cachées afin d'ignorer celles qui sont invraisemblables;
- Décrire la structure à l'aide de diagrammes qui montrent l'articulation argumentative;
- Formuler les prémisses explicites et implicites afin de situer le contexte du discours (commercial, politique, religieux, éducatif, scientifique) et d'en montrer l'importance;
- Ramasser les arguments logiques, scientifiques et techniques. On cherche ainsi à découvrir ceux qui, au niveau logique, contredisent les vérités nécessaires (*un chauve hirsute*), ceux qui sur le plan empirique violent les lois naturelles et donc sont improbables (*le chauve est un loup-garou*) et ceux qui, circonstanciels et donc plausibles, risquent de transgresser le monde du réalisable (*le chauve veut se faire raser*).

- Évaluer les présuppositions en s'armant d'un certain *scepticisme réfléchi* (Scriven, 1976). On s'attaque ici aux mots diffus ou ambigus que l'on retrouve souvent dans le discours politique, la propagande ou la publicité tels que: une *grande* nation, prix *modéré,* une *grosse* faim, couleur plus *brillante* ou la *baisse* des impôts. Trop souvent, ils entraînent des raisonnements fallacieux. Par exemple, de nombreux théologiens maintiennent que:
  Dieu est l'ultime législateur du monde et toute loi exige un législateur;
  Donc, Dieu existe car il y a des lois naturelles.
  Ce raisonnement s'appuie sur l'ambiguïté du mot *loi* qui renvoie à l'ordre naturel et aussi aux décisions légales.
- Critiquer l'ensemble de l'argumentation en jugeant si l'on est convaincu, s'il manque des éléments et si on a confiance dans les conclusions ou s'il faut les élargir.

Une illustration semble bienvenue afin de saisir l'ampleur des dilemmes posés par une problématique et le besoin concourant d'expliquer, de comprendre, d'interpréter et de représenter de manière à tisser une passerelle entre le discours et la réalité de l'éducation.

Analyse d'une problématique: illustration simplifiée

- Problématique: *les étudiants sont réticents à vouloir acheter des livres.*
- Thèse: *le dictionnaire professionnel est utile à la formation et s'il est présenté comme une aubaine, les étudiants l'achèteront.*

Procédure d'analyse:

a. Lire ce qui est présenté, le poser et réfléchir à ce qu'on veut faire valoir; cela nous donne la conclusion: *la décision d'acheter.*

b. Choisir et clarifier les notions-clefs: *étudiant, dictionnaire, professionnel, utile, formation, aubaine, acheter.*

d. Pourquoi faire valoir la conclusion?: pointe vers *les prémisses et leur valeur.*

e. Comment la conclusion est-elle atteinte?: suggère une *structure argumentative puisqu'on veut convaincre en donnant des raisons.*

f. Critiquer en examinant les présuppositions et les objectifs: *conséquences pratiques et autres possibilités.*

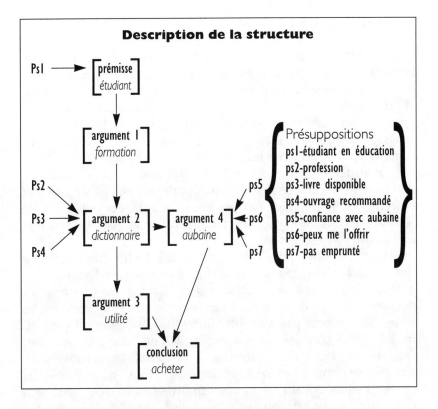

Description de la structure

Ps1 → prémisse / étudiant

argument 1 / formation

Ps2, Ps3, Ps4 → argument 2 / dictionnaire → argument 4 / aubaine ← ps5, ps6, ps7

argument 3 / utilité

conclusion / acheter

Présuppositions
ps1-étudiant en éducation
ps2-profession
ps3-livre disponible
ps4-ouvrage recommandé
ps5-confiance avec aubaine
ps6-peux me l'offrir
ps7-pas emprunté

Pour une analyse sémantique, pragmatique et réflexive qui soit non desséchante

Afin d'éviter de vaines problématiques, nous venons de suggérer que les lignes de communication entre la réalité et la pensée restent ouvertes. Cela signifie que s'imposent une représentation qui *monte* des objets aux concepts et une interprétation qui *descend* des propositions à des évènements. Pour ce faire, les correspondances doivent être favorisées entre le monde factuel et l'univers conceptuel par une compréhension du premier et une explication du deuxième. En regardant de près *les matrices*, on s'aperçoit qu'elles tentent de relier la réalité à la pensée avec l'espoir d'établir un parallèle entre le discours de l'éducation structuré du second chapitre et la réalité éducative organisée selon les idéologies présentées au premier chapitre.

Face au dilemme qui consiste, d'une part, à rechercher la simplicité scientifique et d'autre part, à conserver la fraîcheur naturelle en éducation, il nous faut découvrir l'outil analytique qui, tout en spécifiant la réalité qu'il nous incombe de clarifier, soit capable de bâtir des réseaux conceptuels élargis. Nous gardons en tête le souci d'éviter les problématiques sans réponse en favorisant les description, explication, compréhension, interprétation et représentation des thèses pédagogiques présentées. Toutefois, ce souci risque de tomber dans les extrêmes du formalisme desséchant vidé du dynamisme propre à la vie. L'outil envisagé devra donc établir les correspondances entre les concepts et les faits ou entre les évènements et les propositions, mais aussi maintenir un cordon ombilical qui nourrit les explications du contexte vivant de nos activités professionnelles. Le premier objectif s'actualise grâce aux analyses sémantiques tandis que le second s'accomplit à l'aide d'éclairages pragmatiques; ceci justifie le titre de cette section.

Heureusement que s'offre à nous une technique judicieuse qui joint les avantages sémantiques et pragmatiques d'une analyse conceptuelle à la capacité de s'attaquer sur-le-champ au dilemme posé et, donc, d'éliminer *le syndrome de la page blanche*. Il ne s'agit surtout pas d'adopter une solution de moindre effort, mais de faire confiance à son expérience et à *son gros bon sens*. Dans ce cas, **l'analyse conceptuelle et l'analyse réflexive** consistent à se donner des lunettes d'approche pour décrire des faits et comprendre ensuite la situation qu'ils reflètent dans un milieu contextualisé. En fait, on évolue de voir à regarder. *Voir* s'adresse à la vision globale qui ne fait pas ressortir l'élément-clef de la situation tandis que *regarder* met l'accent sur l'idée d'observer et de scruter à la loupe cet élément-clef constitué de particules qu'on dissèque afin d'en saisir l'essence et de mieux comprendre l'ensemble reconstitué. Ainsi, le chercheur devient l'expert par excellence qui connaît le milieu et qui est le plus à même de comprendre la situation et d'en expliquer les différentes avenues. Plus précisément, cela veut dire faire confiance à l'expérience pour en extraire toute la substance. Surtout celle qui alimente une réflexion personnelle en donnant du poids aux idées émises. Le chercheur s'oblige à connaître d'abord sa problématique pour ensuite entamer le processus d'analyse conceptuelle.

Il s'agit en l'occurrence de ramasser les qualificatifs raisonnables qui expriment la sémantique de chaque notion-clef systématisant une problématique donnée. Mais, pour éviter un choix trop subjectif, il serait utile de le soumettre à un consensus social. Pour ce faire, les proverbes, dictons, citations d'auteurs reconnus et, encore plus fructueux, les idiotismes nous offrent l'embarras de ce choix. Ils sont faciles à glaner lors de conversations anodines ou dans la littérature populaire. Utilisées au sein de phrases ordinaires, les notions-clefs sont soumises à une analyse conceptuelle afin d'en tirer tout le jus sémantique. L'accord dépend essentiellement de l'acceptation des phrases grâce au consensus social. De plus, la sélection des phrases et des adjectifs forme un échantillon qui, parmi la multitude possible, reflète opportunément l'expérience, les racines socioculturelles et, encore plus à propos, la profession des personnes impliquées. Ici, on pénètre dans le champ que **l'analyse réflexive** défriche avec le plus de discernement.

Détail important, en sélectionnant environ cinq phrases pour chacune des six notions-clefs initiales, on en obtient finalement une trentaine dont l'analyse engendre une centaine de qualificatifs à raison de quatre ou cinq pour chaque proposition. Il est évident que cette progression exponentielle doit être gérée efficacement. De fait, il suffit de prendre les qualificatifs majoritaires pour chaque notion-clef. En admettant certaines propriétés communes pour chaque notion, on formera des listes distinctes qui, hiérarchisées en fonction des intérêts suscités par la problématique initiale, permettent de construire des thèses plausibles et sujettes à une recherche qualitative ultérieure. En résumé, dix étapes détaillent la procédure à suivre pour élaborer des *thèses professionnalisées* à l'aide d'une **analyse réflexive.**

1. Une problématique expose les éléments du dilemme qui nous *chiffonne*.
2. Une thèse préliminaire affirme notre conviction centrale eu égard à la problématique.
3. Quatre ou cinq notions-clefs sont extraites de la thèse.
    (par notion-clef, on entend une idée qui ressort car elle revient continuellement dans le questionnement. Cependant, elle est quelconque puisqu'elle n'a pas encore été analysée avec *les lunettes d'approche* de l'analyse sémantique et pragmatique).
4. Environ cinq phrases courantes (proverbe, citation, idiotisme, maxime) qui contiennent les notions-clefs choisies. Elles doivent refléter le milieu professionnel qui occasionne la problématique.
5. Découvrir pour chacune des phrases choisies des qualificatifs pour les notions-clefs; (notons que les dictionnaires sont

évités, sauf en cas de déblayages élémentaires, car soit qu'ils donnent des synonymes, soit qu'ils ramassent les usages diversifiés à travers le temps et la population. Ils ont le défaut de ne pas offrir des choix incisifs et contextuels qui s'avèrent essentiels lors de l'élaboration de thèses fructueuses et originales reflétant l'expérience professionnelle des personnes concernées).

6. Filtrer les deux ou trois qualificatifs les plus communs des notions-clefs qui apparaissent dans les phrases. Justifier leur choix et spécifier le sens qu'ils prennent.

À ce moment-là, les notions-clefs, auxquelles s'associent les qualificatifs précisés, deviennent des mots;

(le mot met l'accent sur le rôle linguistique informatif et communicatif eu égard à la notion sous-jacente. Il possède donc une sémantique élargie liée à son usage langagier).

7. Accorder aux mots (issus des notions-clefs) un sens précis à l'aide des qualificatifs filtrés. Cela leur donne dans la phrase une sémantique qui leur est propre. Il est donc crucial d'exprimer leur signification et non pas de chercher ce que la phrase veut dire. À partir de là, le mot devient un concept qualifié provenant de l'expertise du chercheur.

(Le concept exprime un consensus social explicite qui spécifie des usages courants implicites du mot correspondant. À l'extrême, les scientifiques se construisent une terminologie en stipulant par des définitions le sens précis des mots qu'ils transforment ainsi en termes théoriques. Le concept fait donc appel à une représentation mentale de la réalité professionnelle dans laquelle il joue un rôle privilégié. C'est justement ce qui fait défaut dans les conversations à bâtons rompus des non-professionnels amateurs ou dilettantes).

8. Former des hiérarchies en fonction de l'ordre de priorité accordé aux qualificatifs. Ceux-ci deviennent des propriétés dont le poids reflète l'importance professionnelle qui leur est donnée.

(Notons que la propriété plonge ses racines sémantiques dans les domaines d'expertise qui qualifient l'objet d'étude du chercheur).

9. Construire à partir de chaque hiérarchie des propositions qui relient les propriétés en des assertions assujetties aux intérêts du chercheur. Ces assertions sont cohérentes du fait que les parties s'organisent et que la cohésion se fait successivement

entre les notions, les mots, les concepts, les qualificatifs et les propriétés. L'objectivité issue des analyses sémantiques et la subjectivité liée aux choix professionnels s'harmonisent dans le cadre de la problématique initiale et les assertions subséquentes.

10. Transposer les notions-clefs initiales, chargées de toute la sémantique et pragmatique découvertes, dans les assertions à la place des propriétés. Enfin, **des thèses** sont composées qui serviront de *conduits de recherche*.

Pour bien saisir la portée de cet exercice, un exemple détaillé en dix étapes vaut dix mille mots.

1. Problématique: l'assimilation est devenue un problème contemporain aigu face aux vagues migratoires de groupes ethniques différents.
2. Thèse: L'assimilation est un problème culturel qui passe par une action éducative.
3. Notions-clefs: *assimilation, problème, culture, action, éducation.*
4, 5 et 6. Phrases courantes, qualificatifs, mots communs:

Analyse sémantique, pragmatique et réflexive

notions-clefs	phrases courantes	qualificatifs	mots
assimilation:	degré d'assimilation*	insertion, processus, unité	insertion
	politique d'assimilation	insertion, plan, ensemble	processus
	digestion assimile	insertion, processus, formé	
problème	il n'y a pas de problème	obstacle, résoudre, idée	résoudre
	c'est problématique	ennui, résoudre, psychol.	ennui
	j'ai un problème	résoudre, mental, gêner	
culture	il n'a pas de culture	acquis, général, propriété	acquis
	une culture de masse	social, acquis, collectif	ensemble
	la culture virale	propriété, ensemble, organisé	
action	dans le feu de l'action	actif, dynamique, interne	actif
	une action d'éclat	actif, personnel, démontré	observé
	actionner en justice	agir, objectif	
éducation	réforme de l'éducation	évolue, système, ensemble	évolue
	une solide éducation	valeur, ensemble, propriété	valeur
	il manque d'éducation	valeur, norme, évolué	

*Normalement, 4 à 6 propositions complètes devraient être utilisées.

7. Concepts ou sens précis des mots communs:
- *assimilation*; chaque phrase suggère un processus qui insère dans un tout unifié;
- *problème*; il s'agit de résoudre ou de surmonter un obstacle ennuyeux;
- *culture*; il y a consensus autour d'un ensemble d'acquisitions aux propriétés sociales;
- *action*; on est face à un évènement observable lié à un agir évident;
- *éducation*; elle valorise ceux qui évoluent grâce à son apport unifié.

8. Hiérarchies des propriétés; un poids comparatif est donné aux concepts en fonction de la problématique, de l'expérience professionnelle et de l'analyse.
- Première hiérarchie: 1. processus; 2. ensemble; 3. valorise; 4. résoudre; 5. observable.
- Deuxième hiérarchie: 1. insère; 2. acquisition; 3. évolue; 4. ennui; 5. agir.

9. Assertions construites avec les hiérarchies de concepts ou de propriétés:

a) le processus observable appliqué à l'ensemble présente une solution valorisante;

b) En insérant mes acquisitions, je peux agir et donc évoluer en prévenant les ennuis.

10. Thèses construites par substitution (ouvrent des pistes d'investigation):

a) l'assimilation par une action culturelle présente des problèmes éducatifs;

b) l'assimilation dans une culture me permet des actions éduquées prévenant les problèmes.

La thèse initiale était *l'assimilation est un problème culturel qui passe par une action éducative*. Nous arrivons donc, grâce aux deux thèses additionnelles, à envisager des approches légèrement différentes relativement au dilemme contemporain de l'assimilation. Cependant, l'apport le plus important est la lumière qui est jetée sur ce problème au niveau de la compréhension et de la représentation des idées impliquées.

Les thèses s'élaborent à partir des convictions expérientielles et professionnelles de par le choix des qualificatifs et des idiotismes issus du quotidien culturel. Elles évitent ainsi une subjectivité biaisée en se soumettant à un consensus social qui, d'ailleurs, leur donne un aspect peu surprenant et même peu révolutionnaire. Nous avons là un outil de confection, très justifiable car soutenu par une analyse conceptuelle et réflexive qui débouche sur des thèmes de recherche pointus ou élargis selon les circonstances. Point heuristique intéressant, la mise en marche de l'analyse est immédiate et prévient le suçage du crayon face à la feuille vierge. Le résumé de cette procédure respecte la compréhension habituelle de ce que constitue une thèse, qu'elle soit scientifique, universitaire ou, simplement, réflexive. En effet, les thèses élaborées ci-dessus découlent d'une problématique articulée grâce à une analyse conceptuelle. Elles prennent donc la forme d'une prise de position valorisée, fruit de l'expérience, qui présente une conviction plausible dont la crédibilité s'appuie sur l'ensemble élargi et résumé des situations rencontrées.

Richesse et clarté

Lors de l'analyse conceptuelle propre aux rôles et fonctions pédagogiques, certains qualificatifs choisis soulèvent des questions sérieuses au sein d'une œuvre pédagogique réfléchie (Matrice D, reproduite ci-dessous).

Matrice D Analyse conceptuelle des rôles et fonctions

Instruire	Enseigner	Éduquer
instruction militaire	enseignement religieux	éducation morale
information	principe	décision
opinion	certitude	doute
croire *	savoir	décider
percevoir	raisonner	évaluer
apprendre *	croître	se développer
but	objectif	finalité
imiter	critiquer	assumer
performance	compétence	conscience
comportement	action	conduite
opérationnel	fonctionnel	contextuel
efficace	solide	sensé
individu	élève	personne
devant	derrière	à côté
sorcier **	artiste	sage

* Questions épistémologiques à élucider en pensant aux effets pédagogiques éventuels.

** Cette rangée éclaire les différents rôles liés aux fonctions: le sorcier maîtrise les techniques; l'artiste œuvre dans l'imaginaire; le sage reflète le souci et l'engagement.

Cette matrice soulève une multitude de questions qui donnent lieu à des distinctions pédagogiques sujettes à paradoxes, ambiguïtés et cheminements différenciés.

Nous les traiterons ci-dessous en espérant contraster **la richesse** imposée par la réalité et **la clarté** recherchée par la science. Ces deux qualificatifs tracent une frontière entre les instructeurs généralement soumis aux sciences de l'éducation et les éducateurs voués à l'éducation.

Le choix des phrases courantes (idiotismes, dictons, citations), que nous continuons à utiliser pour initier les analyses sémantiques, s'appuie sur le milieu culturel, social et professionnel dans lequel baignent nos activités quotidiennes. Il s'ensuit que les significations extraites des expressions, et particulièrement les idiotismes, reflètent selon un mariage heureux non seulement le consensus social, mais également le vécu expérientiel; ceci s'avère d'une grande valeur pour l'originalité des thèses qui peuvent en découler. Bien entendu, notre objectif est d'utiliser la technique des analyses sémantiques pour faire ressortir toute la richesse propre au monde de l'éducation. Les zones grises qui apparaissent à tout moment génèrent des ambiguïtés et des paradoxes qui ne cohabitent pas forcément avec la clarté; c'est le prix à payer pour débroussailler ce terrain au relief humain accidenté.

Dès l'entrée en matière de cet ouvrage, *la réflexion critique sur l'éducation* fut divisée en cinq avenues investigatrices: *le quoi, le pour quoi, le pourquoi, le comment* et *le oui, mais!* Elles orientaient les questions vers l'examen de ce qu'est l'éducation, ce qu'elle vise, son importance, son articulation conceptuelle et enfin, les problématiques qu'elle entrouve. De cette perspective découle le regard porté *sur l'éducation* et non une réflexion *en éducation* qui, dans la majorité des cas, signifie s'armer d'outils logiques pour examiner la validité argumentative du discours de l'éducation.

Les questions posées se complètent ou s'opposent et là se place le dilemme qui oppose l'éducation aux sciences de l'éducation. Ainsi, prioriser l'éducation et, donc, montrer son importance nous oblige à découvrir sa richesse (Perry, 1981). Celle-ci est immense, car elle provient des filons se prolongeant jusqu'au plus profond de la réalité humaine. D'un autre côté, le discours conceptuel de l'éducation, que l'on cherche à cerner, sera jugé en fonction de la clarté qu'il nous apporte. C'est d'ailleurs pour cette raison que la pédagogie se cherche des formules, des systèmes et même des recettes.

Comble de malchance, dans les discours éducationnels il y a beaucoup plus d'opposition que de complémentarité. En effet, *un œil critique* découvre que la vision personnelle s'oppose au forum public, et c'est ce qu'exposent les domaines contrastés ci-dessous qui feront l'objet d'étude des trois sections suivantes.

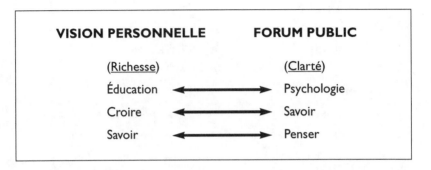

Éducation et psychologie

Pour exemplifier les remarques contenues dans l'introduction, quoi de plus saillant que de distinguer l'éducation de la psychologie. Celle-ci se targue d'offrir une assise scientifique, et même parfois de nourrir le pédagogue de ses théories purificatrices. C'est justement là que le bât blesse. L'éducation peut s'inspirer des théories psychologiques, mais certainement pas les appliquer. C'est là qu'il nous faut intervenir si ce n'est que pour crier l'évidence même que «le roi est nu» (Egan, 1983; Gauquelin, 1971).

En **psychologie**, le format est important, car le quand, le comment et surtout le pourquoi sont déterminants. Du côté de **l'éducation**, on se tourne vers une certaine manière d'agir, de savoir-vivre propre à une personne qui se doit d'être sensible et, encore plus crucial, d'être soucieuse (Bruner, 1960). Ces différences profondes se retrouvent dans le domaine de la psychopédagogie, qui allie la psychologie à l'éducation. Afin d'y voir clair, nous allons utiliser l'analyse réflexive habituelle pour extraire l'or sémantique à même quelques idiotismes.

Idiotismes	Qualificatifs
Psychologie:	
Elle mène une guerre <u>psychologique</u> ⟶	instrument, temporel, causal, organisé
Il manque de <u>psychologie</u> ⟶	comprendre, doigté, habileté, réduire
Le questionnaire identifie les ⟶	standard, théorique, composé, séparé,
facteurs <u>psychologiques</u>	identifié, décrire
Éducation:	
Il manque totalement <u>d'éducation</u> ⟶	raffiné, approprié, manière
Elle est soumise à une <u>éducation</u> surveillée ⟶	décide, finalité, souci
Il participe à un jeu <u>éducatif</u> ⟶	développe, finalité, impliqué
Un goût <u>éduqué</u> lui donne du savoir-vivre ⟶	sensible, praxis, conscience

L'éclairage sémantique fourni par le tableau montre que pour la **psychologie** le mode explicatif est d'une importance capitale. Le *pourquoi* qu'elle pose constamment reflète son souci de découvrir les causes des comportements ou de l'état mental d'un individu qui est le plus souvent observé à l'aide de tests de mémoire ou de perception. Axées sur son passé ou sur ses réactions immédiates, ces causes sont soumises à des standards de mesure gouvernés par le temps, la fréquence, la quantité et autres facteurs quantifiables. Ensuite, les analyses statistiques ou corrélationnelles d'échantillons débouchent sur des prédictions éventuelles. Cette image, un peu caricaturale, réunit trois idées fondamentales communes à toutes les sciences. Elle insiste sur une normalisation qui, au sein d'une théorie, va se refléter dans des hypothèses. Bien entendu, les observations, les descriptions aussi bien que les représentations se placent non point dans des situations spécifiques, mais sous l'égide générale d'une forme de pensée qui caractérise un type d'individu (Danset, 1983; Turner, 1967).

Le réductionnisme scientifique vise ici à catégoriser l'élève dans le cadre rigide d'un individu normal qualifié par des propriétés communes à tous les êtres, incluant les animaux. L'histoire ne s'arrête pas là puisque le matérialisme y fait écho par le biais d'une réduction ou au mieux d'une analogie entre la pensée et le cerveau. L'une gouvernée par un jeu de forces se retrouve dans l'autre régi par des lois mécaniques (voir, *As If* de Hans Vaihinger). Le réductionnisme de la Pensée Occidentale Moderne (ou *POM*) peut ainsi être dénommé en souvenir, pointe d'ironie, de Newton le créateur de la force gravitationnelle régularisant tout l'univers y compris *les pommiers* nous dit la légende.

Quant à l'**éducation**, le tableau montre bien le souci pour la personne. Cela se singularise par des interprétations contextualisées dans des pratiques dirigées selon une visée louable et souhaitable. On opte donc pour un *pour quoi* très significatif qui offre le *pour* futuriste en vertu de décisions prescrites portant sur le *quoi* choisir. Indéniablement, une finalité se dessine. En restant ouverte, elle évince tout appel à l'application d'une théorie psychologique qui impose les barreaux figés d'étapes successives cloisonnées par l'hypothèse de départ. D'ailleurs, les qualificatifs profonds d'une œuvre éducative n'apparaissent nulle part dans la littérature psychologique. Nous faisons ici allusion aux soucis éducatifs constants d'être au courant, à propos, subtil, déçu, désuet, désemparé. À ceux-ci s'ajoutent d'autres actions qui inspirent l'éducateur à faire œuvre d'ingénuité tandis que le psychologue les ignore lorsqu'il est lié par sa standardisation. Par exemple, l'étudiant va agir à bon escient ou avec discernement et, parfois, sera osé ou déplacé dans ses mots ou ses actions (Eisner, 1982; Green M.,1984).

L'éducateur amplifie les situations particulières, car il les trouve riches et y voit une source d'inspiration utile à son enseignement. Évidemment, leur contextualité les rend floues et ambiguës; ce qui contraste avec la clarté et la sobriété scientifiques recherchées par le psychologue. De plus, ces mêmes situations s'enrichissent d'une pratique qui reste menaçante pour les psychologues en mal de contrôle régulé. Pour s'en convaincre, mentionnons l'effroi des psychologues expérimentaux habitués à traiter jusqu'à quelques centaines de sujets comparativement à l'approche clinique de Piaget limitée à trois ou quatre enfants. Ils ne peuvent croire à la valeur de ses conclusions obtenues à partir d'un échantillon aussi restreint duquel une multitude de facteurs causatifs sont extraits. Répétons-le, les qualificatifs contextuels, cités plus haut et auxquels Piaget fait souvent appel, ne sont et ne peuvent être traités au sein de théories claires et prédictives. Ils seront donc évacués par les psychologues purs et durs, mais étonnamment utilisés par les psychopédagogues. Il y a là sujet à réfléchir (voir à ce sujet l'ouvrage lucide de K. Egan, 1983).

Les distinctions suggérées ci-dessus s'illustrent par deux exemples faciles à saisir:

a. Ayant appris sa table de multiplication et l'ayant mémorisée selon des techniques d'apprentissage béhaviorale, l'élève remplira de fierté son instructeur en la récitant fidèlement. Sa maîtrise lui méritera la note parfaite de 100 %. Par ailleurs, il ne serait pas plausible de l'entendre réciter sa table à brûle-pourpoint dans la pénombre d'un cinéma ou devant le public captif du métro. Le psychologue s'en lavera les mains tandis que l'éducateur jugera qu'il a failli à sa tâche, car apprendre pour lui s'accompagne toujours d'un à-propos contextualisé.

b. Les études psychologiques ont observé une gradation typique des comportements chez les personnes en deuil. Elles passent par cinq étapes bien définies démontrant une croissance normale du deuil: négation, colère, négociation, dépression, acceptation. Le psychopédagogue, fort de cette connaissance, s'assure de la maîtrise des cinq étapes par une programmation standardisée et, ainsi impose une normalisation des individus endeuillés. Nombreuses sont les thérapies qui œuvrent dans cette direction.

Pour l'éducateur aguerri, cette programmation qui vise à former des êtres normaux soumis à des standards sociaux acceptés constitue une erreur obsessionnelle. La douleur, non seulement se gère individuellement avec toutes les idiosyncrasies possibles et inimaginables, mais de plus elle s'avère l'occasion unique d'une éducation louable. La douleur d'un deuil prendra donc une forme éducative afin de faire progresser la personne singularisée. On cherchera, en *s'inspirant* des phases observées par les psychologues, à améliorer les traits personnels en choisissant des finalités appropriées. Une certaine dose d'ingénuité est requise pour arriver à ses fins. Ainsi, la colère indiquée par des crispations musculaires mesurables, dûment annotées par le psychologue, deviendra pour l'éducateur des moments opportuns d'activités régénératrices et cathartiques. Éventuellement, il sélectionnera le silence opportun vis-à-vis de l'étape de la négation; il choisira l'empathie encourageante au moment de la dépression; il encouragera l'altruisme lors de la négociation; il souhaitera la sagesse bonne conseillère durant la phase d'acceptation. Ces déplacements caractériels tireront avantage de phénomènes normaux afin d'encourager et même de créer une personne aux traits singuliers méritoires; en cela, on fait œuvre d'éducateur.

Tableau récapitulatif	
Psychologie	**Éducation**
Format: quand, comment	Fond: praxis, pratique
Causes: pourquoi	Finalité: pour quoi
Standard: corrélation, statistiques	Contexte: discerné, à propos, au courant
Normal: théorie, hypothèse	Singularité: thèse
Observations: décrire	Vivre: agir
Individu: type, commun, neutre	Personne: personnel, subtil, désuet
Réduction: purifier	Enrichir: élargi
Représentation: modèle	Interprétation: à bon escient
Prévoir: anticiper	Imprévisible: surprenant

La conclusion s'avère évidente. Il existe un fossé quasi insurmontable entre la psychologie et l'éducation. La première se veut scientifique avec tout le bagage de normalisation entraînant le prévisible. La deuxième souhaite dénouée les mailles des conditions existentielles imprévisibles des personnes à l'aide de décisions prises sur le vif. Nous voilà finalement obligé de récuser la tendance contemporaine à faire de l'éducation un champ d'application des théories psychologiques à la mode. De prime abord, il suffit qu'elle s'en inspire.

Croire et savoir

Friands de certitudes, de connaissances indiscutables, de décisions inattaquables, les enseignants s'appuient souvent sur les sciences. Pour bien montrer cette allégeance, ils baptiseront d'ailleurs leur domaine, «sciences de l'éducation». En avouant leur scepticisme face à leur propre pouvoir de remédier aux résultats scolaires déficitaires, ils ont peur d'être accusés de laxisme intellectuel et se réfugient dans les formules fournies par des scientifiques.

Avoir des opinions au lieu de savoir est abhorrant pour ces assoiffés de crédibilité. Réaction plausible puisque entourés d'une multitude d'experts pédagogues, largement distribués à travers la société, ils se sentent assiégés. D'autant plus que l'objet de leur souci est d'une complexité effarante. On parle ici de la personne humaine en plein développement dont l'éducateur doit s'occuper. Il devrait, sans aucun doute, croire en ses richesses plutôt que vouloir à tout prix savoir où se situent ses limites. L'analyse qui suit vise à faire éclater ce dilemme en opposant les caractéristiques du **savoir** qu'il pourchasse aux **croyances** dont il devrait se satisfaire.

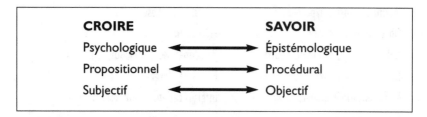

CROIRE	SAVOIR
Psychologique ◄──────►	Épistémologique
Propositionnel ◄──────►	Procédural
Subjectif ◄──────►	Objectif

• Croire

Les croyances, dont le fief est notre for intérieur, se faufilent dans les conversations quotidiennes. Elles trahissent leur origine lorsque nous les défendons avec fureur contre des attaques qui paraissent toujours personnelles. À titre d'exemple, prenons les expressions du langage courant (idiotisme, citations, dictons) afin d'en faire ressortir les qualificatifs les plus intéressants en éducation.

Idiotismes	Qualificatifs
je crois en Dieu ──────►	foi, subjectif, personnel, conviction
crois-moi, je le sais ──────►	confiance, autorité, conviction,
je le crois dur comme fer ──────►	conviction, intensif, subjectif,
qui l'aurait cru ──────►	doute, subjectif, expérientiel
il se croit tout permis ──────►	confiance, autorité, subjectif
voir c'est croire ──────►	incrédule, confiance, personnel
je crois qu'il faut vendre maintenant ──►	estimer, autorité, expérience

De ces exemples nous pouvons tirer trois types de qualificatifs fort intéressants:

- **psychologique**: «*croire*» dans ces idiomes est qualitatif, intensif (exemple: je le crois fermement), lié à des opinions plus ou moins fortes n'exigeant aucune justification immédiate.
- **Propositionnel**: «*croire*» affirme et reflète une attitude, des préférences exprimées par des assertions ayant la forme: A croit que P. Une valeur de vérité ne lui est aucunement attachée. N'exigeant pas de vérification, la croyance n'est pas opérationnalisée et reste affirmée sans plus en tant qu'assertion.
- **Subjectif**: la croyance est intimement attachée à l'autorité du *moi* qui est supposée entraîner la conviction chez l'auditoire. Une touche démagogique lui est attachée lorsque «je le crois» s'approche de «je le sens» et que la foi s'y glisse sans crier gare. On retrouve ce même effet lors des spectacles grandioses qui entourent les discours sloganisés d'un dictateur. Le maître d'école d'antan, dont l'autorité drapée dans une toge dominait du haut d'un podium, en profitait aussi pour faire mémoriser *verbatim* ses déclarations indiscutables. L'éducation civique imposée par l'état s'en inspire aussi pour forcer l'intégration sociale par des apprentissages donnant lieu à des croyances pures et dures.

On voit là le danger d'endoctrinement subi lors d'apprentissages aveugles qui devraient nous faire réfléchir sur leur usage intempestif. L'idée mérite qu'on s'y attarde, car elle justifie une vieille formule épistémique «*apprendre X me fait croire X*». Elle remet en cause la foi dans la mémorisation qui, fortement dépendante de l'autorité des sources, n'amène aucunement le savoir, mais uniquement la croyance. Dans ce cas, l'œuvre du maître reste inachevée s'il ne la complète pas par des explications. Nous voilà prévenu contre une influence potentiellement nocive des psychologues d'obédience béhaviorale, fervents adeptes des apprentissages comportementaux. Pour eux, apprendre se réfléchit par définition dans un comportement observable qui prend la place de la conceptualisation et, donc, du savoir.

D'une manière ironique, la particularité propre à *croire* ressort lorsqu'un jeune enfant revient de l'école maternelle et qu'il assène sur sa maisonnée abasourdie toutes les vérités absolues reçues à l'école qui, en un tour de main, supplante l'autorité suprême des parents ainsi détrônés par un «*c'est vrai parce que la maîtresse l'a dit*».

Le *je* qui apparaît dans les phrases courantes recouvre le plus souvent les opinions personnelles de la personne. Au fond, elle nous avoue y croire et, de plus, ne se sent aucunement le besoin de se justifier. Le *je* fait office d'écran protecteur face à autrui qui n'est point autorisé à le questionner par un «pourquoi le croyez-vous?». La réponse habituelle «Je le crois, c'est tout» équivaut à un «je le sens» péremptoire qui clôt le débat jugé hors de propos et, bien entendu, indécent. L'autorité de la première personne protège l'intimité subjective des phénomènes de conscience auxquels a accès la personne concernée. De fait, le *je* fait allusion au *moi* avec ses états d'âme qui, à la limite, sont poétiques et demandent à être appréciés plus qu'à être jugés. À travers l'expression du moi, on présente ses espoirs, ses désirs ou ses visées personnelles. Il délimite une propriété privée à ne pas transgresser. Le for intérieur déclare qu'il est fortifié. En préfaçant mes dires d'un *je* énergique, je préviens la critique et les commentaires d'autrui pour forcer ce dernier à simplement m'apprécier. Qui plus est, cette croyance étant expérientielle, subjective et diffuse au sein de l'imaginaire, elle n'est pas vraiment localisable, échappant ainsi à l'analyse. Elle s'enfouit au plus profond de mon *moi* sans pouvoir s'en distinguer par une identité publique ou sociale. Au fond, elle ressemble à une douleur dont seul je peux rendre compte et qu'il m'est difficile de situer ponctuellement; le médecin en sait quelque chose lorsqu'il vous questionne sur le type et l'endroit de votre douleur.

Élément notoire, l'appel très personnel au *je* évince toute critique habituelle liée au style ou à l'immodestie. En effet, selon les éléments apportés ci-dessus, le *je* invite l'appréciation de mes opinions beaucoup plus que la critique rationnelle. Étant donné qu'il protège contre les questions indiscrètes, le *je* offre un refuge derrière l'autorité de la première personne qui protège ainsi ses croyances subjectives. Il s'ensuit que tout texte qui suscite des commentaires ne peut par la même occasion prendre des couleurs quasi poétiques que confère le *je*. Il est donc déconseillé d'emprunter le *je* dans tout essai qui se veut argumentatif et, donc, invite des critiques plus que de l'appréciation.

• Savoir?

Le savoir demeure l'arme combative par excellence pour gagner l'assentiment envers des prises de position. Son importance ressort du fait que le mot «*savoir*» est statistiquement quatrième dans les usages courants et il le montre bien par l'abondance d'idiotismes qui l'incluent.

Idiotismes		Qualificatifs
Tout finit par se savoir	→	prêt, capable, publique
Il en sait trop	→	informer, accessible, limité
Savoir, c'est pouvoir	→	pouvoir, éclairer, réaliser
Il sait qu'il va mourir mais ne peut y croire	→	anticiper, vraisemblable, preuve
Je sais ce que je sais, n'en parlons plus	→	tromperie, certitude, preuve
Il agit en connaissance de cause	→	au courant, voir, ignorer

Une synthèse offre trois types de qualificatifs qui contrastent avec ceux trouvés pour le mot «*croire*»:

Savoir a un caractère **épistémologique** parce qu'il met toujours face à face la pensée et la réalité qu'elle se représente. Il part, bien entendu, d'une croyance convaincue en ce qui est dit. À cela s'ajoute l'idée qu'il demeure réaliste d'y croire, car ce qui est avancé est vraisemblable et éventuellement il sera possible de le vérifier. De fait, dans une veine encore plus accentuée, la croyance jugée vraie soutient ce qui est probable et s'appuie sur des preuves exigibles par le fait même qu'on avoue le savoir.

Point délicat à noter, on ne peut pas savoir quelque chose sans y croire soi-même dans le sens d'y être authentiquement engagé et de ne pas se leurrer. D'ailleurs, la communication à cet égard exige que l'on convainque l'auditoire de notre authenticité sans tromperie. Une fenêtre fructueuse s'ouvre alors sur une composante cruciale de l'acte de communiquer. Il s'avère essentiel de fournir à son auditoire des éléments incontournables de notre bonne foi et de notre propre conviction derrière ce que nous avançons. D'ailleurs, cela constitue un des éléments fondamentaux de la rationalité humaine. Une métaphore à cet égard consisterait à se demander si les abeilles communiquent vraiment entre elles. Pour ce faire, il serait nécessaire que l'une d'elles, revenant d'une exploration florale, puisse indiquer aux autres abeilles par sa danse formant un huit l'endroit, la distance, la direction pour aller butiner. De plus, il serait crucial qu'au retour d'un vain voyage ces mêmes abeilles qui reviennent bredouilles frappent la coupable avec une brindille d'herbe et que celle-ci rougisse de honte. Tout le côté moral est pris à partie avec cette dose d'authenticité requise dans la communication. L'enseignante doit se le tenir pour dit afin de ne pas perdre à tout jamais, ou au moins durant le semestre en cours, la confiance de ses élèves.

Ce n'est pas par hasard que les résultats de l'enquête du projet *Follow through* réalisé auprès de 75 000 étudiants soumis à 22 systèmes pédagogiques différents allant du plus directif au plus libre, ont révélé que le facteur prédictif de succès quasi essentiel résidait dans les qualités de l'enseignant. Elles se résumaient en trois paramètres principaux (curieusement, le rapport fut scellé *confidentiel* aussitôt que paru vers les années 1975):

- la bienveillance, centrée par l'empathie et les bonnes relations affectives;
- la compréhension, qui consiste en la capacité de pouvoir se mettre à la place de l'étudiant et de saisir l'univers dans lequel il évolue;
- l'authenticité représentée par le courage à être soi-même en tout temps et de ne pas cacher hypocritement ses états d'âme.

Conséquence pédagogique évidente, les questions doivent provenir de l'étudiant et non de l'enseignant. En effet, seul l'enseignant peut en fonction de sa culture discerner le sens des questions posées et s'y adresser. Par contraste, l'étudiant enfermé dans son univers relativement étroit, qui souvent ne s'ouvre pas sur des alternatives, va répondre non pas à la question véritablement posée, mais à celle qu'il comprend. De cette méprise résulte inopinément de mauvaises notes ou des remarques désobligeantes.

«Savoir» a un caractère **procédural** du fait que son attribution à une proposition affirmée (P) par un sujet donné (S) se déroule en trois temps:

a. S croit que P;

b. P est jugé réaliste eu égard à l'expérience de S et, donc, probable du fait que ce qui est affirmé est vraisemblable et possible;

c. S a des preuves de P.

Une explication s'impose:

a. Le fait rapporté est conscientisé par une réflexion métacognitive qui souligne la foi du sujet concerné dans ce qu'il avance;

b. Un certain degré de certitude accompagne la proposition avancée puisque le fait qu'elle représente semble réel, en accord avec le passé et acceptable pour le commun des mortels;

d. Si la demande en est faite, il est possible de fournir des preuves à l'appui de la proposition affirmée. De plus, ces preuves peuvent être obtenues selon des procédures critériées acceptables.

Il est plausible, dans un premier temps, de soutenir qu'apprendre X m'amène à croire X sans plus, comme nous l'avons exposé dans la section précédente traitant de la notion *croire*. Toutefois, nous sommes à même maintenant de transformer *croire* en *savoir* par l'addition de preuves qui emportent notre conviction. D'ailleurs, on dit souvent *«prouve-le ou tais-toi»*. Ce dicton s'y adresse directement puisqu'une assertion sans l'usage d'un *je* me force à la considérer comme un savoir qui exige des preuves à l'appui. Le *je* prononcé par un *moi* authentique est la seule façon d'éviter l'exigence de preuves à l'appui. Voilà une différence essentielle entre «je crois en Dieu» et «je sais que Dieu existe», où la première phrase reflète un acte de foi et la seconde exige une apologétique démontrant l'existence de Dieu.

L'authenticité suit ma croyance convaincue et convaincante dans la valeur des preuves appuyant l'affirmation. L'aspect procédural devient alors prépondérant. Par exemple, l'illusion 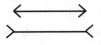 de Muller-Lyer est au départ sujette à une croyance perceptuelle et devient savoir lorsque les deux lignes sont mesurées.

Remarquons que l'enquête disciplinée court le risque d'éliminer l'enthousiasme ou l'éloquence du *je* personnalisé.

Savoir a un caractère **objectif**, car les preuves fournies rendent l'assertion publiquement valable. Elle ne nous appartient alors plus en propre. En effet, les preuves sont standardisées et ne font pas partie de mes privilèges personnels. Le *je* privé disparaît derrière l'écran des preuves objectives et publiques. Il devient évident qu'affirmer quoi que ce soit comme étant mon savoir personnel s'avère incohérent. Le contraste s'illustre hors de tout doute par, «*je sais que je vais mourir, mais ne peux y croire*» où la conviction intime s'oppose à une certitude soutenue par des connaissances. L'objectivité du savoir s'appuie sur des preuves publiques et s'oppose à la subjectivité d'une croyance soutenue par une foi inébranlable et irrationnelle.

L'analyse avancée jusqu'ici révèle que *savoir* implique toujours que la personne croit que ce qu'elle avance est vraie. Dans la même veine, la discussion sur croire met en jeu le *moi* subjectif, tandis que celle sur le *savoir* soulève le dilemme de la vérité dont la neutralité objective est proverbiale. Notons que le moi et le mot «*je*» qui l'annonce avec vigueur ne sont pas vrais en eux-mêmes; c'est ce qu'ils affirment en se rendant publics par des preuves qui ont valeur de vérité.

Dire que quelque chose est vrai indique qu'une proposition affirmée obtient valeur de vérité lorsque reliée à une réalité donnée. Il s'ensuit que la vérité n'est pas quelque chose d'évanescent que l'on cherche dans les airs ou sous les chaises, mais un attribut des objets linguistiques surnommés des propositions. Par exemple, la proposition «*le chien est affamé*» sera vraie ou fausse si et seulement si je peux vérifier qu'en fait le chien X a très faim et donc qu'une réalité vérifiable lui est apposée. Notons que le premier exemplaire de la phrase mise entre guillemets nous force à le regarder et à le décrire en tant qu'objet, tandis que le deuxième exemplaire apparaît sans guillemets pour bien montrer qu'il est utilisé afin de refléter une réalité. La correspondance établira la vérité ou la fausseté de la proposition affirmée.

On touche ici à une analyse classique qui distingue la proposition utilisée de celle qui est mentionnée. Dans les conversations journalières, nous parlons de faits auxquels nos phrases réfèrent directement. C'est l'usage normal de la langue. Par contraste, si nous voulons décrire ces mêmes phrases pour en faire ressortir, par exemple, certains aspects grammaticaux, nous les mentionnons sans plus. Pour bien marquer cette différence, on utilise les guillemets qui transforment une proposition utilisée en une phrase mentionnée. Les guillemets deviennent alors un écran pudique qui cache la réalité normalement représentée et met de l'avant les traits concrets de la phrase elle-même à examiner. Vu sous un angle grammatical, l'énoncé «le chien est affamé» contient quatre mots ou sera décrit texte français. Tout au contraire, je parlerai d'une façon transparente de la faim du chien affamé. Les guillemets font toute la différence. On comprend mieux que: 1) l'expression «le chien est affamé» est vraie si et seulement si, 2) le chien est affamé. Le fait dénoté par (2) qui est transparent s'obscurcit par les guillemets de (1) que l'on peut alors qualifier par une valeur de vérité comme toute proposition affirmée.

La vérité se révèle donc une propriété que l'on attribue aux objets linguistiques appelés proposition lorsque la réalité correspondante est accessible, référée et vérifiable.

Une distinction se fait jour lorsqu'on note que les raisons d'un savoir répondent au fond à un pourquoi interrogateur qui se résoud au sein d'une logique de la vérité. Tout au contraire, questionner mes croyances, c'est en chercher les origines et faire appel à une psychologie des causes.

Savoir et penser

À première vue, les deux notions «savoir» et «penser» se complètent. Tandis que le savoir fournit le contenu, la pensée quant à elle l'encadre. En tant que fond et forme, ils sont nécessaires l'un à l'autre. Toutefois, la relation n'est peut-être pas aussi simple. Certains auteurs prétendent que la nécessité doit être vue dans le sens d'une dépendance mutuelle; sans pensée, le savoir n'a aucun sens et, sans savoir, la pensée reste vide. À certains égards, on peut même les opposer puisque les pensées s'articulent à l'aide de liens logiques indissolubles, tandis que les savoirs cohabitent en îlots déconnectés (Giordan et al., 1994).

Les analyses de la section précédente opposaient *savoir* à *croire*. Un paradoxe se dessine pourtant et peut nous surprendre: *croire* est plus riche que *savoir* qui, à son tour, s'avère plus riche que *penser*. Cela s'explique du fait que l'imaginaire subjectif des croyances s'annonce moins sobre que les preuves réalistes circonscrites par le savoir. En effet, il semble que la rectitude logique de la pensée l'appauvrit par contraste avec la multiplication des expériences reconnues. Le paradoxe ne nous étonnera donc pas, bien qu'il semble purement apparent.

Partis d'une analyse épistémique qui clarifie le sens des concepts, nous sommes passés à une épistémologie qui découvre la réalité qu'ils dénotent et, par conséquent, recouvrent. Expliquons-nous, *Savoir* qui signifie affirmer avec preuves devient le savoir qui collige les observations. *Croire* qui dénote l'expression de nos opinions opère ailleurs que la pensée qui organise rationnellement les idées. La distinction linguistique exprimée précédemment entre mentionner et utiliser un mot refait surface pour confondre les sceptiques. *Croire* est mentionné lorsque j'utilise ma pensée pour révéler mes convictions et, *savoir* est également mentionné lorsque le savoir étale mes connaissances justifiées. Bien entendu, il est toujours possible de s'excuser pour ce semblant de sophistique ou de dialectique, mais du haut de cet argument 2500 ans d'histoire philosophique nous importunent.

Un autre point de vue commode et simplifié distingue *savoir* de *croire*. Le fouillis des opinions personnelles qui expriment les croyances peut se tresser en une tenture signifiante lorsque chacune d'elles s'accompagne de preuves. Cette procédure introduit un motif public, facilement saisi et communicable, qui évince les convictions d'un *moi* trop personnalisé. Le savoir ainsi obtenu se colore de réalisme grâce aux liens directs établis avec le monde environnant. Il suffit alors de mettre de l'ordre dans tout cela grâce à la pensée.

Après cette digression délicate, mais utile, il nous faut revenir à notre propos principal. L'enseignant engagé dans sa tâche se doit de développer ses étudiants. Pour ce faire, il leur fournit des savoirs tout en les faisant penser. Les deux univers du savoir et de la pensée forment un tout indivisible selon une ligne de démarcation étanche par peur de créer des schizophrènes parmi ses étudiants, tels des idiots savants ou des génies ignares.

Dissoudre l'opposition factice soulignée ci-dessus requiert une analyse conceptuelle à caractère réflexif qui s'appuie sur l'expérience professionnelle de l'éducateur. Fidèles à notre habituel scepticisme réfléchi, nous commencerons par nous pencher sur les idiotismes qui indiquent la sémantique propre aux notions «savoir» et «penser» en vertu du consensus social qu'ils révèlent.

Idiotismes	Sémantique

PENSER

Il suffit d'y penser	→ réfléchir, cerner, effort
Honni soit qui mal y pense	→ juger, évaluer, orienter
Pensez-y, on verra ensuite	→ diriger, réfléchir, contribuer
Il fallait y penser, voyons donc	→ cerner, concentrer, focaliser
Il aurait dû y penser	→ aider, remarquer, délimiter

SAVOIR

Si jeunesse savait, si vieillesse pouvait;	→ comprendre, agir, sagesse
Il sait ce que cela donne	→ prévoir, réaliste, expérience
Il sait le fabriquer	→ faire, capable, habileté
Il ne sait plus ce qu'il fait	→ conscience, éclairé, réfléchi
Il a perdu connaissance	→ situationnel, conscient, contrôle
Il aurait dû le savoir	→ informé, au courant, conscient

Les qualificatifs qui ressortent des idiotismes nous indiquent que, comme à l'accoutumée, ils fournissent bien plus que des synonymes que l'on retrouverait dans les dictionnaires. Leur contribution va dans la direction de contextes donnant lieu à des intuitions plus originales et professionnelles. En cela, la méthode montre bien que l'analyse réflexive sous-tend plus de richesse réelle propre à l'éducation que les analyses qualitatives et quantitatives tant vantées par les scientifiques.

De *penser* ressort une activité mentale qui clarifie, discrimine, encadre et dégage les éléments essentiels. Elle peut éventuellement déboucher sur une décision et ensuite sur une action. La pensée dirige et se dirige, car *on pense toujours à quelque chose* et ne *penser à rien* sent plus le paradoxe ou l'ironie que la réalité. En se dirigeant, elle continue à habiter la chose et, à l'instar de *croire*, elle biaise ce qui est envisagé. Elle demeure le maître d'œuvre des choses à venir. Ce trait justifie l'adage selon lequel «penser, c'est à moitié évaluer». Sa gratuité n'est évidemment pas donnée d'avance. Elle sert à quelque chose et ne se fait pas prier pour le faire savoir. On verra que ces traits introduisent ci-dessous des points idéologiques et épistémologiques intéressants avec tout ce que cela implique pour l'enseignant (Bruner, 1956, 1960).

De *savoir* se dégage la soif de connaissances aptes à transformer le point de vue qu'adopte un individu sur le monde. En s'enrichissant, il s'informe, s'éclaire puis anticipe tout en se préparant à agir en fonction du contrôle de ses aptitudes ainsi que d'une prise sur ce qui s'en vient. Idée centrale au savoir, l'individu est réceptif, il lit, il est prêt à recevoir, accrocher et insérer les données. Ces traits montrent, en accord avec les points amenés ci-dessous, que le savoir ouvre délibérément un œil vivace sur un monde qu'il bâtit à partir de ce qu'il lui offre. À l'encontre de *la pensée* qui dirige, *le savoir* reste dans l'expectative (Giordan et al., 1994).

La correspondance établie jusqu'ici entre des univers distincts, mais parallèles, nous est présentée par l'épistémologie qui s'est toujours sentie historiquement déchirée entre les rôles respectifs du *savoir* et de la *pensée*. La conclusion du paragraphe précédent illustre bien cette dichotomie entre un savoir qui attend et une pensée qui oriente. Dans son sens le plus classique, l'épistémologie relève ce défi découlant de discours parallèles qui ne s'entremêlent pas en exigeant des transpositions qu'elle facilite à l'aide des ponts-levis de ses analyses conceptuelles. D'un côté se profile le monde représenté par les connaissances, de l'autre s'inscrit la construction d'un esprit qui conceptualise. On confirme sur une rive grâce aux valeurs de vérité et on clarifie sur l'autre rive par l'idée de validité (Granger, 1967).

Les racines qui nourrissent l'épistémologie la divisent en deux discours appropriés. En partant des sources étymologiques du mot «*épistémologie*», nous découvrons qu'*épistème* dénote la connaissance, tandis que *logos* renvoie au *verbe* ou au discours. Leur alliance produit le discours sur la connaissance. À partir de là, il nous est loisible d'amplifier les deux univers mis en présence. D'un côté, on retrouve celui vanté par le rationalisme cartésien, qui *copie* le monde gouverné par ses lois à l'aide d'*a priori* évidents et de principes déductifs. De l'autre côté, se profile l'empirisme newtonien qui *représente* par une induction organisatrice le monde désordonné (Bartholy, 1978).

Une synthèse de la présentation offerte jusqu'à présent nous permet de maintenir que l'épistémologie vise à légitimer toute proposition touchant à la connaissance en transposant sa représentation scientifique dans un discours rationnel; ce qui est observé se métamorphose en ce qui est pensé.

D'autres éléments évocateurs nous éclairent sur cette division fondamentale de l'épistémologie. D'un côté, *Épistème* s'éclaire par les notions: «fait, donnée, observation, empirisme, réalisme, sciences, contenu du savoir». *Logos* s'entoure des idées de concept, raison, compréhension, forme du savoir. Ces deux réseaux opèrent grâce à deux qualités humaines assez populaires, *le bon sens* et *le sens commun* (ou gros bon sens).

Cette dichotomie propre à l'esprit humain est fort ancienne puisqu'on la retrouve déjà chez les présocratiques (IVe siècle av. J.-C.) tels que Thalès, Anaximandre, Héraclite, qui opposaient le gros bon sens (ou sens commun) offrant un monde perçu morcelé, au bon sens engendrant une réalité globale unifiée par la pensée. Ils se réfugièrent dans un engagement épistémologique qui donnait à la seule pensée mathématique la capacité d'émettre des jugements valides.

Par ailleurs, le *bon sens*, retrouvé dans «ça a du sens», s'allie au *logos* pour juger de la validité d'une idée. Il touche à l'importance, la pertinence, l'aspect vraisemblable et met donc en œuvre la raison et la compréhension. De fait, il nous immunise contre la stupidité modifiable par une formation générale.

Le *gros bon sens* ou *sens commun* que l'on reconnaît dans, «elle sait de quoi il s'agit» ou «il a le sens de la réalité», est essentiel à *épistème* lorsqu'on identifie les choses avec le talent pour les qualifier. Ici s'inscrivent l'identification des objets, l'accès direct au connu et la reconnaissance de l'inconnu. Le sens commun s'oppose à l'ignorance compensée éventuellement par des formations spécialisées.

Une idée remarquable, exprimée dans *Le Monde de Sophie* (Gaarder, 1995) éclaire bien cette dichotomie tracée par les présocratiques. Gaarder oppose la civilisation indo-européenne axée sur *la vue* (qui inclut les Grecs, les romains et les nordiques) à la civilisation sémitique prônant *l'ouïe* (circonscrite en partie par la péninsule arabe). Leur culture respective s'imprègne des symboles et formes de représentation religieuse y adhérant.

Les modes d'expression visuelle dominent à travers les fresques, vitraux, peintures qui présentent les images sacrées. Songeons ici aux Indes, à Bali, aux peuplades africaines ou polynésiennes et aux Indiens d'Amérique qui vivent en symbiose avec l'univers. Pour le catholicisme aux origines sémitiques, le médium purement visuel engage ses adeptes dans la tourmente des païens. Les anglo-saxons contemporains, héritiers de la civilisation indo-européenne, célèbrent cet accent visionnaire dans la beauté féminine idéalisée et multipliée à l'infini par les déesses hollywoodiennes que l'on retrouve patriotiquement vénérées sur l'argent utilisé par les militaires américains (MPC) ou les photos de *pin-up* semées à foison dans les baraques militaires. La morale puritaine s'en accommode dans les stéréotypes cinématographiques ou les vidéos (dérivé latin de *ce qui est vu*), qui sont supposés nous donner la bonne vision aussi bien que l'heure juste.

Bien entendu, au sein de ces civilisations indo-européennes, la vue qui s'éparpille en de nombreuses observations encourage le panthéisme, le polythéisme ainsi que les réincarnations indéfinies et les cycles infinis de l'histoire et de l'univers. Toute la tendance expérimentale contemporaine tant prônée par les Anglo-saxons s'y retrouve sans surprise puisqu'elle se fonde sur l'observation visuelle. De même, la science, reposant sur elle, est souvent considérée l'apanage de l'homme qui privilégie aussi la vue parmi tous ses sens. Ces convergences ne sont donc pas le fruit du hasard.

Du côté de l'*ouïe*, propre aux peuples sémitiques, c'est le verbe «écouter» qui domine au travers des sermons, prières, messes, hymnes ou appels divins inscrits dans les récits sacrés. N'oublions pas qu'il est souvent dit que la Bible incarne la seule biographie de Dieu. Lire les écritures prend le dessus sur la méditation ouverte à l'entendement. On comprend alors la puissance des mélopées arabes ou juives et l'enchantement des contes des mille et une nuit. Cette parole divine entendue fait appel évidemment à l'entendement qui illumine les vérités éternelles, car il est le chemin direct vers la pensée et la raison. Peu surprenant que Descartes base la certitude de toute vérité sur l'illumination, gage d'indubitabilité.

L'histoire ainsi que l'œuvre d'un dieu monolithique sera linéaire pour les Sémites avec une seule création et un seul jugement dernier prouvant l'unicité de l'être lors de sa résurrection. Bien que nous puissions lancer des appels à Dieu qui peut-être nous entendra, le fossé reste infranchissable entre le créateur et ses créatures qui ne dépendent que de leur ouïe.

Croître, apprendre et développer
Un départage conceptuel et idéologique

Remarques préliminaires

Clefs de voûte d'une sphère qui englobe la réalité cernée par l'éducation, *croître, apprendre* et *développer* se dénotent trop souvent par des mots qui souffrent de tous les maux diagnostiqués dans l'introduction de cet ouvrage. En bref, nous notions que ces trois mots sont empruntés principalement aux sciences et, au premier chef, à la psychologie. Cet emprunt est la porte d'entrée favorite des applications en éducation. Le danger est grand car popularisées par la littérature contemporaine, ces trois composantes essentielles de l'être humain se sont taillées une position privilégiée dans les systèmes pédagogiques. Leur promotion coûte cher à l'identité particulière de l'éducation lorsque les emprunteurs s'évertuent à défendre leurs applications par la force de frappe des théories scientifiques à la mode. Tour à tour empruntés à la psychologie, la biologie ou la sociologie, ces trois mots étendent indéfiniment leurs significations pour couvrir la panoplie des rôles innombrables qui leur sont dévolus (section «Éducation et psychologie»).

En fin de compte, voulant tout dire, ils ne se distinguent plus et se confondent en une masse sémantique informe. L'une des conséquences néfastes pour le professionnel que l'éducateur désire être ressort lorsque ces trois notions appuient indifféremment les options les plus diverses. Le pire survient lorsqu'elles n'appartiennent pas en propre à l'éducation, car alors elles s'interchangent au sein d'une synonymie déroutante. Résultat désastreux, les textes sont envahis d'expressions ambiguës qui dégénèrent parfois en slogans injustifiés tels «j'apprends à me développer» ou «il faut motiver l'enfant à apprendre, se développer et croître». Rien de bien méchant, nous direz-vous. Bien sûr, si en bon démocrate toutes les techniques pédagogiques sont valables également en tout temps et si chaque bonne âme bien intentionnée a droit au chapitre éducatif. Pourquoi ne pas s'improviser chirurgien ou mathématicien parce que le corps nous est cher ou les nombres nous enchantent. Distribuons largement les clés de la salle d'opération ou du hangar de simulation d'un avion en vol; seuls les intéressés objecteront et ils sont minoritaires. Nos enseignants le sont aussi.

De prime abord, l'emprunt des trois mots est flagrant lorsque ceux-ci s'accordent aux usages des sciences humaines et naturelles. Ils dénotent indifféremment la même séquence de phénomènes observables qui jalonnent l'existence d'individus. L'éducateur est en droit de s'insurger contre le sens étriqué qui leur est accordé. Il sait lui que le développement s'enrichit en éducation de dimensions humaines qui l'habilitent à remplir le rôle valorisant qui lui appartient de droit dans la progression de chaque être. Cela se réalise par le truchement de pratiques éducatives qui, à même l'énorme richesse culturelle, échappent au filtre purifiant des objectifs scientifiques. Cette dernière remarque contraste avec l'obligation pour les sciences de stipuler une terminologie formelle. Les définitions utilisées dans ce but délimitent très exactement leur sémantique relative à l'univers observé. Il s'y ajoute l'opérationnalisation nécessaire qui met en cause la panoplie d'instruments contraignants (Bachelard, 1967; D'Hainaut, 1980). Nous sommes loin de la richesse exigée par l'univers éducatif.

L'éducation, tout au contraire, échafaude directement sur le terrain avec un profond respect des nuances qualitatives. Pour certains, cela lui alloue une source heuristique dont profite son vocabulaire. Les mots enrichis à même les situations réelles ne se limitent pas *a priori*, car ils ne s'encastrent pas dans des niches formelles (Faure, 1972; Phenix, 1964; Eisner, 1982; Legendre, 1988). Sur ce point précis, les pratiques éducatives contribuent à bâtir plus qu'un vocabulaire, mais une identité professionnelle.

Il nous faut identifier les recoupements aussi bien que les points de rupture entre *croître*, *apprendre* et *se développer* afin de clarifier, singulariser et enrichir le discours éducationnel qui est supposé les distinguer. Cette tâche passe par le panorama de leurs significations, qui prennent une couleur particulière du fait que l'éducation plonge ses racines dans des décisions valorisantes dont sont dépourvus les domaines scientifiques (Leif, 1987; tableau 2 dans section II-3). Pour mettre en cause celles-ci, il faut une analyse réflexive qui s'abreuve à même les idéologies (section «Allégeance idéologique des trois notions» ci-dessous) et la pratique journalière traitée dans les deux sections suivantes.

Idées populaires sur les notions de croître, apprendre, développer

Au cours de conversations anodines, nous avons tendance à intervertir les trois mots *croître, apprendre, développer*. La cause en est simple, ils dénotent tous quelque chose qui augmente. Malheureusement pour le pédagogue peu scrupuleux, regarder cette qualité commune venue d'ailleurs, c'est l'adopter. Tout ce qui s'amplifie mérite d'être affublé sans distinction d'un des trois mots. À nouveau, les théories psychologiques ne sont pas là pour nous contrecarrer car le sens qu'elles leur attribuent le confirme. Pourtant, en leur sein, ces mots dénotent des phénomènes qui opèrent dans des univers différents; «*croître*» et «*développer*» sont souvent inspirés par la psychobiologie, alors qu'«*apprendre*» se tourne vers la neurobiologie ou les sciences cognitives. Le psychopédagogue, halant les enseignants friands de courants systémiques, choisit le PGCD «*augmenter*» directement transposé des sciences psychologiques.

Cette mauvaise habitude s'entérine par les dictionnaires qui ajoutent à la confusion. Ils se renvoient la balle sémantique, car pour eux, «la croissance est un développement graduel», «le développement se définit comme accroître progressivement» et, pour boucler la boucle, «apprendre signifie développer ou accroître une connaissance» (voir *Le grand dictionnaire Larousse, Le Robert, Dictionnaire de la langue pédagogique* et aussi *ERIC*). Cette synonymie postulée étonne peu puisque les dictionnaires sont supposés refléter les usages historiques et populaires traduits trop souvent en langue de bois.

Synthèse sémantique (préliminaire)

source	qualité	*croître*	*apprendre*	*développer*
dictionnaires	imbroglio	développement graduel	développer un X	croît progressivement
sens psychologique		◄——————— amplifier ———————►		
usages	continuité	augmenter	acquérir	enrichir
éducation	discontinuité	grandir	informer	perfectionner

À part les dictionnaires qui créent un imbroglio infernal, les usages coutumiers joignent les notions en un pont linguistique continu et peu rigoureux. En allant d'une croissance qui augmente à un apprentissage qui acquiert et un développement qui enrichit, tous se trouvent soudés, ou presque, et le discours flou en découle. Pourtant, il serait plus réaliste de prendre le virage de l'éducation à trois vitesses lors de parcours dissemblables. Enfin ajustés, on découvre la coupure entre une croissance grandissante, un apprentissage informatif et le développement personnalisé. Nous opérons, comme il se doit, dans des sphères distinctes bien qu'elles s'englobent l'une l'autre. Bien entendu, les zones grises abondent, mais pour les accrocher aux idéologies il faut trouver un moyen de les distinguer. En cerner les détails nous revient donc, ainsi d'ailleurs que de justifier l'à-propos de ces conclusions aux nombreuses et sérieuses conséquences pédagogiques.

Croître

L'analyse réflexive habituelle nous offre les détails sémantiques suivants:

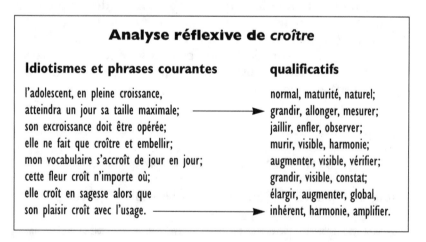

Analyse réflexive de *croître*

Idiotismes et phrases courantes	qualificatifs
l'adolescent, en pleine croissance,	normal, maturité, naturel;
atteindra un jour sa taille maximale; ⟶	grandir, allonger, mesurer;
son excroissance doit être opérée;	jaillir, enfler, observer;
elle ne fait que croître et embellir;	murir, visible, harmonie;
mon vocabulaire s'accroît de jour en jour;	augmenter, visible, vérifier;
cette fleur croît n'importe où;	grandir, visible, constat;
elle croît en sagesse alors que	élargir, augmenter, global,
son plaisir croît avec l'usage. ⟶	inhérent, harmonie, amplifier.

La clef des propriétés de *croître* nous est ainsi donnée soit au figuratif soit par la sémantique explicite du verbe. Ainsi, *croître* s'interprète à l'aide des qualificatifs augmenter, grandir, mûrir, jaillir. Un peu plus sagace, nous ajoutons les idées d'allonger et d'enfler. Puis, avec de la jugeotte, ressort l'allusion à des phénomènes visibles et même observables qui éventuellement se vérifient et, à la limite, se mesurent. De plus, *la courbe de crois- sance* est sujette à un constat physique associé à la maturation harmonieuse et homogène d'un individu. On touche là à un processus inhérent qui respecte la nature et le développement d'un être normal.

Apprendre

L'analyse réflexive est de nouveau mise à contribution:

Analyse réflexive d'*apprendre*

Idiotismes et phrases courantes	**qualificatifs**
Apprendre par cœur;	fidélité, mémoriser, copier;
apprendre le violon;	éxécuter, habileté, mouvoir;
apprendre à lire;	performer, capable, faire;
apprendre que la date est passée;	informer, enregistrer, attentif;
apprendre de source autorisée;	écouter, attentif, avec;
il n'a rien appris;	recevoir, enregistrer, à l'aide;
apprendre sans comprendre;	ignorer, montrer, attentif;
apprendre son (et en) chemin.	processus, avec, accompagner.

Parmi les qualificatifs évidents ressortent informer, faire et refaire. Plus cachés, notons la fidélité, le résultat ou la dépen- dance. À noter, la performance est un leitmotiv qui revient tou- jours à la surface et qui résulte d'une appropriation de quelque chose venant d'ailleurs. Les exemples donnés illustrent ce que la littérature sur le sujet traite comme étant de multiples types de fonctionnement mis en jeu par *apprendre* (Reboul, 1984; Adjadji, 1974; Doré, 1983). On peut les résumer par les qualificatifs sui- vants:

- **Informatif** lorsqu'on apprend que la table est servie; l'idée d'être informé par un monde externe va de soi. On sort informé, point final, sans qu'il y ait eu apprentissage avec formation ou transformation.

- **Performatif** lorsque j'apprends à jouer du violon et que je fonctionne comme un pratiquant du violon et peut, à la limite, singer l'activité. De même, «apprendre à faire un numéro de téléphone» peut se réduire à une mimique. Dans ce cas, l'habit ne fait pas le moine. La notion d'apprentissage est alors centrale à «apprendre» avec tout le savoir-faire et le pouvoir à réaliser requis. Bien que l'on soit disposé à s'éxécuter, cela ne signifie pas être performant pour autant ou, même, ne veut pas dire que la performance sera belle ou juste. Les apprentis violonistes nous le prouvent amplement.

- **Formatif** lorsque j'apprends le violon; cela m'oblige à m'activer en accord avec ce que le violon requiert. L'expérience et la compréhension dirigent ma pratique et m'autorise, éventuellement, à l'enseigner. Ainsi, j'apprends à appeler au téléphone en téléphonant ou la menuiserie en sciant. Bien sûr, cela n'entraîne pas que je serai un bon violoniste, téléphoniste ou menuisier.

- **Normatif** lorsque j'apprends comment jouer du violon et que je suis capable de décrire les gestes à poser selon certaines normes. La réalisation éventuelle avec connaissance métacognitive sera appropriée et standardisée, sans plus.

- **Explicatif** lorsque j'apprends pourquoi la voiture ne démarre pas et que je suis apte à en présenter les raisons ou à établir la chaîne causale.

- **Imitatif** lorsque j'apprends de mon maître et que je suis capable de m'éxécuter sur demande. Cela se retrouve dans les apprentissages de textes, slogans, coutumes, rituels religieux et façons de faire. Ils ne requièrent aucune réflexion, aucun engagement personnel et forment un mélange savant du normatif et du performatif.

Développer

Une analyse réflexive vient à point pour nous servir la sémantique appropriée:

Analyse réflexive de *développer*

Idiotismes et phrases courantes	qualificatifs
Je développe mon esprit, mon style, ⟶	améliorer, ouvrir, essor,
mes idées, mon thème, mon talent, mon potentiel;	enrichir, progrès, disponible;
L'enfant se développe sans accrocs;	déroule, continu, progrès;
Les pellicules se développent sur le cuir chevelu	élargir, multiplier, envahir,
et dans le laboratoire de photographie;	révéler, processus, détailler;
La manifestation se développe;	allonger, élargir, dérouler;
Sa fièvre et son rhume se développent. ⟶	évoluer, préciser, global.

Le consensus sémantique transparaît autour de révéler, améliorer, prolonger, dérouler, enrichir (Harris, 1957). À noter aussi les idées de phases, de progrès, d'équilibre, d'essor, d'adaptation, de flexibilité. Pour extirper tout le sens significatif, *développement* met aussi en jeu évoluer, organiser, intégrer, détailler, transformer, déployer, rayonner, fonctionner. Lorsqu'il s'agit d'une personne, nous entrons dans un monde sans limites où elle précise, éclaircit, réorganise, raffine, utilise, valorise, se responsabilise. Encore plus lucide, nous réalisons que *le développement* est homogène, global, cohérent, ouvert et continu. En bref, nous pénétrons avec ces phrases dans un monde où un être se développant est sujet à une appréciation louangeuse qui provoque l'opprobe universel envers ceux qui osent s'y opposer.

Usages contrastés des trois notions

De nombreux exemples pris à même la pratique langagière révèlent une nette différenciation entre les sens de *croître, apprendre* et *développer*. Lorsque ceux-ci sont mélangés en un dosage savant au sein de phrases, le contraste éclate et enclenche la pièce à thèmes qui suit:

- Elle croît en poids tout en développant un double menton qui montre qu'elle n'a pas appris sa leçon.
- Le vocabulaire croît en mots qui s'apprennent afin de développer un thème.
- On apprend que la tumeur croît au sein d'un cancer qui se développe.

- Sans développer une qualité de vie, j'apprends à accroître ma consommation.
- Je n'ai aucun mérite à croître bien que je sois content de l'avoir appris et fier du développement.
- J'apprends la vérité en développant l'argument dont les preuves s'accroissent.
- Les facultés croissent pour développer l'esprit prêt à apprendre.
- Prédisposé à croître, disposé à apprendre, j'ai le potentiel pour me développer.
- Le génie croît, le talent se développe, mais l'habileté s'apprend.
- Les instincts croissent, les habitudes s'apprennent, mais l'intelligence se développe.
- Le nez croît en apprenant à mentir et à développer un mensonge.
- J'apprends la photographie en développant les pellicules qui, en raison de la tension, croissent sur mon cuir chevelu.

Cette litanie d'exemples créés pour la circonstance, nous offre le spectacle des trois notions réunies autour de l'idée centrale d'augmenter ou d'amplifier. Pourtant, elle se différencie au fur et à mesure qu'on leur accorde des sens précis. *Croître* pousse un ensemble à s'agrandir ou à se déployer sans que ses éléments soient nécessairement liés. *Apprendre* surajoute des choses discontinues. *Développer* révèle un réseau cohésif. Méconnaître ces différences amène de fâcheux malentendus. Ainsi, une politique d'investissement serait sujette à des stratégies opposées si elle confondait la quantité dans une fortune qui croît avec la qualité d'une gestion de portefeuille qui se développe. Tandis que les gagne-petit accroissent leurs écus dans des bas de laine, les familles cossues, pour leur part, développent leurs investissements, judicieusement dispersés, sous des noms d'emprunt.

La même confusion règne lorsque les traits particuliers à la notion d'apprendre rentrent en jeu. Ainsi, le ministère de l'Éducation dans son programme préscolaire (1981) ainsi que le Conseil supérieur de l'éducation du Québec (rapport 1969-1970) ne distingue rien lorsqu'il maintient que «*se développer, c'est d'abord apprendre à se connaître soi-même, c'est apprendre à entrer en relation avec les autres et c'est aussi apprendre à interagir avec l'environnement*». L'intention apparente est d'établir à tout prix des objectifs pour le développement, qui sera ainsi soumis à des apprentissages évidents et, à tout le moins, y être réduit. Malheureusement, la finitude des phénomènes d'apprentissage forme un cul-de-sac qui contraste avec l'enrichissement ouvert et quasi perpétuel du développement. La citation fait alors figure de slogan qui affirme *ipso facto* que tout peut s'apprendre et, donc, que tout peut être un objectif évident, réalisable et maîtrisable y inclus le développement ouvert sur des horizons insondables. Peu étonnant alors qu'un élève, ayant maîtrisé des objectifs à l'aide de techniques de conditionnement béhavioral, soit capable de les singer sans les comprendre, les sentir ou les utiliser à bon escient. De fait, cet apprentissage ne l'a pas développé, et le leurre éducatif est total.

La singularité d'une personne qui se développe s'avère donc un élément primordial. Par contraste et même aux antipodes, nous devons placer les individus qui apprennent au fond tous la même chose. À cette différence assez sérieuse s'ajoutent deux arguments qui militent contre la conflation des deux notions. *Primo*, un *apprentissage* débouche sur une résultante, tandis qu'un *développement* a une signification; l'un de l'ordre des phénomènes observables et l'autre évoluant dans un univers conceptuel. Il y a possibilité de transposition, mais non de réduction. *Secundo, se développer* signifie progresser et rien nous dit que tout ce qui s'apprend fait progresser avec l'idée d'amélioration qui lui est rattachée. Les tortionnaires s'accommoderaient aisément de cette façon d'envisager leur apprentissage de la torture. Au lieu de se fixer uniquement des buts d'aveux délimités, ils développeraient en prime une qualité de vie sadico-masochiste. De fait, qui sait?

Le psychopédagogue commet ce genre de confusion quand il s'appuie sur des théories d'apprentissage pour fixer des buts au développement de l'enfant. En d'autres mots, il se dote d'instruments pour préparer l'individu à son intégration sociale qui demeure pour lui un but relativement précis. Mais, par la même occasion, il pense développer son potentiel intellectuel, qui ne tombe aucunement sous la coupe d'un but. D'ailleurs, il espère réussir dans la même foulée l'exploit de lui fait acquérir les valeurs, intuitions et habiletés nécessaires (Case, 1985, p. 385). Dans ce cas, le psychopédagogue se refuse à distinguer entre la maîtrise fermée, et même clôturée, d'apprentissages imposés et, la progression ouverte et indéfinie d'un développement libre. Ici, la description propre à la psychologie scientifique se réduit aux prescriptions pédagogiques. Nous sommes confrontés à une faute logique sérieuse identifiée à travers les siècles sous le nom *d'erreur naturaliste*. Elle maintient que ce qui est observable prend la forme de ce qui doit être prescrit et valorisé. En bref, ce n'est pas parce que quelque chose est, qu'elle doit être. L'individu a un appendice, mais doit-il l'avoir? Nombreux sont les chirurgiens qui ne font pas cette erreur naturaliste et, donc, enlève l'appendice jugé inutile en arguant que ce n'est pas parce que c'est là, qu'il faut le garder. L'abysse logique reste insurmontable et elle a été maintes fois condamnée en tant que raisonnement fallacieux (Scriven, 1976). Une synthèse conclusive s'impose: l'instructeur qui fait apprendre ne peut être confondu avec l'éducateur qui développe.

L'histoire individuelle ou plus précisément l'historique d'une personne exigée par la compréhension qui se développe ne doit pas être confondue avec la prédiction liée aux théories d'apprentissage ou l'anticipation visionnaire de la croissance. C'est pourquoi il faut rejeter le cliché, «*l'enseignant développe efficacement*». Efficacité suggère atteindre un but rapidement avec un minimum d'étapes. Le développement s'y oppose puisqu'il reste ouvert, personnalisé et orienté selon une vision globale qui fait fi de maximalisme. Toujours inachevée, la personne en développement vise un mieux en tissant sa toile de compréhension autour du réel. Tout au contraire, celle qui apprend se fragmente en parcelles séquentielles maîtrisées et soumises à des instructions techniques efficaces.

Dimensions contrastantes entre croître et développer

Les deux notions *croître* et *développer* méritent une attention particulière pour leur place centrale dans les enjeux éducatifs et, aussi, pour la confusion qu'elles génèrent lorsqu'elles sont directement empruntées aux disciplines dont l'éducation est tributaire.

Il est assez facile de les distinguer en vertu du fait qu'elles opèrent dans huit domaines dimensionnels différents. De fait, elles peuvent être polarisées selon qu'on les regarde sur les plans **quantitatif/qualitatif, séquentiel/continu, groupé/structuré, fermé/ouvert, auto-suffisant/interactif, prédisposé/disposé, neutre/valorisé** et enfin, **sémantique/pragmatique**.

En examinant soigneusement les phrases déjà bâties ci-dessus et d'autres exemples à venir, les traits particuliers aux huit dimensions contrastantes ressortent aisément. Bien qu'individuellement peu confinés à l'éducation, les attributs proposés pour *croître* et *développer* les cernent suffisamment eu égard aux activités éducatives que le pédagogue est amené à considérer. Par l'intermédiaire de notre *analyse réflexive* habituelle, nous pouvons tracer clairement les différenciations dimensionnelles suivantes:

Quantitatif *versus* qualitatif

Exemples de phrases courantes:

«le fermier agrandit (fait croître) ses terres tout en défrichant (développant) ses champs; accroître des informations ne développe pas la compréhension».

Concepts privilégiés

croître	**développer**
agrandir, augmenter,	déployer, parfaire, progresser,
mesure avec constat physique	s'amplifie, se déroule

Explication
Une *représentation mathématique* s'avère normale pour *croître*, tandis qu'un *jugement quasi subjectif* gouverne l'évaluation du *développement*.

Séquentiel *versus* continu

Exemples
«les arguments croissent pour développer la discussion;
ayant maîtrisé des techniques croissantes, je développe une stratégie;
l'insecte se métamorphose (croît), la génisse se développe en vache».

Concepts privilégiés

croître	**développer**
muer, séparer, sauter,	devenir, prolonger, engendrer,
stages, séquence, soudain	phases, médiation

Explication
Les *coupures* étapistes de *la croissance* sautent aux yeux, tandis que *le processus* du déroulement *développemental* gouverne son devenir.

Groupé *versus* structuré

Exemples
«la richesse s'accumule (croît), mais les investissements se développent;
les ingrédients se multiplient (croissent) dans un plat, sans que la recette s'améliore;
la foule croît mais la manifestation se développe;
le troupeau d'oies croît avant de se développer en formation migratoire.

Concepts privilégiés

croître	**développer**
multiplier, accumuler, succéder,	organiser, intégrer, évoluer,
amas, union, agglutiner, attrouper	fonction, hiérarchie, structure

Explication
Croître se montre par *l'ajout* d'entités contiguës sans plus, et *développer* maintient des *liens* étroits entre ses parties groupées.

Fermé *versus* ouvert

Exemples
«il atteint sa pleine croissance mais développe encore son esprit;
sa croissance s'est mal terminée en dépit du développement mental bien orienté;
sa croissance maximale contraste avec son développement optimal».

Concepts privilégiés

croître	**développer**
grandir, atteindre, finir,	s'étendre, s'ouvrir, déplier,
terminal, maturité, maximal.	adapter, indéfini, optimal.

Explication
Sans question, *la croissance* se termine un jour de par les *règles internes* qui la régisse, tandis que le *développement* se prolonge *indéfiniment.*

Autosuffisant *versus* interactif

Exemples
«sa croissance biologique innée s'oppose à son développement social;
les applications croissent d'une théorie qui se développe;
les dents croissent tandis que la dentition se développe en mâchant».

Concepts privilégiés

croître	**développer**
mûrir, éclore, jaillir,	évoluer, adapter,
	faire l'expérience de
naturel, inné, inhérent	situationnel, équilibre

Explication
Croître se *suffit* sans contrainte externe, mais *développer* résulte d'un jeu
complexe de l'être *avec son environnement*.

Prédisposition *versus* disposition

Exemples
«Il est prédisposé à grandir (croître), mais disposé à s'organiser
(développer);
son génie dort tandis que son talent se raffine;
sa force le prédispose (croît) tout en le laissant disposer de ses désirs
(développer);
une croissance latente contraste avec un potentiel développemental
sous-jacent».

Concepts privilégiés

croître	**développer**
s'épanouir, germer, produire,	cultiver, révéler, fonctionner,
virtuel, maturation, physique	aptitude, potentiel

Explication
Règle d'or de la *croissance*: elle poursuit sa route *préétablie*. Tout autre,
le *développement* se rend disponible aux *influences* jouant en cours de
route.

Neutre *versus* valorisé

Exemples
«les années s'accumulent tandis que le jugement avec les rides se développent;
ayant mesuré les performances croissantes, j'évalue la compétence développée;
les enseignements s'amoncellent (croissent) tandis que l'éducation qualifie (développe)».

Concepts privilégiés

croître
augmenter, mesurer,
indifférent, constat, ajout

développer
embellir, améliorer, évaluer,
louange, avantage, progrès

Explication
Je ne *peux pas me valoriser* en fonction de ma *croissance* qui m'est imposée, mais une certaine *fierté valorisante* me saisit lors d'un *développement* réussi.

Sémantique *versus* pragmatique

Exemples
«la fixité des instincts croissants contrecarre la souplesse de l'intelligence développée;
la dent de sagesse croissante est indépendante du goût qui se développe;
je compte ses mots croissants sans compter sur sa parole (développée);
le nez croît sans répit sur un visage qui montre son dépit (se développe);
son vocabulaire s'accroît sans développer son sens de la répartie».

Concepts privilégiés

croître
mesurer, paraître, enchaîner,
produit, récurrent, évident

développer
utiliser, personnaliser, pratiquer,
flexible, contextuel, opportun

Explication
Différence importante, *croître* requiert un des faits qui s'observent, tandis que *développer* se juge *par l'usage* de la personne impliquée (sens propre de *sémantique* (relation entre le mot et la réalité) distinguée de *pragmatique* (relation entre le mot et l'usage qu'en fait la personne impliquée).

244

Au sein des huit catégories envisagées, les notions empruntées gardent en général le sens qu'elles avaient dans les disciplines d'origine. Cela constitue un danger si l'éducateur confond toutes ces sémantiques empruntées. Pour s'en protéger, il traduira les notions qui lui semblent essentielles en leur faisant épouser des significations propres à l'éducation. Par exemple, s'il ne prête aucune attention aux usages différenciés de *croissance* et de *développement,* tels qu'exemplifiés dans les tableaux établis ci-dessus, des incohérences s'introduiront dans son discours.

Notons que *croissance* s'inscrit par tous ses attributs dans les sciences naturelles et *développement* peut aisément s'identifier en propre au sein de l'éducation. La preuve se retrouve dans les divers tableaux où la croissance est jugée observable, causale et générale avec un attachement particulier à l'espèce humaine. Tandis que le développement s'y révèle par son statut conceptuel et valorisant, auquel s'ajoute sa singularité, sa contextualisation et son évolution au sein de la personne. Le contraste s'accentue lorsque les théories universalisantes requises par la croissance s'opposent au particularisme situationnel typifiant le développement. À partir des sens que favorisent les pédagogues, il semble approprié de transposer la croissance et de traduire le développement. En particulier, ils choisiront le sens de croissance offert par les sciences naturelles qui parlent de croissance physiologique, anatomique ou biologique en vertu d'observations généralisées et fiables. Mais, par contraste, ils plongeront le développement dans l'activité éducative où il prendra les couleurs inattendues et surprenantes d'une personne agissant en fonction de ses idiosyncrasies.

Dimensions contrastantes entre apprendre et développer

Étant donnée la richesse des trois notions révélées par les analyses réflexives, une comparaison détaillée une à une s'impose. Ici, nous distinguons dans un univers purement pédagogique *apprendre* et *développer* (Foreman, 1977; Green, 1971; Meirieu, 1988):

apprendre (apport externe)	développer (contribution interne)
1. L'erreur reflète une leçon mal présentée (petites étapes pour corriger)	l'erreur reflète une mauvaise lecture de l'information (corriger par meilleur traitement)
2. Connaissance des faits; récitation résout problème	connaissance par compréhension;
3. Séquence d'exercices linéaires	organisation constructive et construite
4. Transfert par similarité des contenus	transfert par processus des fonctions cognitives
5. Mémoire opèrant par répétition	mémoire organisant et liant le connu à l'inconnu
6. Attention par plaisirs augmentés	attention par découverte d'aspects intéressants
7. Comportement produit en réponse à	conduite choisie appropriée avec variations
8. Apprendre est facilité par pratique et efforts difficiles	apprendre progresse avec réflexion sur des problèmes même faciles
9. Progrès vers un but standard spécifique	progrès par la structure des cheminements vers des objectifs personnels
10. Réadaptation: rattrapage, compensation, présente ce qui est correct et juste avec un objectif fermé.	adaptation: alternatives, progrès, présente toutes les facettes suite à des activités ouvertes.

Tableau comparatif des trois notions

À partir des analyses réflexives précédentes et des huit catégories présentées ci-dessus, nous pouvons offrir un panorama substantiel des qualificatifs qui caractérisent les notions «*croître, apprendre* et *développer*»:

croître	apprendre	développer
quantitatif	extensif	qualitatif
séquentiel	discontinu	continu
groupé	cumulé	structuré
fermé	chaîne	ouvert
autosuffisant	imposé	interactif
prédisposé	performé	disposé
neutre	positif	valorisé
sémantique	pratique	pragmatique
comparable	commun	incomparable
espèce	collectif	individuel
général	pluralisé	singulier
opérationnel	circonstanciel	existentiel

Applications critériées des huit dimensions

En vertu des trois réseaux conceptuels différenciateurs, un test commode peut peut être appliqué aux situations réelles qui se présentent.

Les huit catégories peuvent nous servir de critères pour classifier et prendre les mesures appropriées eu égard aux activités pédagogiques. *Grosso modo*, un évènement sera lié à la croissance s'il est jugé quantitatif, continu, groupé, fermé, autosuffisant, prédisposé, neutre et sémantiquement viable car identifiable. Tout au contraire, un acte éducatif sera jugé développemental s'il se qualifie par ses traits qualitatif, discontinu, structuré, ouvert, interactif, disposé, valorisé et pragmatique.

Premier exemple d'application

L'instrument critérié, fruit de l'analyse réflexive, nous autorise à envisager la portée des articles de la Loi sur la protection de la jeunesse (article 38, gouvernement du Québec, février 1979, p. 272). Cette loi déclare en introduction que la sécurité (croissance) ou le développement d'un enfant est considéré compromis si:

« - Article 1; personne ne s'occupe de l'enfant.
- Article 2; l'enfant n'est pas soigné et maintenu isolé.
- Article 3; l'enfant a un niveau de vie inférieur.
- Article 4; les comportements du gardien sont répréhensibles.
- Article 5; l'enfant ne va pas à l'école.
- Article 6; il y a abus physiques et sexuels.
- Article 7; en cas de comportements anormaux.
- Article 8; l'enfant est utilisé pour mendier, les gros travaux, les spectacles.
- Article 9; l'enfant s'enfuit du foyer».

Pour les besoins de la cause, l'analyse, qui débouche sur un jugement critériant les articles, opposera les aspects physiques et opérationnels de la croissance au caractère qualitatif et praxique du développement. À partir des huits catégories fournies ci-dessus, les articles 1, 2, 3, 6 et 7 permettent de légiférer sur les obstacles qui s'opposent à la croissance. Au contraire, les articles 4, 5, 8 et 9 portent sur les entraves au développement. Par exemple, l'article 1 renvoie, en priorité, aux aspects sécuritaires les plus tangibles et repose donc sur une sémantique dénotant la croissance; l'article 5 considère, au contraire, que ne pas suivre un régime scolaire nuit au développement.

Deuxième exemple

L'adage «*je suis trop vieux pour apprendre*» s'interprète de multiple façons, et l'inspiration nous vient de la richesse contenue dans la notion *apprendre*. L'éducateur, face à cette prolifération de sens différents attribuables à apprendre, se doit de fournir des analyses raffinées qui échappent totalement à la tâche d'un psychologue. Cela nous donne une raison de plus pour ne pas limiter en éducation le sens d'*apprendre* aux seuls usages trouvés dans les autres disciplines. Les lignes de démarcation se tirent aisément lorsque les filons de sa richesse s'étirent selon qu'on y découvre au-delà d'*apprendre*, les sens complémentaires de *croître* et de *se développer*. Il nous suffit de nuancer chaque illustration d'après les qualificatifs répartis selon l'analyse réflexive précédente.

Illustrations des usages d'*apprendre*
auxquels un éducateur est confronté

a. «*Apprendre par la vie*» repose sur l'expérience qui amène à la compréhension. En vieillissant, la résistance s'organise face aux évènements surprenants. Bref, on questionne et élimine la confiance aveugle requise par la chose présentée et apprise sur-le-champ. Progressivement, le développement personnalisé prend la relève de l'apprentissage pur et dur grâce au mérite accordé aux interactions soutenues.

b. «*Apprendre sa leçon*» me force à ne plus réagir sans réfléchir. Avec l'âge, mon réseau d'action croît et je deviens capable d'éviter l'impétuosité et de surseoir à l'impunité qui souvent accompagne l'excuse d'avoir juste appris la chose.

c. «*J'apprends avec l'âge*» indique que plus je vieillis, plus mes actions deviennent sujettes à réflexion. Tout se lie et s'interprète en s'éloignant du moi ponctuel corruptible par des apprentissages imposés. Je deviens trop vieux pour changer car en me structurant, je me développe.

d. «*J'ai appris à ne pas m'énerver*», car je ne réagis plus spontanément aux situations apprises sans les interpréter; au fond, je me développe en vertu d'une certaine dose de sagesse. Pour illustrer cette façon de voir les choses, prenons l'exemple du bébé qui semble principalement réagir dans un face-à-face et ignore les gens vus de profil. Plus tard, l'adulte nourrit les silhouettes qui se profilent d'interprétations diversifiées; les films d'épouvante le montrent bien. Les expériences d'une vie bien remplie nous amènent à ne pas nous affoler face à des évènements inattendus. Il y a là un développement multiforme qui supplante les apprentissages directs, immédiats et, fondamentalement solitaires. Le psychologue qui teste la mémoire des gens par des apprentissages déconnectés ignorent cette dimension développementale. C'est d'ailleurs pourquoi il va prendre comme sujets d'expérimentation des gens divers tels que des jeunes aussi bien que des vieux, des innocents en même temps que des roués, et ainsi de suite.

e. «*Il l'a appris jadis, c'est fort probable*» montre qu'une acquisition porte sur le prévisible et non sur le possible qui dépend plus de l'imaginaire. Pour bâtir celui-ci, les univers socioculturel et physique y inscrivent leurs limites; tels que le montrent les rêves qui le plus souvent sont réalistes. Par exemple, on rêvera que l'on marche avec les jambes, éventuellement sur les mains, mais jamais sur le cou.

Cependant, la phrase amène un paradoxe intéressant lorsqu'elle suggère qu'en vieillissant, la maîtrise du probable s'amenuise en fonction de capacités physiques qui diminuent. Il semble, donc, que l'apprentissage est mis en sourdine avec l'âge selon le dicton qui dit «si jeunesse savait et si vieillesse pouvait». En insistant sur les apprentissages tels que vus par les psychologues, on risque fort de mettre les vieux aux rancarts et de pas vouloir les rééduquer, car on évacue la possibilité d'un continuum développemental éternel. La résistance traditionnelle à l'éducation des aînés peut être attribuée à ce manque de distinction entre *apprendre* et *se développer*.

f. «*J'ai appris à me méfier*» suggère qu'il faut comprendre de quoi il s'agit avec une appréciation de la situation afin de choisir les aspects à reproduire qui vont au-delà d'un simple apprentissage. C'est pour cela qu'en vieillissant, on regarde de très près pour jauger la situation avant de se disposer à s'y mouiller ses pieds.

g. «*J'ai appris à choisir*» relève du fait important qu'on apprend toujours telle chose et non n'importe quoi ou n'importe comment. Il serait malencontreux de ne pas savoir où l'on va en cas d'apprentissages saugrenus. Le vieux singe irascible, vacciné contre les folies et auxquels on n'apprend pas à faire des grimaces, revient ici sur la sellette de nos discussions pour montrer qu'avec l'âge, valoriser prend le pas sur la neutralité et se développer prend le dessus sur apprendre.

h. «*Apprendre à agir au bon moment*» révèle que pour juger qu'une chose est apprise, il ne suffit pas de la maîtriser et de la reproduire tel qu'un psychologue se contente de tester. Il est souvent guidé en cela par des grilles comportementales et maturationnelles qui délimitent strictement les apprentissages. L'éducateur, pour sa part, exige que les apprentissages se fassent sciemment et s'éxécutent à bon escient; donc, qu'ils se développent au sein de la conscience des élèves. Par exemple, «apprendre à chanter» implique s'exécuter sur demande ou le faire dans sa douche, mais pas dans celle des autres si on est un invité respectueux du goût esthétique de ses hôtes. De même, «apprendre le chant» me forme dans les dimensions élargies du savoir et de la compréhension de la musique. Tandis que, «Apprendre comment chanter» inclut la qualité de savoir chanter correctement. C'est ce mode normatif qui le distingue des chansonnettes roucoulées instinctivement au moment des amours. Bien entendu, avec l'âge qui assagit, les moments opportuns se font plus rares et l'à propos doit mieux se juger. La raison principale vient du fait qu'exécuter physiquement une activité devient difficile et que, l'élément réaliste du *comment le faire* se remet en question avec l'âge. D'où la tendance des vieux à offrir leurs conseils plutôt qu'à servir de modèle concret.

i. «*J'ai enfin appris la bonne nouvelle*» nous amène dans la foule de connaissances acquises avec l'âge qui relativise toute nouveauté. La nouvelle sera mieux jugée vraisemblable, et sa cohérence avec notre passé donne la chance de saisir de quoi il s'agit; elle prend corps en se développant par l'entremise de nos expériences amoncelées. La jeunesse se laisse plus facilement enthousiasmer par les surprises et, trop souvent, les propagandes sloganisées qui leur paraissent révolutionnaires.

j. «*L'âge assagit*» prévient les réactions impulsives d'un corps fragilisé par sa jeunesse. Toute chose apprise sera interprétée avant même d'être essayée: le développement surveille ce qui est appris. Il est plausible de voir ici avec gratitude la jeune fille qui montre de la sagesse et une certaine maturité développementale lorsqu'elle résiste avec persistance aux suppliques du jeune homme prêt à apprendre sur le terrain et à mettre son corps à la merci d'élans pulsionnels.

Allégeance idéologique des trois notions

Dans la littérature contemporaine, deux thèses à la mode s'opposent. D'un côté, le développement est *«un ensemble de changements durables se produisant dans un organisme»* (De Landsheere, 1979). D'un autre côté, le développement s'annonce *«un processus de maturation autonome, génétiquement programmé qui présente des stades qualitatifs précis»* (De Corte et al., 1979).

Dans le premier cas, la notion est, à s'y méprendre, celle adoptée pour caractériser l'apprentissage en psychologie béhavioriste. Dans ce cas, ses antécédents sont soit liés à l'existence propre d'un individu, soit ontogéniques. Ce choix se confirme lorsqu'il est affirmé que: «les changements de comportement général résulte des interactions avec l'environnement» (Beadle, 1974), ou lorsque se développer c'est: «adopter une nouvelle réponse à une situation donnée» (Thyne, 1974). Le développement s'infère alors à partir d'observations systématiques des comportements.

Quant au second point de vue, il assimile le développement à la croissance dans une optique biologique. La position adoptée est phylogénique, car elle fait appel à un mûrissement de propriétés évidentes constituant des phases successives de l'évolution d'une espèce. Ce choix aux relents physiologiques se retrouve dans l'idée que le développement est: «un choix de caractères appropriés dans un alphabet préétabli; cet alphabet correspond au répertoire limité des capacités de réactions de chaque espèce animale aux conditions de l'environnement externe» (Young, 1987). On retrouve la même idée lorsque le développement se réduit à cinq instincts fondamentaux assurant la survie des membres d'une espèce (Warden, 1996).

À noter que dans les deux cas, la description de phénomènes manifestes prévaut et fait suite aux modifications comportementales. Ce filet psychologique béhavioriste ne retient nullement la richesse d'apprendre qui, en éducation, s'étale grâce à ses rôles explicatif, informatif, formatif et performatif (voir l'analyse d'*apprendre* ci-dessus).

L'école cognitiviste est, d'ailleurs, coupable de la même omission sémantique lorsqu'elle réduit la fonction de l'intellect à vouloir résoudre des problèmes. Dans ce cas, il suffit pour la cognition de s'instrumenter d'outils rationnels aptes à traiter l'information tels la perception, les types de mémoire et l'attention. Apprendre se réduit alors à pouvoir accomplir la tâche donnée en utilisant des procédures et techniques. Cela remplace les objectifs éducatifs visant le développement par des activités soudées à des contenus (Tabachnick, 1981). Le modèle L.S.I. (*Learning Style Inventory*) représente bien cette psychologie cognitive qui confond apprendre avec se développer. En effet, dans ce modèle les styles d'apprentissage identifiés comme des formes de pensée divergente, assimilatrice, convergente et accommodatrice permettent de développer des apprentis atteignant les niveaux performatif, formatif, explicatif et informatif d'apprendre. Ainsi, un artiste qui performe parce qu'il a appris à faire quelque chose, se réduit à un individu informé qui apprend que la chose existe.

En mettant de l'avant une croissance qui développe, la littérature psychobiologique commet la même bévue. Elle nous offre un semblant d'explication développementale. Selon le psychologue maturationniste Gesell, la croissance chemine du processus morphogénique à l'adaptation de l'organisme à son milieu et ensuite au modelage des enfants soumis à une structure qui évolue (Gesell, 1952, 1956 et 1971). Entre l'ontogénie et la phylogénie, le va-et-vient est infernal et le départage entre la dominance héréditaire et les acquis contingents n'est jamais effectué (Voyer, 1988).

Montrant leur totale adhésion aux théories psychobiologiques, de nombreux pédagogues affirmeront qu'il faut promouvoir le développement responsable et spontané ou, qu'il n'y a de croissance que par l'autonomie. Une cohabitation de l'inné et de l'acquis y est maintenue grâce à la complicité d'un jeu subtil entre les facteurs internes et les influences externes. Cet appel simultané est dangereux dans un mode éducatif qui est par essence prescriptif. De plus, l'évolution marquée par des étapes préétablies contredit leur autre position qui maintient l'influence des facteurs environnementaux. Les impératifs naturels sont alors assujettis aux velléités d'un milieu à jamais changeant. Ce paradoxe découle de positions simultanément intenables. On y sent un grand danger de totale confusion pour les enfants que le pédagoque veut développer à l'aide de trois ressources différentes: leur être biologique inné, leur bagage psychologique hérité et les apports sociaux acquis.

Les exemples abondent dans cette ivresse à tout fusionner. Certains font jaillir les forces internes aussi bien de l'instinct moral que des pulsions physiques. Bruner (1960) n'en est pas exempt puisque, pour lui, la croissance intellectuelle dépend des structures innées tandis que le développement représentationnel progresse grâce aux fonctions acquises de l'environnement social (Bruner, 1960). L'hydre pousse des têtes pour servir toutes les causes. Le même usage ambigu se retrouve dans les lexiques où le développement intellectuel explique la croissance psychique (Coudray, 1973, p. 28) et dans ceux où les facteurs biologiques produisent le développement mental séquentiel uniforme (Mottet, 1975, p. 38). L'un réduit développement à croissance tandis que le second opère la réduction inverse.

En ajoutant la dimension physique aux facteurs psychobiologiques, le pédagogue accentue la crise d'identité. Sa maîtrise terminologique se trouve dans les mains des spécialistes auxquels il emprunte ses idées théoriques. Ce n'est pas lui, aux prises avec une prescription éducative, qui la baptisera développement, apprentissage ou croissance, mais ses contributeurs. Étant confrontées à des troubles de développement physique, les anomalies seront diagnostiquées à l'aide d'une courbe de croissance standardisée d'ordre anatomique ou physiologique. Toute évolution normale verra l'âge en fonction des poids, taille, dentition et périmètres thoracique ou crânien. Grâce à ces référents, les éléments psychomoteurs ressortent pour indiquer au pédagogue des paramètres développementaux qui, comble de malheur, sont prescriptifs, tels l'heure des premiers pas, des balbutiements vocaux ou de la propreté corporelle.

Fait paradoxal, les traits référentiels s'accordent un statut héréditaire bien que la famille soit mise de côté. Ainsi, on verra la taille, mise sous tutelle génétique, considérée plus «naturelle» que le poids trop individualisé. Le vocabulaire à la mode se soumet aux origines anatomiques lorsqu'il déclare la croissance de la taille incontrôlable, mais le poids apte à se développer par la gymnastique.

L'insistance psychobiologique à introduire des phases qui servent à décrire ou des stades qui expliquent, se trouve déviée en psychologie développementale vers l'émergence innovatrice. Celle-ci favorise, au moins, une continuité intégrative plus appropriée à l'éducation. Deux avenues s'ouvrent alors au psychopédagogue qui les écoute religieusement. La première, fidèle aux sciences, applique les théories bâties autour des courbes de croissance. Il s'en inspirera, par exemple, dans ses cours de musique afin de se soumettre à l'évolution instinctive de la vocalisation. Avec la seconde, il empruntera les études sur le développement de la maîtrise langagière dans une société donnée. À la place d'une chronologie fixe empruntée à l'espèce, il envisagera pour chaque personne des faisceaux d'interactions avec le milieu où toute stimulation devient un défi pour une meilleure intégration (Danset, 1983). Néanmoins, ce sont encore les psychologues qui décident pour l'éducateur son droit à utiliser les mots qu'ils considèrent appropriés dans des activités de développement, de croissance ou d'apprentissage. Il n'est jamais maître chez lui.

L'idéologie romantique et le besoin de croître

L'éducateur qui se veut professionnel et être reconnu comme tel communique ses idées sans ambiguités et défend ses thèses avec précision. Au premier chef, il va remédier à la confusion sémantique et, pour ce faire, le choix stratégique des concepts centraux qui articulent le discours de l'éducation s'avère crucial. Parmi ceux-ci ressortent les trois notions *croître, apprendre* et *développer* qui jalonnent chaque tournant des cheminements pédagogiques. Malheureusement, l'éducateur se trouve contré dans cet effort par son allégeance psychobiologique éventuelle qui donne une place centrale à la croissance. Pour les courants pédagogiques qui y souscrivent, l'organisme crée une union symbiotique entre l'être et l'environnement. L'un d'eux influence fortement l'école québécoise si l'on en croit ses actes de foi: «*grâce au dynamisme de croissance, mue par l'énergie vitale, l'être se réalise dans le développement de ses potentialités*» (*L'activité éducative, rapport 1969-1970*, Conseil supérieur de l'éducation du Québec). Ici se dessine une idéologie qui se ramasse en trois principes:

a. en accordant l'autonomie à un être humain, on favorise son éclosion naturelle;
b. l'aide propice d'un enseignant favorise l'éclosion des qualités intimes propre à l'être humain;

c. l'enseignant recherche le mûrissement maximal à partir du potentiel inné que l'être possède à sa naissance.

En se référant à l'autonomie, au potentiel et aux qualités intimes, l'être dans toute sa plénitude domine à travers l'humanisme naturaliste. Aussi, en parlant d'éclosion, de mûrissement, d'inné et de naturel, on implique la croissance organique (Ricoeur, 1971; Bachelard, 1971).

Toutes ses composantes nous plongent dans une idéologie aux racines historiques anciennes qui a foi dans le jaillissement naturel. À son plus fort, cette vision se retrouve dans les écoles Waldorf ancrées dans l'anthroposophisme de Rudolf Steiner (1861-1925) aux origines mésopotamiennes vieilles de 5000 ans. On y prône un principe d'harmonie et de rythme naturel qui résulte en des conséquences pédagogiques surprenantes. Ainsi, le mouvement sera favorisé en classe puisqu'il révèle la vie intérieure par l'eurythmie et la poésie; le jeu riche des chiffres remplacera l'apprentissage de la lecture puisqu'ils reflètent la structure de l'univers; l'étude des fleurs aux couleurs naturelles supplantera les arts plastiques; la caresse des formes donnera l'intuition de la perfection humaine, surtout à travers l'œuf. Des réminiscences curieuses se font jour eu égard aux idées publicisées du peintre inspiré Salvador Dali qui, la rumeur le disait, remplissait sa Roll-Royce d'œufs et de choux-fleurs afin de maintenir un contact actif avec les forces vives de l'univers!

Pestalozzi, adepte fervent de J.-J. Rousseau, fut aussi inspiré par la jouissance naturelle qu'il traduisit dans une pédagogie qui «repose sur le rapport et l'harmonie entre ce qu'il s'agit d'imprimer dans l'esprit de l'enfant et le degré précis du développement de sa force» (Pestalozzi, 1804, p. 34). Pour les adhérents contemporains de J.-J. Rousseau, les qualités d'une vie germinent dès l'enfance et, pour épicer l'affaire, le fœtus indique déjà la maturité à venir. La fabuleuse métaphore horticole s'inscrit ici à l'égard de l'enfant qui s'épanouit, telle une fleur, afin d'actualiser ce qui dort en lui.

L'école libérera alors les ressources internes par la créativité, la spontanéité, l'éveil des facultés innées et le jaillissement des structures de l'intelligence (Conseil supérieur de l'éducation du Québec, rapport 1969-1970). De plus, si l'ambiance y est propice et le maître s'y prête, l'intelligence innée créatrice guidera l'enfant dans la bonne direction. Pour bonne mesure, les objectifs scolaires devront être ressentis par l'enfant afin de s'insérer dans les programmes. Le potentiel et les prédispositions, mis de l'avant, s'unissent au sein d'une œuvre naturelle. L'option organique les actualise en une conscience du moi et une vision du monde qui s'authentifient grâce aux expériences. Divorcée des influences sociales, cette pédagogie dote l'être de traits louables puisque naturels et, par là, se targue de représenter une tradition humaniste. De surcroît, elle pense éclairer le mystère de la personne humaine qui baigne au sein d'intuitions illuminatrices et se réalise à l'aide d'images positives d'un moi fait de foi, d'amour et d'initiatives spontanées (Angers, 1971, p. 45). Les pensées augustinienne, thomiste et rousseauiste renaissent très vivaces dans ces pédagogies contemporaines.

En accentuant l'énergie vitale accompagnée de prédispositions biologiques, le pédagogue naturaliste impose la primauté de la croissance sur tout développement. Les humanistes transcendentaux américains du XIXᵉ siècle ne s'y trompaient pas puisqu'ils soumettaient chaque être au plan préétabli qu'il ressentait intimement. Ainsi, pour D. Thoreau et W. Emerson, l'enseignant, devinant la maturation à venir, prépare le milieu afin de favoriser les conduites propres à la nature de chaque étudiant. Il s'assure des moments fructueux en écoutant les pleurs, les cris, les rires, les gloussements de joie qui trahissent les prédispositions. Son rôle se réduit à faire accepter ce que le milieu offre à l'enfant qui y est prêt.

Préformiste, cet humanisme approuve le mûrissement et par là annonce le maturationnisme contemporain des psychologues Gesell et Maslow. Pour eux, les séquences biologiques se reflètent fidèlement dans l'évolution psychologique. Des plans instinctifs imposent un programme préétabli. En tant qu'exemple probant, Gesell soumet les traits psychologiques aux séquences morphogénétiques héréditaires (Gesell, 1952, 1956 et 1971). Il facilite sa tâche en traitant tout caractère observé comme autant d'exemples de la fonction du somatotype individuel. Ainsi, l'endomorphe au physique gras et spongieux s'associe à un être sociable et affectueux; le mésomorphe fort et musclé s'annonce assertif et impulsif; l'ectomorphe fragile et fluet explique sa sociabilité et sa sensibilité. À l'instar de ses prédécesseurs dans la même école de pensée, H. Spencer (1820-1903) et S. Hall (1844-1924), Gesell s'empresse d'appuyer l'orthogénie (développement harmonieux et correct) qui force une évolution des êtres par différenciation descendante et centrifuge des membres allant de la bouche, aux bras, tronc, doigts et jusqu'aux orteils. Après ce périple, ils peuvent enfin rester debout et devenir intelligent. Nous sentons en vertu de ces traditions psychobiologiques combien il est aisé pour les généticiens contemporains d'extrapoler à partir de leurs toutes récentes découvertes (1997 à 2000), y inclus celle du génome, afin d'expliquer tout le psychisme humain. Nous en avons cité maints exemples au premier chapitre dans la section traitant du romantisme.

Il est difficile d'entrevoir en quoi les desseins mystérieux de l'évolution naturelle, auxquels chaque être s'asservit, épousent son bien-être individuel librement choisi. L'humanisme naturaliste retrouve ici son terrain de prédilection (Rousseau, 1964; Jung, 1964; Wynne, 1963). En effet, en prônant toutes les propriétés émergentes pour en faire des qualités, il vénère le mystère humain sous toutes ses formes et, à ce titre, voit dans la croissance *développée* un chemin à ne point entraver puisqu'il donne jour aux desseins cachés de l'univers. Cette pédagogie organique, ouverte aux tendances naturelles, restera à l'affût des vertus désirables. Ce choix peut cependant paraître arbitraire pour les moralistes sourcilleux. Ainsi, lorsque Pierre Angers revendique l'élan d'amour d'un enfant pris par sa spontanéité, il unit le naturel et le désirable en soumettant le développement à la croissance (Angers, 1971).

Le cumul des fonctions est entier pour le naturaliste, car les contraintes du devenir sont proportionnelles à l'étendue des prédispositions. Plus celles-ci contrôlent les formes jaillissantes, plus l'être s'avère indépendant du milieu. De fait, il s'oriente sans faute vers une perfection humaine dont il semble avoir la prémonition (Broudy, 1961).

La notion de *prédisposition* annonce le pont terminologique inévitable entre la *croissance* qui la structure et le *développement* qu'elle structure. L'innéisme leibnizien fait surface puisque l'être se préforme dans une capsule qui miroite toutes les réalités à venir.

Bien entendu, on retrouve l'erreur naturaliste citée plus haut. En effet, les partisans de cette idéologie valorisent avec conviction tout ce qui est préformé et, par la même occasion, annonce que cela est comme cela doit être. Jean-Jacques Rousseau fut coupable de ce péché lorsqu'il voyait et prônait d'une même voix les prescriptions calvinistes envers l'honnêteté, la vertu, la curiosité et l'autodiscipline (Rousseau, 1960, 1964).

Les tendances psychobiologiques modernes accentuent cette imposition de conditions organiques sur les prescriptions éducationnelles. Il n'est donc pas étonnant que les automatismes physiologiques soient le médium attitré pour faire ressortir les troubles de croissance de nos élèves. On indiquera dans ce cas la puberté précoce ou tardive, le rachitisme, les troubles endocriniens amenant gigantisme ou nanisme. Quant à la croissance normale, elle s'identifie par des étapes immuables que l'enfant franchit lorsqu'il obtient ses dents à six mois, s'essaye à marcher autour de douze mois et gazouille vers les dix-huit mois. La psychologie expérimentale de l'enfance y voit l'expression d'une union intime de la croissance individuelle avec l'évolution propre à l'espèce; autrement dit, elle maintient indissolubles les liens entre l'ontogénie et la phylogénie. L'évidence est, bien entendu, que toute fonction s'enracine dans les tendances de l'espèce avant d'être déraillée par des incidents comportementaux. Dans ce cas, observer les écarts de croissance permet d'évaluer factuellement une sorte de développement qui, il faut bien l'avouer, échappe aux choix éducationnels.

Pour illustrer ce dernier dilemme, Haeckel propose, dans une veine phylogénique, des étapes évolutives de l'individu. Celles-ci, inspirées par la loi des trois états du positiviste Auguste Comte, forcent une vérification du développement par l'entremise nécessaire de la croissance (Danset, 1983, p. 43). Pour Haeckel, l'embryon réalise la phase aquatique; le bébé se comporte comme un singe jusqu'à quatre ans; l'enfant agit tel un néanderthalien et enfin l'adolescent se socialise en tant que citoyen d'une cité antique. Il vibrera ensuite selon les élans passionnels de l'ère romantique. Les pédagogues contemporains de Haeckel ont suivi fidèlement ces étapes dans leur programme scolaire. La leçon est d'importance pour ceux qui soumettent leur éducation aux psychologues, biologistes ou sociologues de tous bords.

Il est d'ailleurs facile de se laisser leurrer par ces droits de préemption scientifique. Ainsi, les troubles du développement physique supplanteront les problèmes psychiques et on parlera de croissance affaiblie face au puérilisme ou aux névroses.

La multitude de questionnaires qui circulent auprès des enseignants reflètent le fait que les directives scolaires ont été puisées dans les besoins naturels, qui eux sont automatiquement louables. Les besoins font ressortir, lorsqu'ils se multiplient à l'infini, le paradoxe de la double allégeance des enseignants envers la croissance et le développement. Le plus souvent, ils affirment dans un même souffle qu'il faut favoriser les penchants normaux d'un élève tout en maintenant qu'il s'agit aussi de compenser les aberrations de ce même élève sujet à des pulsions imprévisibles. C'est là que devraient se ressentir avec effroi les applications directes de théories psychologiques ou psychobiologiques telles que celles de Freud, Gesell, Maslow ou Erickson. L'argument dominant qui provoque cet effroi touche à la croissance, qui oriente normalement sur un sentier connu et qu'il ne faut pas confondre avec le développement ouvert vers un devenir inconnu et diffus.

Encore plus significatif, l'acteur-pédagogue, aux attentes initialement anticipatrices, semble alors réduit au rôle de spectateur-animateur aux interventions guère plus déterminantes qu'une couveuse protectrice. Ainsi le veut Jean-Jacques Rousseau nous assurant que «*sans contredit on prend des notions bien plus claires et plus sûres des choses qu'on apprend ainsi de soi-même, que de celles qu'on tient des enseignements d'autrui*» (Rousseau, 1964, p. 127).

Admiratrices inconditionnelles de la nature, les pédagogies organiques, naturalistes et humanistes se confondent lorsqu'elles admettent cette même nature comme directrice de conscience. Elles lui accordent, dans un esprit panthéiste, la mainmise sur leurs décisions. En se soumettant ainsi à la nature, ces pédagogies ne semblent faire preuve d'aucun parti pris (H. Broudy, 1961, ch. 3). Cette conclusion est erronée puisque la réalité sousjacente aux évènements qu'elles choisissent est sujette à autant d'interprétations qu'il y a d'observateurs pédagogues et donc, ne se soumet pas à leur idéologie naturaliste. En effet, seule l'une de ces interprétations emprunte le chemin de la croissance par laquelle la pédagogie organique occupe le territoire pédagogique. Par conséquent, elle limite l'étendue de ses actions aux régularités nécessitées par cette même croissance. Le dilemme, parfois vu comme un avantage, présenté par une théorie psychologique ou biologique qui se pourvoit de la croissance, est d'enfermer l'interprétation d'une réalité donnée dans le carcan formel de ses définitions et de ne plus être à l'écoute des situations ponctuelles propres à l'éducation (Turner, 1967; Bunge, 1967; Granger, 1967; Cummins, 1983).

L'idéologie culturaliste et l'obligation d'apprendre

Au sein d'une société fixant des normes, apprendre remplit des limites qui en dépendent directement. Son rôle n'est point gratuit, car il est mis en jeu chez un individu qui vit au sein d'un société, d'une culture, d'une civilisation et qui doit inéluctablement s'y insérer. Tout processus qui lui est affilié assurera, par conséquent, l'acquisition, la rétention et éventuellement la reproduction fidèle. Les messages en provenance du monde ambiant seront ingurgités sans qu'il y ait eu gestation préliminaire, et ce, pour assurer la concordance des vues. Pour réussir, apprendre s'effectue donc lorsque la pensée se porte sur des choses qui se réalisent dans un monde contemporain tout en gardant des attaches avec le passé commun aux apprentis. Ce qui est appris aujourd'hui et la même chose apprise il y a quelques siècles auront de fortes similitudes en dépit des transformations subies par les apprenants. De fait, cette idéologie n'a que faire de réinterprétations herméneutiques qui se plient aux situations contextuelles d'époque. En bref, le conformisme est inhérent à l'acte d'apprendre lui-même, et il est vain d'espérer une totale liberté à cet égard. L'étudiant ne peut et, qu'il le veuille ou non, n'acquiert aucunement ce qui lui plaît; il est soumis à la censure pernicieuse du monde qui l'entoure. Notons, pour défendre ce monde imposé, qu'il garantit une certaine cohésion et protège la vraisemblance nécessaire à ce qui est appris. D'où l'importance donnée à l'imitation qui, tout au long de la scolarité, assure une certaine fidélité et impose le moule au sein duquel la masse des étudiants se socialise.

Autre retombée intéressante, toute ambition d'acquisitions techniques et performantes est strictement contrôlée par le milieu socioculturel. Ce biais s'immisce dans les corrections immédiates imposées au débutant, disons en lecture, par un enseignant, qui joue ici son rôle de maître, anxieux de lui faire apprendre comment s'exprimer *correctement*. Par contraste, il laissera l'expert terminer *sa récitation* puisqu'il lui accordera le bénéfice du doute quant aux performances langagières acceptables. D'autant plus qu'en tant qu'expert, le maître sait qu'il est accrédité officiellement à gérer les faits ou les conduites dont l'interprétation, entre ses mains, est publique et non personnalisée.

N'oublions pas que le but final de l'apprentissage sert, dans les mains du maître, à critérier et à juger de la progression du processus en marche chez son élève (D'Hainaut, 1980). Ce maître ne se satisfait pas d'une simple transformation de l'individu qui peut évoluer vers autre chose, il s'assure que telle chose précise est apprise et intégrée. Cette chose se façonne opérationnellement en tant qu'objectifs programmés (Birzea, 1979). Il prend en ligne de compte les moments critiques pour éviter d'être mal compris par des mauvaises réponses ou des réponses surprenantes, tout en favorisant les bonnes réponses reflétant la viabilité des étapes de l'apprentissage (Le Ny, 1967; Skinner, 1968).

Les conceptions courantes recouvrant la notion d'*apprendre* offrent cette vision d'une société et d'une culture qui s'immiscent à tout moment dans le processus d'acquisition (Alain, 1969). Ainsi, apprendre se voit comme une capacité à retenir des informations ou à résoudre des problèmes (Mehler, 1974). Les deux éléments se retrouvent souvent liés: «*un apprentissage s'effectue quand un individu prend de l'information dans son environnement en fonction d'un projet personnel*» (Meirieu, 1988, p. 12). Point significatif, le contraire d'être informé, sous la forme de l'ignorance, choque et est anathème dans une société bâtie nécessairement sur la communication. D'où le tabou imposé au silence qu'on ne peut tolérer eu égard à la socialisation maintenue. Cela contraste avec les traditions où le silence était jadis valeur prenante de la relation entre humains et forme, d'ailleurs, un composé nostalgique de l'ambiance rurale. En milieu urbain, on s'inquiètera de ne pas être envahi par les bruits habituels et on demandera au voisin d'aller voir d'où vient un silence soudain qui nous surprend.

Mis à l'avant-scène des projets scolaires contemporains, le besoin de communiquer reflète un souci social prédominant. Il se traduit immanquablement par l'exigence d'informer. Encore plus envahissant, l'obsession de l'information va gouverner aussi bien les modèles cognitifs que ceux plus spécifiquement pédagogiques (Huteau, 1985; Not, 1987; Brief, 1989).

En insistant sur la valeur primordiale de l'information, l'individu se retrouve avec une somme énorme de croyances discontinues qui se soudent peu en un savoir cohérent (voir section «Croire et savoir»). Pourtant, toutes les réformes scolaires parlent de savoirs beaucoup plus que de croyances dont, d'ailleurs, elles se méfient en vertu de leur biais démocratique.

Œuvrant donc à contre-courant vis-à-vis de l'éducation, les médias de communication se chargent sans fausse pudeur de fournir un amas d'informations auquel souvent un public friand et servil se soumet. L'image médiatique gagne de l'importance sous prétexte qu'elle dispense les ingrédients nécessaires à une communication efficace. À ceci s'ajoute le souci d'utilité et de service à la communauté qui colore l'information reçue, fidèlement reproduite et donc apprise et crue. On sent ici l'adage souvent réitéré par les journalistes que le public a besoin d'être informé et qu'aucune censure ne peut entraver la diffusion des nouvelles. De plus, ce même souci d'utilité sociale est mis de l'avant lorsqu'il oriente l'informateur dans la direction de problèmes et de leurs résolutions. Cette utilité devient un outil pour gérer l'information fournie par la société. Ainsi, résoudre se ramène à traiter l'information en s'assurant qu'elle est perçue, mémorisée, retenue, codée, recouverte et à laquelle une attention particulière est portée afin de la rendre pertinente (Fodor, 1983). Dans un glissement idéologique imperceptible, la cognition n'est plus l'unité développementale prioritairement fonctionnelle et créative; elle est devenue instrument de gestion socioculturelle.

L'idéologie progressiviste et la fonction du développement

Aussi bien sur le plan physique que psychique, l'introduction du mot *développement* insère dans le discours de l'éducation une référence à des ensembles d'activités interactives où se fait jour l'adaptation fonctionnelle de la personne. Au lieu de savoir qui s'appuie sur la cognition, on pointe le besoin d'un pouvoir agir qui s'ajuste grâce au savoir-faire (Leif, 1987).

L'être se trouve alors valorisé par ses accomplissements. L'idée de progrès transparaît au sein de cet ajustement graduel qui se démarque nettement de la séquence de plans distincts caractérisant la croissance. En louant le développement, on prime les diverses structures organisées et emboîtées, et ce, parce qu'elles annoncent des formes émergentes de nouvelles fonctions. Par exemple, le développement intellectuel sera perçu comme un cheminement vers la pensée abstraite sous l'emprise de représentations culturellement acceptables (Barth, 1987). Les fonctions transformantes se développent pour Jérome Bruner afin d'élargir la sphère des connaissances qu'une personne va gérer (Bruner, 1960). Tout au contraire des structures organisatrices, qui font partie des prédispositions innées, sont signes de croissance psychique (Bruner, Goodnow et Austin, 1956).

John Dewey, quelque peu différent, lie la richesse intellectuelle à l'activité interactive presque débridée (Dewey, 1968). Pour ce grand philosophe de l'éducation, une pensée adaptée se développe petit à petit en autant qu'elle questionne par ses actions le milieu ambiant afin de lui donner un sens. L'interaction perpétuelle engendre des connaissances escomptées puis confirmées. Pour ce pragmatiste, la personne s'améliore au fur et à mesure que les conséquences de ses actions tissent un faisceau arborescent de significations. De fait, elle enrichit sa vie mentale en construisant progressivement la réalité par ses actions sur le monde. Ainsi, un appui ne deviendra une table que lorsque l'on peut écrire ou manger dessus et que, ce faisant, on lui donne un sens par nos actions. En bref, le développement demeure dépendant de la vie active et parallèle à celle-ci.

L'un des aspects les plus attirants de cette vision du développement apparaît lorsque les changements sont perçus comme irréversibles et unidirectionnels. Pour ce faire, ils indiquent des phases qui s'enchaînent progressivement tout en s'engendrant par création perpétuelle et émergence originale. Par conséquent, bien que l'on puisse décroître dans le sens coutumier d'un flétrissement, il est inconcevable de *se dé-développer* sous peine de détruire toute la réalité conçue et la personnalité construite au long d'une vie. La gestuelle, si tant est qu'elle est encore possible, trahira l'adaptation au monde. Même dans le cas des malades d'Alzeimer, ce n'est pas un ravalement du développement que l'on constate, mais une perte de mémoire et de contrôle mental qui équivalent parfois aux disparitions de la personnalité et de la conscience du sens des choses. La personne identifiée grâce à son développement s'est évanouie; ce qui est offre une autre interprétation de la naissance et de la disparition caractérielle d'une personne. Le magicien n'inverse pas le développement d'une personne, il l'anéantit. Le point relevé se traduit par l'idée naïve que: «la vieillesse amène une décroissance de presque toutes les facultés» (Gauquelin *et al.*, 1971, p.174). Ceci n'exclut pas la marche perpétuelle du développement. Prenons l'exemple du personnage biblique Mathusalem qui, ayant vécu 900 ans, s'est arrêté de croître normalement, mais s'est développé durant tout ce laps de temps. Pour éviter les jalousies du commun des mortels, aux dernières nouvelles des textes sumériens, ce serait sa lignée qui fit preuve de longévité.

Pour revenir au filon central, n'oublions pas que la croissance obéit à des normes qui indiquent les étapes à maîtriser vers des buts finals préétablis. Par contraste, le développement se continue indéfiniment et sans point terminal. En d'autres termes, on peut affirmer que la croissance se veut ultimement maximale tandis que le développement est en tout temps optimal.

Contribution à un lexique éducationnel

La clef idéologique pour l'enseignant qui se doit et se veut de contrôler son vocabulaire professionnel se forge dans le creuset des décisions éclairées à prendre. Sans aucun doute, décider constitue son pain quotidien et campe le personnage qu'il assume jour après jour. Ce qui l'entoure s'imbibe donc de sens et de valeurs. Les mots-clef en sont les témoins et les cerner dirige le regard vers la pédagogie appropriée qu'il doit s'approprier. Trois principes gouvernent cet enseignant qui veut, avant tout, être professionnel lors de ses décisions: il agit délibérément; il prend ses responsabilités en prescrivant ce qu'il juge désirable; il choisit soigneusement la fonction stratégique qu'il va jouer auprès de ses étudiants.

N'oublions pas que son choix est gouverné par le cheminement qu'il entend entreprendre lorsqu'il veut les aider à croître, apprendre ou se développer. De là l'importance donnée jusqu'ici aux éclairages multiples dont bénéficient ces notions à travers la littérature. Premier rayon de lumière, la rupture entre elles est factice puisque l'enseignant envisage normalement ses rôles d'intervenant, d'instructeur, d'enseignant, de formateur et d'éducateur selon une courbe continue qui forme une sorte de spirale éducative. Sans qu'il y ait grand choix, l'étudiant se qualifie en grimpant ces cinq échelons. Rappelons que les plates-formes qui leur donnent accès et les supportent tout à la fois furent bâties au cours des premier et deuxième chapitres. Grâce à la pensée critique, elles s'identifient grâce aux trois idéologies romantique, culturaliste et progressiviste. Au fond, ce sont trois faisceaux additionnels qui englobent dans leur éclairage respectif croître, apprendre et se développer. Il nous reste dans cette section à compléter *le tableau 3* qui conclut le deuxième chapitre et à orienter le cercle lumineux vers l'idéologie convenant à l'une des trois notions qu'elle devrait privilégier.

L'œuvre qu'envisage l'enseignant le distancie du travail d'un psychologue, sociologue ou biologiste. Ces derniers sont contraints par leurs théories respectives à une neutralité de bon aloi, car des évènements, phénomènes et relations causales ou corrélations garantissent leur objectivité. Ces éléments précèdent sans la pénétrer la sphère des valeurs normatives et praxiques qui imbibent l'éducateur (voir le livre incisif de K. Egan, 1983).

Les allégeances idéologiques contrastées ci-dessus indiquent le choix possible entre les rôles à jouer par l'enseignant. Pour les réaliser, il devra avoir à sa disposition des discours distincts avec leurs vocabulaires respectifs. Ce travail passe par un effort de professionnalisation crucial auquel nous tentons de contribuer. Au centre de cet effort, le bris sémantique à établir entre *croître, apprendre* et *développer* demeure une partie intégrale de cette distinction terminologique qui débouche éventuellement sur un lexique éducationnel. Bien entendu, cette tentative axée sur une transposition sémiotique appropriée à l'éducation respectera les usages courants et les terminologies pluridisciplinaires dont elle s'inspire et dont nous avons déjà inscrit quelques balises.

Il s'agit, dans un premier temps, de raffiner le sens des mots pour en tirer un usage uniforme, puis de le gonfler des acceptions éducationnelles qui reflètent la richesse propre aux dimensions humaines.

En accord avec les éléments d'analyse apportés jusqu'ici, certains qualificatifs nous autorisent à les insérer directement dans le discours de l'éducation:

- croître s'observe en tant que phénomène aux propriétés vérifiables et standardisées;

- apprendre se reconnaît par une performance et une pratique qui se reproduit avec un modicum de fidélité relativisée par une enveloppe socio-culturelle qui marque l'à-propos de son exécution;

- développer s'imagine en tant que concept qui s'enrichit de significations au fur et à mesure de son usage personnalisé dans des contextes singuliers.

Au sein du domaine de l'éducation, ces bribes d'éclaircissement nous amènent aux idées suivantes: la notion *croître* reste relativement étriquée, car limitée par la réalité qu'elle recouvre; la notion *apprendre* paraît ambiguë, car elle se réduit souvent à de pures observations comportementales, mais aussi s'agrandit jusqu'à inclure la sphère cognitive de l'imitation et de la modélisation enracinées dans des couches informationnelles; la notion *développer* s'élabore lentement au gré des conceptions qu'elle suggère lorsque divorcée de toute observation directe.

Notons qu'il est plausible d'admettre que l'éducation, tributaire des sciences naturelles et humaines, transpose le terme *croissance* sans perte ni ajout de significations en autant qu'est maintenue la référence aux mêmes phénomènes. Ainsi que démontré dans les textes précédents, l'idéologie naturaliste maintient cette transposition de faits évidents révélant l'évolution des êtres humains et, donc, garde l'usage étendu de *croître* dans son discours.

Il en est tout autrement pour *développer* qui subit une traduction au sein de l'éducation afin d'enrichir sa sémantique de références aux activités proprement humaines.

Malheureusement ou heureusement, le mot *apprendre* a le privilège de se mettre à toutes les sauces éducationnelles, car il implique les performances et la pensée qui les dirige. On peut à la limite admettre qu'il sert d'intermédiaire entre les deux autres notions puisque *croître* est lié au monde phénoménal et *développer* opère dans la sphère conceptuelle (Mazet et al., 1988).

En adoptant l'approche opérationnelle de l'analyse réflexive, nous sommes capables maintenant de conclure que seul *croître* a une sémantique assez fiable pour être viable à travers les divers domaines qui l'utilisent. Pour sa part, *développer* émerge au sein d'un réseau conceptuel qui est soumis aux singularités d'usages multiformes. Il a le vague à l'âme, car il adopte les couleurs sémantiques dessinées par les lieux, personnes et valeurs qu'il nous échoit de découvrir. Il s'ensuit que *développer* obtient une signification éducationnelle très distinctive en passant par le crible d'une pragmatique. À l'encontre de *croître, développer* hérite peu de dénotations stipulées par une sémantique dépendante de théories. *Apprendre,* quant à lui, vit un malaise car il vire d'un bord à l'autre en se juchant sur les promontoires performatifs et cognitifs. Au fond, il opère dans un déséquilibre constant puisqu'il se retrouve entre deux chaises. En effet, au sein des sciences de l'éducation, il est solidaire des théories d'apprentissage élaborées en psychologie et, donc, s'habilite à des fonctions de normalisation. Cependant, pour le pédagogue pur et dur, il obtient une résonance plus personnalisée en éducation, car, celui-ci en contact direct avec ses étudiants et donc à l'écoute de leur passé socioculturel, va sculpter *apprendre* avec l'à propos de la chose apprise et, donc, le contextualisera.

En résumé:
- croître est normal, général et, dans son acception courante, inévitable;
- développer est personnel, contextuel et relatif.

Étant donné que les attaches de ces notions avec les disciplines contributrices restent vivaces dans la littérature, on trouve souvent un usage interchangeable entre les mots *croître* et *croissance* et aussi, entre se *développer* et *développement*. Ces considérations nous forcent à reconnaître une attache privilégiée de *croissance* à des théories scientifiques qui identifient une séquence de phénomènes lui servant de sémantique. Pourvu que le pédagogue s'en inspire pour observer ou comparer ses élèves vus comme des individus, il l'inscrira dans la terminologie propre à une science de l'éducation.

Tout au contraire, sa dépendance praxéologique et idéologique fait de *développement* un concept qui acquiert toute sa richesse dans l'univers élargi de l'éducation. Bien entendu, il est, dans ce cas, lié à la personne conçue comme étant éducable et à éduquer; donc à développer et non à faire croître.

En bref, il est plausible d'affirmer que réduit à une croissance, qui est standardisée et normalisante, le développement perd tout son potentiel créatif et personnalisé en faveur d'un terre-à-terre stérile car inéluctable. À l'inverse, ramener croissance à développement, transforme le phénomène obser-vable en un concept imaginé avec pour conséquence que le réel se trouve transcendé en idéal.

Montrer en quoi les attributs choisis ci-dessus caractérisent pédagogiquement la croissance et le développement semble opportun. Le développement est personnalisé du fait qu'il est unique, caractériel, enrichissant, continu et incommensurable. À l'inverse, la croissance se normalise dans un individu parce qu'elle est séquentielle, impersonnelle et comparable.

D'une manière curieuse, un point de vue andragogique accentue encore plus la distinction. En parlant d'un adulte, on ne songe plus à lui faire grimper les marches de sa croissance, car il atteint un plateau lié à sa courbe de croissance. De ce plateau, il est supposé se développer par des phases qui lui permettent de progresser au niveau de son engagement, de sa qualité de vie et de son identité. Quant aux influences biologiques, elles s'estompent chez l'adulte avec l'ignorance de sa courbe de croissance qui ne semble plus pertinente. Enfin libéré des entraves physiologiques, il se voue à son éducation. Pour l'andragogue, le signal est clair et il va s'occuper beaucoup plus des attributs sociaux et des dimensions valorisables liées au libre arbitre.

Ces remarques font ressortir les idiosyncrasies du développement personnel où l'enfant est vu en devenir constant avec un futur ouvert tous azimuts. L'adulte, au contraire, ayant atteint une certaine maturité, la prend comme piste de départ pour se forger dorénavant des cycles de vie qualitativement enrichissants, grâce auxquels il se construit une histoire personnalisée. Un adage courant y fait allusion en admettant que le vieillard ne se projette plus vers ce qu'il va accomplir, mais se penche plutôt sur ce qu'il a déjà fait. Cela constitue à la limite un critère personnel de vieillissement avec en sus le radotage qui se profile à l'horizon.

Notons que le développement est relatif et, par conséquent, qu'il dépend des milieux qui entourent la personne. Le travail pédagogique se fera donc à l'aide d'équilibres successifs où les expériences adaptées sont optimalisées. Justifier un développement de la personne consiste donc à expliquer son adaptation aux différents milieux auxquels elle est confrontée. D'emblée, l'insuffisance d'une pure description phénoménale ressort. Une vision conceptuelle du développement est préférable puisque celui-ci ne s'observe pas.

La croissance est solidement ancrée dans les phénomènes manifestes. Ils forment des étapes et déterminent une séquence normale pour l'individu qui se trouve alors indifférenciable. Ce recours à l'observation se fait également sentir lors des examens de cas anormaux qui, par exemple, vont s'appesantir sur leur atrophie ou hypertrophie évidente. Cette obstination à ne regarder que ce qui se voit devient hantise chez l'homme-éléphant. La tragédie naît de ce que seule sa croissance est visible et sujette aux quolibets tandis que son développement, invisible à l'œil nu, s'ignore sans culpabilité. La valeur d'un être ne vient pas de ses excroissances, mais de ce qu'il en fait ou de ce qu'il fait en dépit d'elles.

La croissance s'observe en termes qui, bien que concrets, sont imperméables aux conditions locales. Elle est composée de segments séparés qui existent indépendamment les uns des autres. On retrouve l'idée en botanique et en biologie où, lorsqu'un corps est examiné, la multiplication quantitative d'excroissances suggère une croissance fructueuse, tandis que la ramification organisée des éléments fait penser à un développement qualitatif. Ce trait est transposé en pédagogie organique sous la forme d'un souci à toujours garder l'œil sur la normalité de chaque facette d'un enfant en n'oubliant pas qu'elle doit bourgeonner et se multiplier. Pour l'éducateur, la description causale de la multiplication fera place lorsqu'il s'occupe du développement à l'explication des maillons harmonisés et organisés vers une certaine finalité.

Parmi les différences entre les deux concepts, notées antérieurement, la contextualité du développement s'oppose à l'universalisme de la croissance. Plus précisément, il était fait allusion à la dépendance situationnelle de l'un qui contraste avec le dirigisme préétabli de l'autre. D'un côté, le contexte introduit flexibilité et imprévisibilité; de l'autre côté, l'hérédité impose ses règles qui forment un corset rigide.

Différence notoire, l'adaptation développementale fonctionne dans le possible tandis que les contraintes permanentes de la croissance introduisent la prédiction attachée à ce qui est probable. Ce sont, d'ailleurs, les évènements récurrents qui autorisent l'observation de la croissance et, en fin de compte, sa mesure. À l'inverse, le progrès développemental est unique et, donc, imprévisible. Implicitement demeure l'idée, toujours présente, d'une dépendance renouvelée envers des milieux changeants. La seule façon de comprendre le progrès qui s'immisce dans le développement est de faire appel à une idéologie qui présente les visées louables vers lesquelles il semble se diriger. En cela, la croissance normale, étant inexorable, ne couche pas dans le même lit sémantique. De plus, le développement s'annonce sujet à des interprétations variées où domine la dimension axiologique. Par là, le rôle de l'éducation prévaut tout en évacuant tout apport des disciplines contributrices. Signe distinctif, l'éducation juge et prescrit les finalités auxquelles va s'astreindre le développement. Les autres disciplines n'ont aucun droit de regard sur cette dimension intimement humaine.

En transposant en éducation les notions *croître* et *développer*, l'emprunteur essayera d'évacuer leur sens dans les théories d'origine. Il libère du même coup leurs définitions qui les inscrivaient dans une terminologie scientifique. Redevenus des mots ordinaires, leur diffusion sémantique suit le flux des nouveaux évènements. Il s'ensuit, par manque de prudence, une énorme disparité des interprétations offertes par la littérature pédagogique contemporaine qui utilise ces deux notions coupées de leurs amarres d'origine. La faute ne leur incombe pas totalement, puisqu'on peut faire dire un peu n'importe quoi aux mots et que les dialecticiens critiqueux abondent. Bien intentionnés, les pédagogues qui avancent une position parfaitement plausible la retrouvent alors dénaturée. Face au formalisme sémantique des scientifiques, ils sont désavantagés et l'on devrait leur accorder le bénéfice du doute. Malheureusement, dans le discours éducationnel flou et ambigu qui leur échoit, ils prêtent flan à une critique recourant à des bons mots faciles ou à une liberté stylistique vide de substance.

L'analyse présentée jusqu'ici s'oppose à cet éparpillement sémantique, source de contradictions et de confusions. Elle tente d'établir des lignes directrices qui, à défaut d'enclaves théoriques précises, contraignent les deux mots à réintégrer une lexicographie avalisée par des critères éducationnels. En accord avec le travail de défrichement entrepris, *croître* se limite sémantiquement au domaine des phénomènes traités par les théories psychologiques et psychobiologiques qui s'appliquent en sciences de l'éducation. Quant à *développer*, l'insertion s'opère dans un discours conceptualisé et valorisé par l'action éducative elle-même. La croissance, qui indique l'espèce humaine plus que l'individu, se qualifie propre aux sciences de l'éducation par son côté observable, causal et général. Le développement, évoluant au sein de la personne singulière, prend de droit sa fonction éducative par son statut conceptuel, contextuel et valorisant. Le contraste frappe lorsque les théories universalisantes qui soutiennent la croissance s'opposent au particularisme situationnel typifiant le développement.

À nouveau s'impose pour l'éducateur l'obligation de traduire *développement* et de transposer directement l'idée de *croissance*. En particulier, il utilisera des méthodes générales et fiables pour traiter l'enfant croissant, sujet à pleine évolution arborescente. Toutefois, il imaginera son action éducative à travers un kaléidoscope aux visions surprenantes afin de développer sa personnalité aux prises avec ses idiosyncrasies. N'oublions pas qu'ici l'éducateur prend des décisions par lesquelles il engage sa responsabilité. Ce qui n'est pas forcément vrai lorsque obnubilé par la croissance il n'a pas à décider ou la liberté de s'engager. Tout au plus, les étapes de la croissance lui serviront de balises instrumentales qui devront être prescrites auparavant par une finalité développementale. Rappelons l'exemple illustratif du deuil qui croît normalement de la négation, colère, négociation, dépression et à l'acceptation. Le psychopédagogue suivra ces cinq étapes tandis que l'éducateur les empruntera pour développer l'empathie, l'altruisme ou toute autre qualité désirable.

Le panorama terminologique se complète avec apprendre, grand favori des théories psychologiques, mais aussi point central de l'activité éducative.

Pertinent pour le pédagogue, apprendre, qui se retrouve dans «apprendre le piano» et «apprendre à jouer du violon», doit être réalisable avec une forte dose de probabilité. Sa présence dans «apprendre que le piano est brisé», révèle son côté vraisemblable qui le rend possible. Bien entendu, *apprendre* met en cause alors des faits qu'il faut croire vrai et certainement ne pas savoir faux. C'est-à-dire, admettre que les chats ont trois têtes et sept pattes, demeure à tout jamais hypothétique, car on ne peut prétendre l'avoir appris puisqu'on on ne peut réalistement pas y croire. Pour être apprise et non simplement mémorisée, une phrase doit nous fournir des informations crédibles et apporter quelque chose de valable; en bref, être crue vraisemblable. Toute phrase incompréhensible sera mémorisée en autant que nous croyons qu'elle s'utilise dans une langue étrangère; on peut alors dire que nous l'apprenons.

Toutes ces remarques indiquent les singularités qui typifient *apprendre* dans la sphère éducationnelle. Par contraste, les théories psychologiques exigent beaucoup moins ainsi que le démontrent les tests de mémoire axés sur l'apprentissage de syllabes sans aucun sens et hors contexte.

D'autres aspects propres au concept *apprendre* le colorent au sein de projets éducatifs, sans impressionner outre mesure les psychologues. Ainsi, «apprendre le chemin de l'école» signifie qu'il est vraisemblable qu'emprunter ce chemin nous mènera à l'école parce que, effectivement, c'est le chemin de l'école. Cependant, cela ne veut pas dire que nous croyons qu'en marchant nous allons nous rendre à l'école; preuve en est que le chemin des écoliers débouche souvent sur l'école buissonnière. Légèrement différent, mais instructif sur le plan pédagogique, «apprendre que les cigarettes tuent» implique que l'on croit qu'elles tuent sans pour cela que ce soit vrai. Cette distinction fondamentale devrait faire réfléchir les éducateurs qui s'évertuent à contrecarrer cette mauvaise habitude. De plus, cela éclaire partiellement la recrudescence des jeunes fumeurs attirés par la tête de mort imprimée sur les paquets de cigarette. Le mode explicatif exacerbe la subtilité de cet exemple puisque, pareillement, en «apprenant pourquoi les raisins sont verts», je me rends capable de le prouver, de le comprendre sans pour cela en être certain. C'est ce qu'exprime le proverbe qui y fait allusion.

Pour récapituler, *apprendre que* plonge ses racines dans l'être psychologique avec toutes ses croyances et ses attitudes, souvent imposées par une instruction. Différent, *apprendre le ou à* s'insère dans la sphère épistémologique d'un élève amené à prendre connaissance des procédures. Il ressort de ces discussions, aux implications pédagogiques sérieuses, qu'*apprendre* est de près ou de loin lié à une question de vérité des connaissances qui engage l'éducateur dans une discussion épistémologique s'ajoutant à de simples mémorisations soumises aux théories d'apprentissage. Par conséquent, l'idée d'interpréter reste centrale à l'acquisition consciente du savoir. Par exemple, recevoir des informations zoologiques ou astronomiques devraient toujours lier le mammouth à sa nourriture ou aux fossilisations et, regarder le soleil brûlant mettra en jeu non seulement son réchauffement, mais aussi le focus des ellipses planétaires écrites dans le cosmos.

Le sens étroit d'*apprendre*, considéré par les psychologues, cerne les idées de processus, produit, restructuration avec modification neurologique ou comportementale. En gros, il se définit comme «un processus dans l'organisme qui s'infère à partir de modifications des conduites obéissant à des critères de performance et liées à une pratique» (Stones, 1973). Les mots-clefs qui imposent cette vision néo-béhavioriste se retrouvent dans la littérature pégagogique qui parle de motiver, récompenser, exercer, activer, changer, rendre attentif, acquérir et maîtriser (Hosford, 1973).

Cette option scientifique prise sur *apprendre* introduit un malentendu troublant, car ces modifications comportementales peuvent aussi bien être le fruit de la fatigue, de la maladie ou de la maturation. L'éducateur impliqué dans les expériences pratiques sera à même de divorcer de l'exercice d'apprendre les performances qui l'accompagnent. Contrairement au psychologue qui l'y réduit.

Pour ce dernier, le sujet fatigué et, donc, performant avec plus ou moins d'aise, aura quand même appris la même chose. Les nuances contextuelles lui importent peu d'autant qu'elles n'entrent pas dans les statistiques du groupe d'apprentis. Cela dérange, car apprendre en éducation dépend du contexte socio-culturel mis en jeu par l'à-propos compris par l'élève qui est mis au courant (Petrie, 1982; Phillips, 1975). La vision de la conduite humaine vue par les éducateurs diffère de bien des façons du comportement observé par le psychologue. La reproduction fidèle est supplantée par l'acte qui défie toute prédiction (Egan, 1983, p. 134). Cependant, il reste assez d'éléments cousins pour que les apprentissages gouvernés par des théories psychologiques s'allient en éducation aux manières d'apprendre personnalisées (Not, 1979).

La reproduction des performances essentielles au concept psychologique *apprendre* interdit certains usages biscornus propres à l'éducation. Ainsi, pour un éducateur, la sagesse développée tout au long de sa vie l'autorise à maintenir qu'on peut apprendre à mourir ou à vieillir bien que ces évènements soient, aux dernières nouvelles, uniques et peu reproduisibles; ce qui les évacue des expérimentations psychologiques. Bien entendu, la nature anonyme des apprentissages reproduits ne permet pas au psychologue de parler de mon action très personnelle de mourir.

Si nous retenons la version orthodoxe psychologique du mot *apprendre*, il nous faudra rejeter: «apprendre à se connaître» ou «apprendre à créer». Ces activités se gèrent au sein d'expériences uniques, subjectives et personnelles. Elles échappent donc à la mainmise des psychopédagogues enclins à adopter des objectifs standardisés au sein d'une programmation modularisée. Il faut chercher ailleurs que dans le béhaviorisme, les soutiens idéologiques pour les maintenir; d'ailleurs, ce sont les naturalistes qui s'en glorifient.

Un autre aspect, malheureusement dédaigné par le psychologue, touche à l'importance qu'il faut accorder à ce que l'on apprend. C'est ce facteur essentiel reconnu par l'éducateur qui va l'étonner lorsqu'il observe un individu s'époumonant à imiter la respiration grimaçante d'un poisson vivant paisiblement dans son aquarium. Bien que vain, il pardonnera l'exercice chez un enfant qui apprend à faire toutes sortes de chose et ainsi, révèle sa soif de découvrir ses limites. Avec l'âge, un adulte se retire dans «apprendre par expérience» ou «apprendre sa leçon» qui agissent comme filtres de sagesse vis-à-vis de ce qu'il est important d'acquérir. Les idiots savants et les spécialistes du jeu de quelques arpents de pièges (*Trivial Pursuit*) sont immunisés contre le défi des choses importantes à savoir.

L'analyse réflexive poursuivie antérieurement (section «Apprendre») notait qu'apprendre évolue de la simple réceptivité, rétention et performance répétée à une participation active au sein du psychisme humain (George, 1983). Il s'y mêle dans ce dernier cas, plus proprement éducationnel, toute la panoplie des images, croyances, choses saisies. Argument clef à l'appui, apprendre devient percevoir en vertu du passé et acquérir de manière circonspecte. Une sorte «d'apprendre à apprendre» s'impose par le poids des ans, qui sélectionne ce qui vaut le coup d'être retenu. Par exemple, dès la plus tendre enfance, le bébé réagit à un visage plutôt qu'à un profil. Au-delà des progrès perceptuels, il a appris qu'un univers plus riche s'offre de face et donc qu'il est préférable et plus fructueux de se situer face-à-face. Plus tard, sous les pressions culturelles, regarder droit dans les yeux marque l'impertinence et *zieuter* directement est découragé; surtout dans les cultures asiatiques.

L'éducateur se soucie de faire apprendre à bon escient et, ne peut admettre que tel un psycholoque, une performance acquise se produise à vide, dans le silence d'une gratuité dédaigneuse révélant le comportement inopportun. L'apprentissage des bonnes manières illustre cette obligation d'être à propos.

En autant que les évènements contemporains varient constamment et souvent sans rime ni raison, leur apprentissage s'effectue instantanément dans l'heure qui vient et même l'heure présente. Peu de surprise à ce que les parents aient du mal à s'entendre avec leurs enfants, puisque ce qu'ils ont appris trace une frontière, trop souvent creusée comme un fossé qui devient le canyon des coupures et des incompréhensions entre générations.

Il est plausible d'imaginer que les remparts entourant l'école protège celle-ci d'une évolution trop rapide de la société liée aux technologies galopantes. Sans cette séparation entre le monde scolaire et le monde tout court, cette évolution couperait les vagues d'écoliers en tronçons se succédant à une vitesse effrénée et incapables de se rejoindre. On peut imaginer un autre rôle important à donner à la scolarisation; elle étend la vie culturelle des élèves au-delà du monde contemporain saisi par une expansion accélérée. En jouant avec cette idée, il est facile d'envisager qu'une idéologie axée sur les apprentissages encourage des cassures nettes entre non seulement les générations, mais les civilisations. Là se situent peut-être les rituels initiatiques imposés aux élèves qui forcent la survie des traditions pour ralentir la révolution par les comportements hâtivement acquis. Ceux-ci, tributaires des dernières trouvailles techniques, coupent les jeunes, attachés à leurs calculateurs et ordinateurs, de leurs parents éduqués dans la poussière des ardoises.

En poussant le paradoxe, il est aisé de croire que le vieillard qui apprend moins le doit, non seulement à ses incapacités physiques, mais aussi à ses expériences accumulées. Il se rend capable ainsi de rejoindre les générations passées et futures ce dont est incapable le jeune lancé éperdument dans ses apprentissages momentanés. Coupé de son passé et indifférent envers l'avenir, il a déjà fractionné son identité, qu'il mettra longtemps à recoller.

Bibliographie

Adjadji, L. (1974). «Réflexions sur le concept et la démarche d'apprentissage» in *Cahiers de l'enfance inadaptée, v. 193-194.*

Alain (1969). *Propos sur l'éducation.* Paris: PUF.

Angers, P. (1971). *Opération départ.* Québec: MEQ.

Bachelard, G. (1971). *Poétique de la rêverie.* Paris: PUF.

Bachelard, G. (1967). *La formation de l'esprit scientifique.* Paris: Vrin.

Barth, B.M. (1987). *L'apprentissage de l'abstraction.* Paris: Retz.

Bartholy, M. (1978). *Philosophie critique et épistémologie.* Paris: Magnard.

Beadle, M. (1974). *A Child's Mind.* N.Y.: Aronson.

Brief, J.C. (1989). «L'ordinateur et le développement de la pensée» in G. Fortier, éd., *Ordinateur, enseignement et apprentissage.* Montréal: Logiques.

Birzea, C. (1979). *Rendre opérationnels les objectifs pédagogiques.* Paris: PUF.

Broudy, H. (1961), *Building a Philosophy of Education.* N.Y.: Prentice-Hall.

Bruner, J. (1960). *The process of education.* Cambridge, Mass.: Harvard Un. Pr.

Bruner, J., Goodnow, J., Austin, G. (1956). *A Study of Thinking.* N.Y.: Wiley.

Bunge, M. (1967). *Foundation of Physics.* N.Y.: Springer Verlag.

Case, R. (1985). *Intellectual Development: Birth to Adulthood.* N.Y.: Academic Pr.

Coudray, L. (1973). *Lexique des sciences de l'éducation.* Paris: ESF.

Cummins, R. (1983). *The Nature of Psychological Explanation.* Cambridge: MIT Pr.

Danset, A. (1983). *Psychologie du développement.* Paris: A. Colin.

Dewey, J. (1968). *Expérience et éducation.* Paris: A. Colin.

Doré, F.Y. (1983). *L'apprentissage: une approche psycho-éthologique.* Montréal: Chenelière et Stanké.

De Corte, E. et al. (1979). *Les fondements de l'action didactique.* Bruxelles: Boeck.

De Landsheere, G. (1979). *Dictionnaire de l'évaluation et de la recherche en éducation.* Paris: PUF.

D'Hainaut, L. (1980). *Des fins aux objectifs de l'éducation.* Paris: Nathan.

Egan, K. (1983). *Psychologie and education.* N.Y.: TCP.

Eisner, E. (1982). *Cognition and Curriculum.* N.Y.: Longman.

Faure, E. (1972). *Apprendre à être.* Paris: UNESCO: Fayard.

Fodor, J.A. (1983). *The Modularity of Mind.* Cambridge, Mass.: MIT Pr.

Foreman, G. (1977). *The Child's Construction of Knowledge.* Belmont, CA: Wadsworth.

Gaarder, J. (1995). *Le monde de Sophie.* Paris: éd. du Seuil.

Gauquelin, M. et al. (1971). *La psychologie moderne de a à z.* Paris: Centre d'étude de la lecture.

Gauthier, C. (1993). *Tranches de savoir.* Montréal: Logiques.

George, C. (1983). *Apprendre par l'action.* Paris: PUF.

Gesell, A. (1952). *Infant development: the embryology of early human behavior.* N.Y.: Harper & Row.

Gesell, A. (1956). *Youth, the Years from ten to sixteen.* N.Y.: Harper.

Gesell, A. (1971). *Studies in Child Development.* Westport, Conn.: Greenwood Pr.

Giordan, A. et al. (1994). *Conceptions et connaissances.* Berne: Peter Lang.

Granger, G.G. (1967). *Pensée formelle et sciences de l'homme.* Paris: Aubier.

Green, M. (1984). *Landscape of Learning.* N.Y.: TCP.

Green, T. (1971). *The Activities of Teaching.* N.Y.: McGraw Hill.

Harris, D.D. (1957). *The Concept of Development.* Minneapolis: Univ. Minneapolis Pr..

Hosford, P. (1973). *An Instructional Theory: A Beginning.* N.Y.: Prentice-Hall.

Huteau, M. (1985). *Les conceptions cognitives de la personnalité.* Paris: PUF.

Jung, C. (1964). *Dialectique du Moi et de l'inconscient.* Paris: Gallimard.

Legendre, R. (1988). *Dictionnaire actuel de l'éducation*. Paris: Larousse.

Leif, J., (1967). *Croyance et connaissance: savoir et pouvoir*. Paris: ESF.

Le Ny, J.F. (1967). *Apprentissage et activités psychologiques*. Paris: PUF.

Levinson, S.C. (1985). *Pragmatic*. London: Cambridge Un. Pr.

Mazet, P., Lebovici, S. (eds) (1988). *Penser = Apprendre*. Paris: Eshel.

Mehler, J. (1974). «A propos du développement cognitif» in E. Morin et M. Piattelli-Palmarani (éds.), *L'unité de l'homme*. Paris: éd. du Seuil.

Meirieu, P. (1988). *Apprendre... oui mais comment*. Paris: ESF.

Not, L. (1979). *Les pédagogies de la connaissance*. Paris: Privat.

Not, L. (1987). *Enseigner et faire apprendre*. Toulouse: Privat.

Perry, W. (1981). «Cognitive and ethical growth: the making of meaning» in *The Modern American College*. (Chickering. eds); San Francisco: Josey-Bass.

Pestalozzi, J. (1985). *Comment Gertrude instruit ses enfants*. Paris: Castella.

Petrie, R. (1982). *The Dilemma of Inquiry and Learning*. Chicago: Un. Chicago Pr.

Phenix, P.H (1964). *Realms of Meaning*. N.Y.: McGraw-Hill.

Phillips, D.C. (1975). «Development» in *Harvard Educational Review, 45-3*.

Reboul, O. (1984). *La rhétorique*. Paris: PUF.

Ricoeur, P. (1971). *Le volontaire et l'involontaire*. Paris: Aubier.

Rousseau, J.J. (1960). *Julie ou la nouvelle Héloise*. Paris: Garnier.

Rousseau, J.J. (1964). *L'Émile*. Paris: Garnier.

Scriven, M. (1976). *Reasoning*. N.Y.: McGraw Hill.

Skinner, B.F. (1968). *La révolution scientifique de l'enseignement*. Bruxelles: Dessart.

Stones (1973). *Introduction à la psychopédagogie*. Paris: éd. ouvrières.

Tabachnick, B.R. (1981). *Studying Teaching and Learning*. N.Y.: Praeger.

Thyne, J. (1974). *Psychologie de l'apprentissage et techniques d'enseignement.* Paris: Delachaux.

Turner, M.B. (1967). *Psychology and the Philosophy of Science.* N.Y.: Appleton.

Voyer, P. (1988). *Psychologie actuelle et développement de l'enfant.* Paris: ESF.

Wynne, J. (1963). *Theories of Education.* N.Y.: Harper.

Warden, P. (1996). *Historical Encyclopedia of School Psychology.* Westport: Greenwood.

Young, J. Z. (1987). *Philosophy and the Brain.* Oxford: Oxford Un. Pr.

CONCLUSION
De l'enfant à l'adulte:
une histoire conceptuelle et stratégique

Dans l'analyse critique du chapitre II s'infiltrait une vérité plausible et méritoire: «*l'enseignement amène un enfant à l'état d'adulte*». Grâce aux éclaircissements subséquents, elle devint une problématique qui devrait interpeller chaque enseignant. Tout au long du chapitre, nous posions des balises aptes à résoudre cette problématique. Elles prirent ensuite la forme d'une question plus pointue: «*pour amener un enfant à devenir un adulte, que dois-je faire?*».

Le *tableau I* et la *matrice A* montrent clairement la vision qu'un enseignant a de l'enfant et de l'adulte. Ils apportent des éléments de réponse très diversifiés à la question posée. Ensuite, l'**analyse critique** examine de près la structure. L'**analyse réflexive**, quant à elle, spécifie ses sémantiques substantielles qui débouchent sur six cheminements éducatifs privilégiés par le monde scolaire (*matrice E*). Toutefois, en fonction des projets de société éventuels, le potentiel pour les erreurs d'aiguillage reste évident comme le montre la matrice F ci-dessous.

Matrice F   Panoplie des cheminements possibles

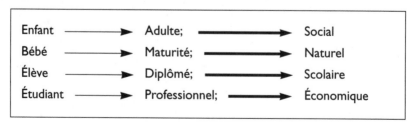

La façon de concevoir le chemin à parcourir subdivisé selon la matrice F dépend des convictions profondes de l'enseignant. Globalement, la littérature éducationnelle réfère à trois grandes enveloppes idéologiques dont découle la quasi totalité des pédagogies. On peut, comme l'a montré le deuxième chapitre, y retrouver aussi les disciplines et les positions philosophiques qui les soutiennent.

En d'autres termes, tout enseignant adoptera vis-à-vis de l'enfant et de l'adulte une **option idéologique** qu'il appuiera, s'il veut être cohérent, sur une **position philosophique**, un **champ disciplinaire** et un **courant éducationnel**.

Spécifiquement, l'enfant aussi bien que l'adulte se réduisent au sein de la vision romantique à l'idée «*d'être*»; au sein de la vision culturaliste à l'idée «*d'individu*» et au sein de la vision progressiviste à l'idée de «*personne*». En fonction de la **pensée critique** posée sur les trois idéologies proposées dans le chapitre I, on peut facilement tirer des conséquences pédagogiques résumées par les idées que l'être sera formé, l'individu doit être informé et la personne mérite d'être transformée. Des stratégies élémentaires à considérer ressortent aussi des matrices appropriées, car on s'aperçoit que, pour être formé, il faut s'exprimer; pour être informé, il faut écouter et que pour être transformé, il faut communiquer.

Sur cette base assez simple, le système pédagogique à bâtir se complique lorsque *la matrice C* est mise à contribution. À l'intérieur de chaque idéologie, l'enfant et l'adulte empruntent des statuts scientifiques, philosophiques et éducationnels que l'enseignant doit respecter. Pour ce faire, il doit prendre en ligne de compte ses observations factuelles, ses analyses rationnelles, ses jugements culturels et ses pratiques personnelles. Il doit donc pour former, informer et transformer son élève s'assurer de rester ·opérationnel, stratégique, normatif et fonctionnel (matrice C, rangées 4, 6 et 12).

L'enseignant, inspiré par les analyses réflexives synthétisées dans les matrices du deuxième chapitre, s'offre le luxe d'interpréter l'enfant et l'adulte selon des optiques qui se soumettent à la science, à la philosophie, à l'idéologie et à l'éducation (*matrice C*). Elles s'inscrivent dans des discours parallèles qui obéissent à des interprétations de l'esprit humain gouvernées respectivement par la description de champs, la conceptualisation de positions, la valorisation d'options et la personnalisation de courants (*tableau 3*). Rien qu'à l'aide des différences conceptuelles évidentes entre champs, positions, options et courants, la distinction entre ces discours devrait frapper les esprits friands de regarder l'enfant et l'adulte sous des angles fortement contrastés.

La méthodologie propre aux problématiques se trouve ainsi respectée puisque ayant posé **le pour quoi** lié à ce que je veux faire valoir, je vais chercher le **pourquoi** dans les idéologies lui signifiant son importance pour en tirer ensuite le **comment** lié aux stratégies pédagogiques.

Le périple introduit par la question, «*est-ce qu'enseigner amène un enfant à l'état d'adulte*», se poursuit à travers les chemins pédagogiques (section «Croître, apprendre et développer»). Ceux-ci contrastent enseigner à intervenir, instruire, former et éduquer. La *matrice D*, plus nette encore, remet en cause la cohérence de la question posée. Non seulement, ces analyses sont très exigeantes car elles demandent que l'enseignant décide de quel enfant il s'agit, mais aussi quel adulte il propose. Pour choisir une stratégie pédagogique, un choix préalable s'impose parmi les trois statuts possibles: être, individu ou personne et parmi les quatre enveloppes: scientifique, philosophique, idéologique et éducationnelle. N'oublions pas que ces enveloppes se lient fermement avec savoir, penser, agir et décider, selon l'importance que l'enseignant leur accorde. Les stratégies tracées par les cheminements éducatifs de *la matrice E* en font ample état lorsqu'elles suggèrent l'explication par des guides (romantisme de l'être), la démonstration par des directives (culturalisme de l'individu) ou la responsabilisation par des stratégies personnalisées (progressivisme de la personne).

On peut donc conclure que dans la mesure où un enseignant veut servir de guide qui explique à un enfant qu'il considère être naturellement capable de le comprendre, son enseignement amènera ce dernier à devenir un adulte. Sans ces prémisses assez restrictives, la problématique devra être reformulée pour éviter les contradictions et les fausses routes pédagogiques.

La récapitulation poursuivie jusqu'à présent démontre l'utilité heuristique de **l'analyse réflexive** qui met en jeu non seulement la culture et les connaissances, mais beaucoup plus pertinent en éducation, fait remonter à la surface l'expérience accumulée au fil des ans. Par là, elle transcende les recettes toutes faites, les emprunts fidèles aux autres disciplines et, bien entendu, les applications trop livresques de théories à la mode. Elle évite le rabâchage des slogans, clichés et autres trivialités exprimées dans une langue de bois. Son travail se personnalise en faisant appel à l'esprit lucide et sagace des personnes directement impliquées. Une sorte de sagesse expérientielle se cristallise par le choix des concepts, thèses et phrases courantes qui incluent les idiotismes et, par là, **l'analyse réflexive** met à contribution l'esprit inventif et l'imaginaire.

Ensuite, la sélection des qualificatifs propres au concept analysé qui apparaît dans chaque phrase révèle des avenues fructueuses et des stratégies judicieuses à mettre à l'essai. Sans l'usage de l'analyse réflexive, la construction détaillée des matrices seraient impensable. Toutefois, son apport crucial demeure l'expérience professionnelle amenée au grand jour, de gré ou de force, par la construction des réseaux conceptuels et des cheminements éducatifs personnalisés qui en découlent. **L'analyse réflexive** se révèle ainsi un instrument éducationnel plus pertinent et plus sensible aux réalités ponctuelles que les analyses qualitatives et quantitatives favorisées par l'esprit scientifique. Nous avons, enfin, entre les mains un instrument de découverte et d'approfondissement qui épouse les formes contextuelles de l'œuvre d'un éducateur.

Imprimé au Canada